ANNE PERRY

Esclavos de una obsesión

punto de lectura

Título: Esclavos de una obsesión
Título original: *Slaves of Obsession*
Traducción: Borja Folch

Barquillo, 21. 28004 Madrid (España) www.puntodelectura.com

ISBN: 84-663-1184-X
Depósito legal: B-35.662-2003
Impreso en España – Printed in Spain

Diseño de colección: Ignacio Ballesteros

Impreso por Litografía Rosés, S. A.

ANNE PERRY

Esclavos de una obsesión

Traducción de Borja Folch

A Moreen, James y Nesta, née *MacDonald,*
por su amistad

1

—Estamos invitados a cenar con el señor y la señora Alberton —dijo Hester como respuesta a la mirada inquisitiva que Monk le lanzaba desde el otro lado de la mesa del desayuno—. Son amigos de Callandra. Ella también iba a ir, pero ha tenido que marcharse a Escocia de improviso.

—Me figuro que aun así querrás aceptar —dedujo él, observando la expresión de su cara. Solía desentrañar sus emociones a la primera, unas veces con precisión extraordinaria, otras malinterpretándola por completo. En esa ocasión estaba en lo cierto.

—Sí, me gustaría. Callandra me dijo que son encantadores e interesantes y que poseen una casa muy bonita. La señora Alberton es medio italiana y, según parece, el señor Alberton también ha viajado mucho.

—En tal caso, supongo que será mejor que vayamos. Aunque han avisado con muy poca antelación, ¿no? —concluyó él con poca gentileza.

Si bien era cierto que los habían invitado con poca antelación, Hester no estaba dispuesta a encontrar faltas en algo que prometía ser interesante y probablemente hasta el principio de una nueva amistad. No contaba con muchos amigos. La naturaleza de su trabajo como enfermera había hecho que a menudo sus amistades fueran pasajeras. Hacía ya un tiempo que no se veía ante un caso apasionante. Tampoco los casos de Monk durante los últimos cuatro meses de primavera y principios de verano habían resultado interesantes, y él no había reclamado su ayuda, ni, en la mayoría de ellos, siquiera su parecer. Eso la traía sin cuidado; los robos eran tediosos, mayormente motivados por la codicia, y no conocía a las personas implicadas.

—Estupendo —dijo con una sonrisa, dando el asunto por concluido—. Contestaré de inmediato diciendo que acudiremos encantados.

La mirada que recibió como respuesta fue irónica, sólo con un matiz sarcástico.

Llegaron a casa de los Alberton en Tavistock Square al filo de las siete y media. La mansión era hermosa, tal como Callandra había comentado, aunque no tanto como para que Hester lo considerase digno de mención. No obstante, cambió de parecer en cuanto puso un pie en el vestíbulo, dominado por una escalinata curva en cuyo recodo se abría un enorme ventanal de cristales emplomados con el sol del atardecer detrás. Era algo realmente bonito y Hester se quedó embobada en lugar de prestar atención al mayordomo que acababa de recibirlos y fijarse por donde iba.

El salón de recibo también se salía de lo común. Había menos mobiliario de lo habitual y los colores eran más pálidos y cálidos, produciendo una ilusión de luminosidad pese a que los altos ventanales que daban al jardín se abrían al cielo de levante. Las sombras ya se iban alargando, aunque no sería de noche hasta pasadas las diez, pues el verano había alcanzado su apogeo hacía sólo unos días.

La primera impresión que Hester se llevó de Judith Alberton fue que se trataba de una mujer extraordinariamente bella. Era más alta que la media, pero con un cuello y unos hombros esbeltos que realzaban las lozanas curvas de su figura, otorgándole una delicadeza que de otro modo quizá no hubiese poseído. Su rostro, si se contemplaba con detenimiento, se apartaba por completo de las convenciones en boga. Tenía la nariz recta y bastante prominente, los pómulos muy altos, la boca más bien grande y la barbilla decididamente roma. Los ojos eran sesgados y de un otoñal tono dorado. La impresión de conjunto era a un tiempo generosa y apasionada. Cuanto más se la miraba, más encantadora parecía. A Hester le gustó de inmediato.

—¿Qué tal está? —saludó calurosamente Judith—. Cuánto me alegro de que haya venido. Ha sido muy amable de su parte, habida cuenta de lo precipitado de la invitación. El caso es que Callandra me habló de usted con tanto afecto que no quise esperar más. —Sonrió a Monk. Sus ojos se iluminaron con un destello de interés al contemplar su rostro moreno y enjuto, en el que destacaba el prominente caballete de la nariz, aunque siguió dirigiendo sus atenciones a Hester—. Le presento a mi marido.

El hombre que se aproximó era más agradable que bien parecido, mucho más corriente que su esposa, aunque la regularidad de sus rasgos transmitía fuerza y encanto.

—¿Cómo está usted, señora Monk? —dijo sonriendo, y en cuanto hubo cumplido con la cortesía se volvió de inmediato hacia Monk, detrás de ella, escrutando su semblante fijamente unos instantes antes de tender la mano para saludarle y hacerse a un lado para que el resto de invitados fuera presentado a su vez.

Había otras tres personas en la estancia. Una era un hombre de cuarenta años cumplidos, con el pelo oscuro que empezaba a ralear. Hester reparó enseguida en su franca sonrisa y su espontáneo apretón de manos. Irradiaba una confianza innata, como si estuviera más que seguro de sí mismo y de sus convicciones y no precisara hacer partícipe de ellas al prójimo. Le gustaba escuchar a los demás. Aquélla era una cualidad muy del agrado de Hester. Se llamaba Robert Casbolt y fue presentado no sólo como socio de Alberton en sus negocios y amigo de juventud, sino también como primo de Judith.

El otro hombre presente era oriundo de Estados Unidos. Como todo el mundo sabía, a lo largo de los últimos meses ese país se había ido sumiendo trágicamente en un estado de guerra civil. Hasta la fecha no había tenido lugar nada más grave que algunas inquietantes refriegas, pero el recrudecimiento de las hostilidades parecía más inminente tras cada nuevo boletín de noticias que llegaba del otro lado del Atlántico. La guerra no tardaría en estallar.

—El señor Breeland procede de la Unión —explicó Alberton en tono amable, aunque frío.

Hester miró a Breeland respondiendo a la presentación. Por su aspecto no tendría más de treinta años, era alto y esbelto, de anchas espaldas y con el porte erguido de un soldado. Sus rasgos eran regulares y su expresión cortés a la vez que severamente contenida, como si sintiera que debía estar constantemente en guardia contra cualquier desliz o relajo de la conciencia.

La última en ser presentada fue Merrit, la hija de los Alberton. Tenía unos dieciséis años y todo el encanto, la pasión y la vulnerabilidad propios de su edad. Era más rubia que su madre, de quien no había heredado la belleza, y si bien su rostro transmitía la misma fuerza de voluntad, parecía mucho menos capaz de ocultar las emociones. Respondió a las presentaciones con sobrada educación, pero sin hacer ningún esfuerzo por fingir más que lo exigido por la cortesía.

La conversación preliminar abordó asuntos tan anodinos como el tiempo, el aumento del tráfico en las calles y el multitudinario éxito de una exposición cercana.

Hester se preguntó por qué Callandra había supuesto que ella y Monk iban a hacer buenas migas con aquellas personas, aunque quizá sólo fuese que les tuviera cariño por ser conocedora de su bonhomía.

Breeland y Merrit se apartaron un poco, conversando muy serios. Monk, Casbolt y Judith Alberton comentaron un estreno reciente y Hester entabló conversación con Daniel Alberton.

—Lady Callandra me contó que pasó usted casi dos años en Crimea —dijo con sumo interés. Sonrió excusándose—. No voy a hacerle las preguntas de costumbre sobre miss Nightingale. Debe resultarle muy aburrido a estas alturas.

—Es una persona realmente excepcional —repuso Hester—. Sería incapaz de criticar a nadie por querer saber más sobre ella.

Alberton sonrió.

—Sin duda ha dicho eso un montón de veces. ¡Tenía la respuesta preparada!

Hester notó que se relajaba. Su interlocutor le resultó un conversador inesperadamente grato; la franqueza siempre era mucho más llevadera que la cortesía continuada.

—Sí, debo admitirlo. Es...

—Poco original —concluyó él por ella.

—Sí.

—Puede que lo que quería decirle también sea poco original pero se lo voy a decir de todos modos, puesto que realmente quiero saber. —Frunció un poco el ceño, juntando las cejas. Sus ojos eran de un azul muy claro—. Sin duda, cuando estuvo allí debió de hacer acopio de grandes dosis de coraje, tanto físico como moral, sobre todo cerca del frente. Se habrá visto obligada a tomar decisiones que alteraron la vida de otras personas, quizá salvándolas o perdiéndolas.

Era verdad. Recordó sobresaltada lo desesperante que había sido, lo remoto que quedaba todo de aquella plácida velada veraniega en un elegante salón de Londres, donde el color y el corte de un traje revestían tanta importancia. La guerra, la enfermedad, los cuerpos destrozados, el calor y las moscas o el frío terrible, todo podía haber sucedido en otro planeta sin ninguna conexión con aquel mundo excepto un idioma común cuyas palabras, no obstante, jamás bastarían para explicar uno al otro.

Hester asintió con la cabeza.

—¿No le resultó extraordinariamente difícil adaptarse de aquella vida a ésta? —preguntó Alberton. Aunque hablaba sin levantar la voz, imprimía una sorprendente intensidad a sus palabras.

¿Cuánto habría contado Callandra a Judith Alberton o a su marido? ¿Iba Hester a ponerla en una situación incómoda ante los Alberton en el futuro si se permitía ser sincera? Probablemente no. Callandra nunca había sido una mujer que huyera de la verdad.

—Bueno, regresé decidida a reformar todos los hospitales de la patria —dijo con una mueca de arrepentimiento—. Como es obvio, no lo conseguí, por razones muy diversas. La principal de ellas fue que nadie creyó que tuviera la menor idea sobre lo que decía. Las mujeres en general no entienden de medicina, y las enfermeras en particular están para arrollar vendajes, barrer y fregar suelos, acarrear carbón y lavazas y, en resumidas cuentas, hacer lo que se les ordene. —Permitió que su resentimiento aflorase—. No tardé mucho en ser despedida, de modo que pasé a ganarme el sustento cuidando a pacientes particulares.

Alberton la miró con simpática admiración.

—¿No le resultó muy duro? —preguntó.

—Mucho —convino Hester—. Pero conocí a mi marido poco después de regresar a Inglaterra. Éramos... Iba a decir amigos, pero no sería verdad. Adversarios con una causa común sería una descripción bastante más acertada. ¿Le ha explicado Lady Callandra que es detective privado?

No hubo sorpresa en su rostro y, desde luego, nada semejante a la alarma. En la alta sociedad los caballeros poseían tierras, eran militares o se dedicaban a la política. No trabajaban, en el sentido de estar empleados. El comercio era igualmente inaceptable. Ahora bien, fueran cuales fueren los orígenes familiares de Judith Alberton, su marido no se mostró consternado por que su huésped fuese poco más que un policía, ocupación sólo apropiada para los elementos menos deseables.

—Sí —admitió de buena gana—. Me dijo que algunas de sus aventuras le habían resultado fascinantes, aunque no me dio más detalles. Supuse que serían de carácter confidencial.

—En efecto —afirmó Hester—. Tampoco yo voy a revelarlos, sólo diré que me han servido para no echar en falta la sensación de vivir emociones y tomar decisiones que experimenté en Crimea. Además, en la mayor parte, mi participación en ellos no me ha supuesto las privaciones materiales o el peligro personal que conlleva la enfermería en tiempos de guerra.

—¿Ni el horror, o la pena? —preguntó Alberton en voz baja.

—De ésos no me he librado —reconoció Hester—, salvo por una cuestión numérica. Y no estoy segura de que uno sufra menos por una sola persona, si pasa apuros graves, que por un colectivo.

—Desde luego que no. —Fue Robert Casbolt quien intervino. Se acercó por detrás de Alberton, apoyando una mano con gesto cordial en el hombro de su amigo y contemplando a Hester con interés—. Las emociones pueden ser muy exigentes, y me figuro que uno da cuanto tiene. Por lo que acabo de oír, es usted una mujer excepcional, señora Monk. Me complace sobremanera que Daniel tuviera la feliz idea de invitarlos a usted y a su marido a cenar. Seguro que animarán nuestra tertulia habitual y no sabe cuánto puede apetecerme que así sea.

—Adoptó un tono de complicidad—. Sin duda volverá a salir a colación durante la cena, es algo completamente inevitable estos días, pero he tenido más que suficiente sobre la guerra en América y sus implicaciones.

A Alberton se le iluminó el rostro.

—Yo también, pero apuesto un carruaje y una yunta a que Breeland nos obsequiará otra vez con las virtudes de la Unión antes de que sirvan el tercer plato.

—¡El segundo! —corrigió Casbolt. Sonrió a Hester con un destello de picardía en la mirada—. Es un muchacho muy formal, señora Monk, y un fanático convencido de la corrección moral de su causa. Para él, la Unión de los Estados Unidos es una entidad divina, y los anhelos separatistas de los confederados son obra del diablo.

Cualquier otro comentario quedó pospuesto por la necesidad de trasladarse al comedor, donde la cena estaba lista para ser servida.

Monk encontró la casa agradable, aunque no supo muy bien por qué. Tenía algo que ver con el color y la sencillez de las proporciones. Había pasado la primera parte de la velada charlando con Casbolt y Judith Alberton, con algún comentario ocasional por parte de Lyman Breeland, quien al parecer encontraba tediosas las conversaciones banales. Breeland era demasiado bien educado como para demostrarlo abiertamente, pero a Monk no le pasó por alto que se aburría. Se preguntó qué pintaba Breeland allí. Le picó la curiosidad. Echando un vistazo a la habitación, incluidos él mismo y Hester, formaban un grupo de personas de lo más dispar. Breeland aparentaba treinta y pocos años, en cualquier caso uno o dos menos que Hester. El resto estaba bien entrado en la cuarentena, excepción hecha de Merrit. ¿Por qué habría decidido acudir a aquella cena cuando lo más probable era que pudiera estar en compañía de otras muchachas o incluso en una fiesta?

Sin embargo, no detectó en ella el menor signo de tedio o impaciencia. ¿Se debía a sus exquisitos modales o acaso algo la había llevado a estar presente por voluntad propia?

La respuesta llegó después del plato de sopa, mientras servían el pescado.

—¿En qué parte de América vive, señor Breeland? —preguntó Hester inocentemente.

—Nuestro hogar está en Connecticut, señora —respondió, haciendo caso omiso de su comida y mirándola fijamente—. Aunque actualmente residimos en Washington, por supuesto. Llegan gentes de todas las regiones norteñas de la Unión para sumarse a la causa, como sin duda ya sabe. —Enarcó levemente las cejas.

Casbolt y Alberton cambiaron una mirada.

—Luchamos por la supervivencia de un ideal de libertad e igualdad para todos los hombres —prosiguió Breeland enérgicamente—. Los voluntarios acuden de todos los pueblos y ciudades así como de las granjas de tierra adentro y del oeste.

Merrit, cuyo rostro se iluminó de súbito, miró por un instante a Breeland, con los ojos brillantes, y luego de nuevo a Hester.

—Cuando ganen, ya no habrá más esclavitud —proclamó—. Todos los hombres serán libres de ir adonde quieran y ya no habrá más amos. Será uno de los pasos más nobles y relevantes que haya dado la humanidad, y lo darán cueste lo que cueste, aunque en el empeño pierdan su vida y su hogar.

—La guerra suele cobrarse ese precio, miss Alberton —contestó Hester en tono pausado—. Cualquiera que sea su causa.

—¡Pero esto es distinto! —exclamó Merrit. Se inclinó un poco sobre el exquisito servicio de mesa de porcelana y plata; la luz de los candelabros relucía en sus pálidos hombros—. Esto es auténtica nobleza, un sacrificio por un gran ideal. Es una lucha para salvaguardar las libertades por las que fue fundada América. Si realmente lo comprendiera, señora Monk, se apasionaría tanto en su defensa como los partidarios de la Unión..., a no ser, claro está, que crea usted en la esclavitud.

No lo dijo enojada, sino perpleja ante semejante posibilidad.

—¡No, no creo en la esclavitud! —repuso Hester con dureza. No miró ni a derecha ni a izquierda para comprobar qué actitud adoptaban los demás—. La mera idea me resulta repugnante.

Merrit se calmó y en su rostro apareció una hermosa y cálida sonrisa.

—Entonces lo entenderá perfectamente. ¿No le parece que deberíamos hacer lo posible por ayudar a esa causa, cuando hay hombres dispuestos a entregar su vida?

Una vez más sus ojos se desviaron un instante hacia Breeland, y él le contestó sonriendo, con un leve rubor de complacencia en las mejillas, antes de apartar de nuevo la vista, quizá por timidez, quizá para disimular sus sentimientos.

Hester fue más precavida.

—Naturalmente, estoy de acuerdo en que deberíamos luchar contra la esclavitud, pero no estoy segura de que ésta sea la mejor forma de hacerlo. Lo confieso, no estoy lo bastante informada sobre la cuestión para emitir un juicio.

—Es sencillo —dijo Merrit—, basta con dejar a un lado las discrepancias políticas y los asuntos de tierra y dinero y quedarse sólo con la moralidad. —Levantó la mano y, sin darse cuenta, interceptó el gesto del lacayo que estaba tratando de servir el plato principal—. Es una cuestión de honradez. —Una vez más la encantadora sonrisa le mudó el semblante—. Si pregunta al señor Breeland, se lo explicará de tal forma que lo verá con absoluta claridad y arderá en deseos de luchar por la causa con todo su corazón.

Monk desvió la vista para ver cómo encajaba Alberton aquella intensa lealtad de su hija para con una guerra que sucedía a ocho mil kilómetros de distancia. En el rostro de su anfitrión encontró un hastío que le habló de otras discusiones como aquélla que no habían alcanzado ninguna solución.

Los periódicos de Londres publicaban muchos artículos sobre el señor Lincoln, el nuevo presidente, y sobre Jefferson Davis, quien a su vez había sido elegido presidente del gobierno provisional de los Estados Confederados de América, es decir, de los estados que se habían ido separando de la Unión uno tras otro a lo largo de los meses precedentes. Durante mucho tiempo abundaron las voces que esperaban evitar una guerra abierta, mientras que otros la fomentaban activamente. Ahora bien, tras el bombardeo del fuerte Sumter por parte de los confederados y su posterior rendición el 14 de abril, el presidente Lincoln había llamado a filas a setenta y cinco mil voluntarios para servir durante tres meses y propuesto el bloqueo de todos los puertos de la Confederación.

La prensa insinuaba que el Sur había llamado a ciento cincuenta mil voluntarios. América estaba en pie de guerra.

Lo que resultaba muchos menos obvio era la naturaleza de las cuestiones en juego. Para algunos, como Merrit, se trataba simplemente de la esclavitud. En realidad, a Monk le parecía que no revestían menos importancia cuestiones como la propiedad de la tierra, la economía y el derecho del Sur a separarse de una Unión de la que ya no deseaba formar parte.

En efecto, en Gran Bretaña muchas simpatías eran para el Sur, aunque por motivos muy diversos y, en ocasiones, un tanto dudosos.

El tono paciente que empleó Alberton fue fruto de un esfuerzo que por un instante se hizo patente en su rostro.

—Existen numerosas causas, querida, y algunas de ellas entran en conflicto. Que yo sepa, no hay ningún fin que justifique medios deshonestos. Hay que considerar...

—¡No hay nada que justifique la esclavitud! —exclamó Merrit muy fogosa, interrumpiendo a su padre sin parar mientes al respeto que le debía, más aún delante de invitados—. Ya son demasiados quienes echan mano de sofisterías para defender la conveniencia de no arriesgar en una lucha lo que son ni lo que poseen.

Judith cogió con fuerza el tenedor de plata y lanzó una penetrante mirada a su marido. Breeland sonrió. Un rubor de irritación cruzó el rostro de Casbolt.

—Y demasiados quienes apoyan precipitadamente una causa —respondió Alberton— sin detenerse un momento a sopesar lo que su compromiso pueda costar a otra causa igualmente justa e igualmente necesitada de ayuda, y puede que tan merecedora de su lealtad como la primera.

Quedó claro que no se trataba de ninguna discusión filosófica. Había en juego algo de una importancia inmediata y muy personal. Para advertirlo bastaba con echar un vistazo a los hombros rígidos y la expresión adusta de Breeland, al color encendido de los pómulos de Merrit y a la evidente impaciencia de Daniel Alberton.

Esta vez Merrit no contestó, aunque su ánimo estaba a todas luces enardecido. En muchos aspectos todavía era una chiquilla, pero su emoción surgía de tan hondo que poco faltó para que Monk se incomodara.

El servicio cambió los platos y sirvió tarta de cerezas y nata. Todos comieron en silencio.

Judith Alberton hizo un comentario favorable sobre un recital de música al que había asistido. Hester manifestó un interés que Monk sabía que no sentía. A ella no le interesaban las baladas sentimentales y él se preguntó, atento al excepcional rostro de Judith, si a su anfitriona en verdad tampoco. Le parecía un gusto poco acorde con la fuerza de sus rasgos.

Casbolt advirtió la mirada de Monk y sonrió con íntimo regocijo.

Poco a poco se fue reanudando una conversación cordial y elegante, salpicada con alguna que otra agudeza y ocasionales risas.

Monk se encontró preguntándose por qué habían invitado a Breeland. Discretamente comenzó a estudiar su expresión, las tensiones de su cuerpo, la forma en que escuchaba la conversación como atento a interpretar otros significados más profundos y aguardando la ocasión de interceder a favor de su causa, lo cual no sucedió. Una media docena de veces Monk le vio tomar aliento, pero sin que llegase a pronunciar palabra. Cada vez que Merrit hablaba, la miraba con una momentánea dulzura en los ojos, pero evitó escrupulosamente inclinarse hacia ella o efectuar cualquier otro gesto que pudiera parecer íntimo, fuera para salvaguardar los sentimientos de la chica o los suyos.

Se mostraba cortés con Judith Alberton, pero sin ninguna soltura, como si no se sintiera a sus anchas en su presencia. Habida cuenta de su excepcional belleza, Monk no tuvo la menor dificultad para comprenderlo. Cualquier hombre podía verse intimidado ante semejante mujer, cohibirse y preferir guardar silencio antes que hablar y arriesgarse a parecer menos listo o divertido de lo que habría deseado. Era unos diez años más joven que ella y Monk empezaba a sospechar que estaba enamorado de la hija sin contar con su aprobación.

Casbolt sí parecía relajado. Su afecto hacia Judith saltaba a la vista, pero, siendo primos, lo más probable era que se conocieran de toda la vida. De hecho, hizo algunas alusiones, a menudo en broma, a acontecimientos de un pasado en común, algunos de los cuales habían parecido desastres en su momento para luego desvanecerse en el recuerdo y dejar de hacer daño. El dolor o la risa que compartían establecía un vínculo excepcional entre ellos.

Hablaron de veraneos en Italia en los que ellos tres —ella, su hermano Cesare y Casbolt— habían paseado por las colinas doradas de la Toscana, donde descubrieron unas esculturas de tiempos anteriores al esplendor de Roma y especularon sobre el pueblo que pudo haberlas creado. Judith rió a gusto, aunque Monk creyó percibir un matiz de dolor. Miró a Hester y advirtió que ella también lo había notado.

Era lo mismo que había en la voz de Casbolt: el conocimiento de algo tan profundo que jamás se olvidaría y que, no obstante, podían compartir porque lo habían soportado juntos; él, ella y Daniel Alberton.

En toda la cena no se abordó ningún tema candente y mucho menos ofensivo, siquiera de lejos. Ahora bien, Monk se formó la opinión de que a Casbolt no le caía demasiado bien Breeland. Quizá sólo fuesen temperamentos dispares. Casbolt era un hombre sofisticado, sobrado de experiencia y encanto. Le gustaba la gente y conversar era algo innato en él.

Breeland era un idealista incapaz de dejar a un lado sus creencias o permitirse reír sabiendo que había otros que sufrían, ni siquiera durante una cena. Quizá se sintiera extraño por estar lejos de su patria en momentos tan difíciles y entre desconocidos, y saltaba a la vista que no lograba evitar responder a la juventud y el encanto de Merrit.

Monk se compadeció de él. Antaño también se había apasionado por grandes causas, rebosando fervor ante injusticias que afectaban a miles, puede que a millones. Ahora, sólo los individuos le suscitaban semejante ardor.

Con demasiada frecuencia había intentado cambiar el curso de la ley o de la naturaleza y había conocido el sabor del fracaso, descubriendo la fuerza del adversario. En ocasiones aún lo intentaba con encono y terminaba apenado hasta la amargura. La rabia se apoderaba de él. Pero también sabía dejarla a un lado durante un rato y llenarse el corazón y la mente con las cosas gratas y hermosas de la vida. Había aprendido a marcar el ritmo de sus batallas, al menos en ocasiones, y a saborear los períodos de tregua.

Ya casi habían terminado el último plato cuando el mayordomo entró para hablar con Daniel Alberton.

—Disculpe, señor —dijo casi en un susurro—. Ha venido el señor Philo Trace. ¿Debo decirle que le retienen otros compromisos o desea recibirle el señor?

Breeland se volvió, envarado y con la expresión tan controlada que parecía congelado.

Merrit fue mucho menos cuidadosa ocultando sus sentimientos. Las mejillas se le encendieron y miró fijamente a su padre como si le creyera a punto de hacer algo monstruoso.

Casbolt miró contrito a los demás, aunque su rostro traslucía un vivo interés. Monk tuvo la fugaz impresión de que a Casbolt realmente le importaba lo que él pensara, pero luego desechó la idea por ridícula. ¿Por qué iba a interesarle?

El semblante de Alberton hacía patente que no esperaba aquella visita. Quedó desconcertado por un instante. Dirigió a Judith una mirada inquisitiva.

—Faltaría más —dijo ella, esbozando una sonrisa.

—Supongo que lo mejor será que le haga pasar —indicó Alberton al mayordomo—. Dígale que estamos cenando y que si le apetece un poco de fruta, tiene un sitio en la mesa.

Se produjo un incómodo silencio mientras el mayordomo se retiraba para luego volver en compañía de un hombre delgado y de cabello moreno, con un rostro sensible y voluble, del tipo que transmite emociones y sin embargo quizás oculta sus verdaderos sentimientos. Era bien parecido, no carecía de encanto y, sin embargo, había algo esquivo y reservado en él. Monk calculó que sería unos diez años mayor que Breeland y en cuanto abrió la boca se hizo patente que procedía de uno de aquellos estados del Sur que recientemente se habían separado de la Unión y contra los que ésta se hallaba en guerra.

—¿Cómo está usted? —respondió Monk cuando los presentaron, después de que el mayordomo trajera otra silla y dispusiera discretamente un cubierto adicional en la mesa.

—Lo siento de veras —se disculpó Trace, un tanto abochornado—. Me parece que me he equivocado de noche. Desde luego no tenía intención de importunar. —Miró un momento a Breeland y resultó obvio que ya se conocían. La animosidad entre ambos era palpable.

—No se preocupe, señor Trace —dijo Judith sonriendo—. ¿Le apetece un poco de fruta? ¿Un pastelito, quizá?

Trace posó su mirada en ella con beneplácito y un cierto fervor.

—Gracias, señora. Es muy generoso de su parte.

—El señor y la señora Monk son amigos de Lady Callandra Daviot. No recuerdo si llegó a conocerla o no —prosiguió Judith.

—No, no tuve el placer, aunque algo me refirió sobre ella. Una dama muy interesante. —Trace tomó asiento en la silla que habían traído para él. Contempló a Hester con complacida curiosidad y añadió—: ¿Usted también está relacionada con el ejército, señora?

—Desde luego —intervino Casbolt con entusiasmo—. Ha hecho una carrera excepcional... con Florence Nightingale. Seguro que habrá oído hablar de ella.

—Naturalmente. —Trace miró a Hester con una sonrisa—. Me temo que en América, con los tiempos que corren, estamos obligados a preocuparnos por todos los aspectos de la guerra, como sin duda sabrán. Aunque no creo que eso sea de lo que desean conversar durante la cena.

—¿Acaso no ha venido para eso, señor Trace? —preguntó Merrit con frialdad—. Su visita no es de carácter social; usted mismo acaba de admitirlo al decir que se había equivocado de noche.

Trace se sonrojó.

—No comprendo cómo ha podido ocurrirme. Me disculpo de nuevo, miss Alberton.

—¡Tampoco yo lo comprendo! —exclamó Merrit—. Sólo me cabe pensar que estaba preocupado por si el señor Breeland finalmente convencía a mi padre sobre la justicia de su causa, desbaratando así la adquisición que usted tiene prevista.

Aquello era un desafío sin ninguna concesión a la cortesía. Su apasionada convicción vibraba en su voz con tanta sinceridad que casi borraba la grosería.

Casbolt negó con la cabeza. Miró a Merrit con paciencia.

—Eso no es digno de ti, cariño. Por más profundas que sean tus convicciones, conoces a tu padre lo bastante como para pensar que va a faltarle la palabra a quien sea. Espero que el señor Trace también lo sepa. Si no es así, pronto lo sabrá. —Desvió la mirada hacia Monk—. Le debemos una disculpa, señor, y también a usted —añadió, incluyendo a Hester por un instante—. Todo esto les parecerá inusitadamente apasionado. Me figuro que nadie les ha explicado que Daniel y yo somos tratantes y exportadores, entre otras cosas. Las armas de buena calidad están experimentando una creciente demanda debido a la guerra en Estados Unidos, por más lamentable que sea. Hombres tanto de la Unión como de la Confederación recorren Europa comprando cuanto pueden. La mayor parte del armamento disponible es de calidad inferior, hasta el punto de que muchas armas pueden estallar en la cara de los hombres que las usen sin causar ningún daño al enemigo. Algunas tienen la mira tan desviada que les costaría darle a la pared de un establo a veinte pasos de distancia. ¿Entiende de armas, señor?

—En absoluto —respondió Monk. Si alguna vez había poseído tales conocimientos, los había perdido en el accidente de carruaje de cinco años atrás en el que todo recuerdo anterior a esa fecha se había esfumado de su mente. No recordaba siquiera haber disparado un arma. Sin embargo, la explicación de Casbolt aclaró la turbulencia de emociones que Monk había detectado en la estancia, la presencia tanto de Breeland como de Trace y el resentimiento con que se trataban. No tenía nada que ver con Merrit Alberton ni con ningún otro miembro de la familia.

Una expresión de entusiasmo iluminó el rostro de Casbolt.

—La mejor arma moderna, pongamos, por ejemplo, el fusil P1853, un modelo del año pasado. Está compuesto por un total de sesenta y una piezas, contando tornillos y demás. Sólo pesa cuatro kilos y doscientos gramos, sin bayoneta, y el cañón, estriado, por supuesto, mide noventa y nueve centímetros de longitud. Su precisión le da un alcance de al menos ochocientos metros, bastante más de medio kilómetro.

Judith lo miró con una sonrisa levemente reprobatoria.

—¡Tienes razón! —se disculpó, echando un vistazo a Hester antes de volver a mirar a Monk—. Lo siento. Por favor, cuéntenos algo sobre su profesión, si no es nada confidencial. —Su expresión mostraba un interés tan vívido que costaba creer que se debiera sólo a la mera cortesía.

Monk nunca había sido objeto de semejante pregunta en el transcurso de una cena en sociedad. Normalmente era la última cosa de la que la concurrencia deseaba hablar, pues si se encontraba presente era para investigar algo que había causado dolor recientemente y que las más de las veces seguía doliendo. El crimen no sólo traía miedo, pesar e, inevitablemente, recelos, sino que trastornaba la tranquilidad de la vida arrancando las decentes máscaras de secretismo con las que todo el mundo ocultaba sus debilidades y pecados menores.

—¡Robert! —exclamó Judith en tono apremiante—. Me parece que estás pidiendo al señor Monk que nos cuente tragedias de terceras personas.

Casbolt se mostró asombrado y para nada ofendido.

—¿De veras? Qué lástima. ¿Cómo puedo salvar ese obstáculo? Lo cierto es que me gustaría saber algo más acerca de la fascinante ocupación del señor Monk. —Seguía sonriendo, aunque hablaba con determinación. Se apoyó en el respaldo, apartándose un poco de la mesa, y cogió un puñado de uvas—. Dígame, ¿dedica mucho tiempo a los robos, las joyas desaparecidas y cosas por el estilo?

Se trataba de un tema mucho menos espinoso que el de las armas o la esclavitud. Monk advirtió un destello de interés en el rostro de Judith, pese a que sin duda era consciente de que el tema probablemente desentonaría en cualquier reunión social.

Daniel Alberton también parecía aliviado. Sus dedos dejaron de juguetear con el cuchillo de postre.

—La señora Monk dice que el participar en sus casos ha sustituido la excitación, el horror y el sentido de la responsabilidad que experimentó en el frente —insistió Casbolt—. No concibo que se trate de asuntos como hallar un salero de plata extraviado o a la sobrina nieta desaparecida de Lady Fulana.

Todos esperaban que Monk contara algo espectacular y entretenido que no guardara relación alguna con sus vidas ni con las tensiones que había entre ellos. Hasta Hester le miraba sonriente.

—No —reconoció Monk, cogiendo un melocotón del frutero—. Hay algunos de ese orden pero de tanto en tanto se produce un asesinato que me toca resolver a mí en vez de a la policía...

—¡Santo cielo! —exclamó Judith sin querer—. ¿Por qué?

—Normalmente porque la policía sospecha de la persona equivocada —respondió Monk.

—¿En su opinión? —instó Casbolt con premura.

Monk le miró a los ojos. El tono de Casbolt era jocoso, pero le contemplaba sin pestañear, con un brillo inteligente en los ojos. Monk tuvo claro que, cuando menos, no había hecho aquel comentario sin darse cuenta sólo para aliviar la incomodad que reinaba entre Breeland y Trace.

—Sí, en mi opinión —contestó, con el aplomo que consideró que la ocasión merecía—. A veces he cometido errores estrepitosos, pero sólo durante un tiempo. En una ocasión estuve convencido de la inocencia de un hombre famoso y trabajé muy duro en demostrarlo para terminar descubriendo que no sólo era culpable sino que poseía una espeluznante sangre fría.

Merrit no quería interesarse, pero, aun a su pesar, lo estaba.

—¿Tuvo ocasión de enmendar su error? ¿Qué fue del interfecto? —preguntó, haciendo caso omiso de las uvas que tenía en el plato.

—Le ahorcaron —respondió Monk con disgusto.

La muchacha lo miró fijamente y una sombra cruzó sus ojos. Había algo en la actitud de Monk que no acertaba a comprender, no las palabras sino la emoción.

—¿No le satisfizo?

¿Cómo podía explicarle la rabia que había sentido

ante la pérdida de la mujer que había sido asesinada y que la venganza, pues la horca no era más que eso, nada le podía devolver? La justicia, tal como la contemplaba la ley, era necesaria pero no había nada gozoso en ella. Miró los suaves contornos de su rostro; apenas había dejado atrás las redondeces de la infancia y en cambio estaba tan segura de llevar razón acerca de la guerra americana, tan encendida por la indignación, el amor y un ardiente idealismo...

—No —contestó Monk, pues debía ser sincero consigo mismo tanto si ella le comprendía como si no—. Me satisfizo que la verdad saliera a relucir. Me satisfizo que tuviera que pagar por su crimen, pero lamenté su destrucción. Era un hombre inteligente, sumamente dotado, aunque de una arrogancia monstruosa. Finalmente había llegado a creer que todos debían estar al servicio de su talento. Eso aniquiló su compasión y su capacidad de juicio, incluso su honor.

—Qué trágico —musitó Judith—. Me alegra que Robert le preguntara; su respuesta ha sido mejor de lo que podría haberme imaginado. —Miró a su marido, cuya expresión confirmó sus palabras.

—Gracias, querida. —Casbolt le dedicó una breve sonrisa y volvió a centrar su atención en Monk—. Díganos, ¿cómo le atrapó? Si afirma que era tan inteligente, ¡más tuvo que serlo usted!

—Cometió errores —respondió Monk con un asomo de petulancia—; casos antiguos, viejos enemigos. Los saqué a la luz. Sólo es cuestión de comprender las lealtades y las traiciones, de observarlo todo atentamente y no rendirse nunca.

—¿Acosándolo? —preguntó Breeland con desagrado.

—¡No! —repuso Monk con dureza—. Buscando la verdad, tanto si es la que quieres que sea como si no. Incluso si es lo que más temes y lo que más desbarata aquello en lo que quieres creer, nunca hay que mentir, nunca deformar los hechos, nunca salir huyendo ni darse por vencido. —Se sorprendió ante la vehemencia que imprimió a sus palabras, llegando incluso a desconcertarse.

Vio que Hester lo miraba con aprobación y notó que se ruborizaba. No se había dado cuenta de que su respeto significara tanto para él. En ningún momento se había propuesto resultar tan vulnerable.

Merrit le contemplaba con renovado interés, como si en cuestión de instantes se hubiese metamorfoseado en un hombre que le podía caer bien y no supiera cómo reaccionar ante tal cambio.

—Ahí lo tenéis —dijo Casbolt con manifiesto placer—. Sabía que habías invitado a un hombre de lo más interesante, querida —añadió dirigiéndose a Judith—. ¿Pierde alguna vez, señor Monk? ¿Alguna vez abandona la lucha y admite su derrota ante el villano?

Monk le devolvió una sonrisa un tanto rapaz. Ya no había más pasión; las intervenciones incisivas lo eran por mero entretenimiento.

—Todavía no. Aunque en alguna ocasión poco ha faltado. Como una vez que temí que mi cliente, o la persona a quien debía proteger, fuese culpable y sentí deseos de renunciar, de limitarme a poner tierra de por medio fingiendo no conocer la verdad.

—¿Y lo hizo? —preguntó Alberton. Estaba un poco inclinado sobre la mesa, haciendo caso omiso de su plato y con la mirada fija en Monk.

—No; pero a veces he apreciado más al villano que a la víctima —contestó Monk con sinceridad.

Judith se mostró sorprendida.

—¿En serio? ¿Al comprender el crimen sintió más compasión por el asesino que por la persona asesinada?

—Una o dos veces. Conocí a una mujer cuyo hijo era objeto de reiterados abusos. Sentí más aprecio por ella que por el hombre a quien mató.

—¡Oh! —Inspiró abruptamente, con el rostro pálido por la pena—. ¡Pobre criatura!

Trace la miró, con los ojos muy abiertos, y luego a Merrit.

—¿Era culpable?

—Claro que sí. Y al mismo tiempo víctima.

—¿Vic...? —comenzó Judith; entonces, al comprenderlo, una expresión de compasión apareció en sus ojos—. Ah... entiendo...

Breeland apartó la silla de la mesa y se puso lentamente de pie.

—Sin duda las aventuras del señor Monk son fascinantes, y lamento tener que despedirme tan pronto pero ya que al parecer la visita del señor Trace es de negocios, siento que debo o bien quedarme y defender mi causa contra la suya, o bien retirarme y conservar su estima por no permitir que esta velada tan agradable caiga en la acritud. —Adelantó un poco el mentón. Pese al enojo y el bochorno, no iba a renunciar a sus convicciones por nadie—. Y puesto que ya están al corriente de las razones por las que la Unión lucha en defensa de la nación que fundamos en libertad contra una Confederación capaz de ceñirnos en un cerco de esclavitud, habiendo presentado mis argumentos con tanto atino y fervor como he podido, les doy las gracias por su hospitalidad y les deseo buenas noches. —Inclinó rígidamente la cabeza, sin llegar a hacer una reverencia—. Señor Alberton, señora Alberton. —Miró a Daniel con frialdad—. Señor. Damas y caballeros —concluyó, aludiendo a los demás. Luego giró sobre sus talones y se marchó.

—Lo siento mucho —dijo Trace—. Es lo último que hubiese querido que ocurriera. —Miró a Judith y a Daniel Alberton—. Por favor, créame, señor, jamás he dudado de su palabra. No sabía que Breeland estaba aquí.

—Claro que no —convino Alberton, poniéndose en

pie a su vez—. Tal vez, si el resto de ustedes nos disculpan, podamos concluir nuestros asuntos sin tardanza. Ya que el señor Trace está aquí, me parecería desafortunado, e innecesario, pedirle que vuelva mañana. —Dirigió una mirada de disculpa a Hester y a Monk.

—Podría ser culpa mía. —Casbolt miró a Trace encogiendo un poco los hombros—. Fue conmigo con quien habló por última vez. Igual le di una fecha equivocada. Si fue así, lo siento. Fue muy descuidado por mi parte. —Se volvió hacia Judith, luego hacia Monk y Hester.

—No se preocupe —se apresuró a decir Monk, y hablaba en serio. Las desavenencias entre Trace y Breeland resultaban mucho más interesantes que la velada insulsa que hubiesen podido pasar, aunque, por supuesto, no cabía decirlo en voz alta.

—Gracias —dijo Casbolt afectuosamente—. ¿Le parece que nos quedemos aquí mientras las señoras se retiran al salón y Daniel y el señor Trace resuelven sus asuntos?

—Muy bien —aceptó Monk.

Casbolt miró la botella de oporto recostada en su cesta junto a las brillantes copas que lo esperaban y sonrió de oreja a oreja.

Judith condujo a Hester y a Merrit de vuelta al salón. Las cortinas seguían abiertas y la última luz de la tarde todavía bañaba las copas de los árboles con un cálido resplandor de albaricoque. Un álamo temblón hizo honor a su nombre cuando la brisa del ocaso le revolvió las hojas, relumbrantes a un instante, apagadas al otro.

—Lamento mucho la intromisión de esta desdichada guerra de América —dijo Judith, contrita—. Está visto que no podemos eludirla, con los tiempos que corren.

Merrit estaba muy tiesa de pie, con los hombros erguidos, mirando por las altas ventanas hacia las rosas del otro lado del césped.

—Me parece que no sería moralmente correcto que tratáramos de hacerlo. Siento mucho que, para ti, decirlo sea de mala educación pero, francamente, no creo que la señora Monk sea de las que esgrimen los buenos modales como excusa para huir de la verdad. —Se volvió para mirar fijamente a Hester—. Fue a Crimea a cuidar de nuestros soldados enfermos y heridos cuando pudo muy bien haberse quedado en casa la mar de cómoda y decir que no era asunto suyo. De haber vivido en su época, ¿no habría hecho campaña a favor de Wilberforce para poner fin a la trata de esclavos en Gran Bretaña y sus océanos?

Era un desafío lanzado a Hester, pero a pesar del timbre de su voz sus ojos brillaban como si supiera la respuesta.

—¡Santo cielo, confío que sí! —exclamó Hester—. Que llegáramos a participar en ello es una de las páginas más negras de toda nuestra historia. Comprar y vender seres humanos no tiene perdón.

Merrit le dedicó una maravillosa sonrisa antes de volverse hacia su madre.

—¡Lo sabía! ¿Por qué no logra verlo papá? ¿Cómo puede estar metido en su despacho con el propósito de vender armas a la Confederación? ¡Son los estados esclavistas!

—Porque dio su palabra al señor Trace antes de que se presentara el señor Breeland —repuso Judith—. Ahora haz el favor de sentarte y no poner a la señora Monk en aprietos con nuestras dificultades. Es del todo improcedente. —Dando por supuesta la obediencia de Merrit, miró a Hester y añadió—: A veces desearía que mi marido se dedicara a otros negocios. Creo que todo puede ponerse en tela de juicio. Hasta si te dedicas a vender bañeras de estaño o nabos, seguro que aparece alguien en la puerta de tu casa declarando que tus exigencias son deshonrosas o perjudiciales para el sustento de quién sabe quién. Pero ningún producto enciende más emociones que las armas, que parecen depender de muchos reveses de fortuna imposibles de prever.

—¿De veras? —Hester estaba sorprendida—. Habría pensado que los gobiernos veían como mínimo la probabilidad de una guerra mucho antes de que ésta deviniera inevitable.

—Bueno, eso es lo más habitual, pero a veces surge directamente de la nada —respondió Judith—. Por supuesto, tanto mi marido como el señor Casbolt siguen muy de cerca la actualidad mundial; pero hay acontecimientos que pillan por sorpresa a todo el mundo. La Tercera Guerra china, justo el año pasado, constituyó un ejemplo perfecto.

Hester no sabía nada al respecto, y sin duda así lo reflejó su expresión.

Judith rió.

—Todo fue parte de las guerras del Opio que libramos con los chinos cada dos por tres, sólo que ésta pilló a todos por sorpresa. Aunque el inicio de la Segunda Guerra china fue de lo más absurdo. Según parece había una goleta llamada *Arrow*, de construcción y propiedad china pero que por un tiempo había estado matriculada en el puerto británico de Hong Kong. Sea como fuere, las autoridades chinas abordaron la *Arrow* y arrestaron a parte de la tripulación, que también era china. Y nosotros decidimos que nos habían insultado...

—¿Qué? —exclamó Hester asombrada—. Quiero decir... ¿He oído bien?

—Perfectamente —repuso Judith en tono irónico—. Nos dimos por ofendidos y lo empleamos como pretexto para empezar una guerra menor. Los franceses descubrieron que los chinos habían ejecutado a un misionero francés unos meses atrás, de modo que también entraron en liza. Al finalizar la guerra se firmaron varios tratados y consideramos seguro reanudar nuestros negocios con los chinos como de costumbre. —Hizo una mueca—. Entonces, de forma bastante inesperada, estalló la Tercera Guerra china.

—¿Afecta eso a la venta de armamento? —preguntó Hester—. Seguramente será provechoso, al menos para los británicos...

Judith negó con la cabeza.

—¡Depende de a quién estés vendiendo! —exclamó—. En este caso no si estabas vendiendo a los chinos, con quienes atravesábamos un período de buenas relaciones.

—Vaya... Ya entiendo.

—Entonces quizá deberíamos poner más cuidado al decidir a quién vendemos las armas —dijo Merrit duramente—. ¡En lugar de entregarlas al mejor postor!

Judith dio la impresión de estar a punto de discutir, pero cambió de parecer. Hester sacó la conclusión de que su anfitriona ya había pasado varias veces por distintas variantes de aquella conversación sin haber resuelto nada en ninguna. En cualquier caso, no era asunto de Hester y más valía dejarlo correr. No obstante, un impulso interior, el que con tanta frecuencia Monk tachaba de arbitrario y dogmático, puso las palabras en sus labios.

—¿A quién deberíamos vender armas? —preguntó con aparente franqueza—. Aparte de los Unionistas de América, por supuesto.

Merrit se mostró impermeable al sarcasmo. Era demasiado idealista para aceptar la menor moderación en una causa.

—Donde no haya opresión —repuso sin titubeos—. Allí donde los pueblos luchen por su libertad.

—¿A quién las habría vendido durante el motín de la India?

Merrit la miró fijamente.

—A los indios —contestó Hester por ella—. Pero

quizá si hubiese visto lo que hicieron con ellas, las matanzas de mujeres y niños, quizá se habría sentido... confusa, como mínimo. Me consta que yo lo estoy.

De repente Merrit se veía muy joven. La luz de la lámpara de gas realzaba la suave curva de sus mejillas, casi infantiles, y el pelo rubio rizado en el cuello.

Hester sintió que la ternura se apoderaba de ella al recordar lo apasionada que había sido a su edad, lo mucho que había ardido en deseos de mejorar el mundo convencida de saber cómo hacerlo pese a desconocer por completo las innumerables capas de pasión y dolor entrelazadas y las creencias encontradas, todas perfectamente razonables vistas por separado. Si la inocencia no renaciera con cada generación, ¿qué esperanza quedaría de que se siguieran combatiendo los errores?

—A mí tampoco me hace feliz la moralidad de este asunto —dijo contrita—. Prefiero algo relativamente poco complicado, como la medicina. La vida de las personas sigue estando en tus manos, sigues pudiendo cometer errores, algunos terribles, pero no albergas ninguna duda acerca de lo que te propones hacer, incluso cuando no sabes cómo hacerlo.

Merrit sonrió tímidamente. Reconoció la rama de olivo y la tomó.

—¿No tiene miedo a veces? —preguntó en voz baja.

—A menudo. Y de toda clase de cosas.

Merrit permaneció de pie en el claroscuro del crepúsculo. Sólo lo más alto del álamo que tenía detrás captaba todavía los rayos del sol. Jugueteaba con un reloj bastante pesado que hasta poco antes llevaba prendido del pecho. Advirtió que Hester se había fijado en él y las mejillas se le pusieron más coloradas.

—Es un regalo de Lyman..., el señor Breeland —explicó, evitando la mirada de su madre—. Me consta que no pega demasiado con este vestido pero procuro llevarlo siempre puesto, ¡al diablo con la moda!

Adelantó un poco el mentón, dispuesta a desafiar cualquier crítica.

Judith abrió la boca, dispuesta a hablar, pero cambió de parecer.

—Igual podría ponérselo en la falda —sugirió Hester—. Parece un reloj para ser usado además de para adornar.

A Merrit se le iluminó el rostro.

—Excelente idea. Tendría que habérseme ocurrido.

—Prefiero un reloj útil a otro que sólo sea bonito —dijo Hester—. Si no lo puedo ver, me sirve de muy poco.

Merrit caminó hasta el sillón que había delante de Hester y se sentó.

—Siento una inmensa admiración por las personas que se dedican a cuidar al prójimo —dijo muy seria—. ¿Resultaría entrometida o pesada si le pidiera que nos contara más cosas sobre sus experiencias?

Se trataba de algo que Hester prefería dejar a un lado cuando no tenía nada que conseguir ni nadie a quien convencer. Sin embargo, habría resultado descortés rehusar, de modo que pasó la hora siguiente contestando a las ansiosas preguntas de Merrit y esperando que Judith llevara la conversación a otros terrenos, pero Judith parecía tan interesada como su hija y su silencio traducía una viva atención.

Cuando Trace concluyó sus negocios con Alberton se marchó y Alberton regresó al comedor, lanzó una mirada a Casbolt y, al percibir su contenido gesto de afirmación, invitó a su socio y a Monk a sentarse más cómodamente, no en el salón de recibo con las señoras sino en la biblioteca.

—Le debo una disculpa, señor Monk —dijo Alberton casi antes de que se hubieran puesto cómodos—. No dude que he disfrutado con su compañía esta noche, y con la de su esposa, que es una mujer excepcional. Pero si lo he invitado es porque necesitamos su ayuda. Bueno, principalmente yo, aunque Casbolt también está implicado. Lamento haberle engañado de este modo pero es que se trata de un asunto muy delicado y a pesar de la elevada opinión que Lady Callandra tiene de usted, la cual, dicho sea de paso, fue dada en su calidad de amigo, no de profesional, preferí formarme mi propio juicio.

Por unos segundos Monk se dejó llevar por el resentimiento, sobre todo en nombre de Hester, pero enseguida cayó en la cuenta de que él habría podido hacer exactamente lo mismo si se hubiese encontrado en el sitio de Alberton. Esperó que el asunto en cuestión no tuviera nada que ver con las armas ni con una elección entre Philo Trace y Lyman Breeland. Trace le resultaba un hombre de lo más agradable, pero tenía más fe en la causa de Breeland. No se apasionaba tanto como Hester pero la idea de la esclavitud le repugnaba.

—Acepto sus disculpas —dijo con una sonrisa levemente sardónica—. Ahora, si tiene la bondad de explicarme el asunto que le preocupa, decidiré si estoy en condiciones de ayudarle y si deseo hacerlo.

—Bien encajado, señor Monk —dijo Alberton en tono de arrepentimiento. Lo tomaba a la ligera pero Monk advirtió la tensión que ocultaban sus palabras. Tenía el cuerpo rígido; un pequeño músculo se movía nerviosamente en su mandíbula. La voz no era del todo firme.

Monk sintió una punzada de culpabilidad por su ligereza. Aquel hombre no era arrogante ni indiferente. El dominio de sí mismo a lo largo de la velada había sido un acto de coraje.

—¿Se enfrenta a alguna clase de amenaza? —preguntó en voz baja—. Cuénteme de qué se trata y, si puedo ayudarle, lo haré.

Un amago de sonrisa cruzó el rostro de Alberton.

—El problema es muy fácil de explicar, señor Monk. Como ya sabe, Casbolt y yo somos socios en un negocio de exportación, a veces de madera, pero sobre todo de maquinaria y armamento. Me figuro que después de la conversación con nuestro otro invitado a cenar, esto le habrá quedado claro. —Mientras hablaba no miró a Casbolt, sino que no apartó los ojos de Monk—. Lo que no puede saber es que hace cosa de diez años me presentaron a un muchacho llamado Alexander Gilmer. Era un tipo encantador, muy guapo y con un estilo de vida un tanto excéntrico. Además estaba enfermo y se ganaba el sustento como modelo de artistas. Como ya he dicho, su aspecto físico era deslumbrante. Gilmer me contó que su patrono lo había abandonado porque le había negado favores sexuales. En aquel momento estaba desesperado. Pagué sus deudas movido por la compasión. —Soltó un profundo suspiro pero sus ojos no vacilaron.

Casbolt no trató de intervenir. Parecía satisfecho con que Alberton contara la historia.

—Sin embargo —prosiguió Alberton, bajando la voz—, el pobre hombre murió... en circunstancias muy trágicas... —Tomó aire y luego de un suspiro prosiguió—: Había intentado conseguir más trabajo como modelo, pero cada vez con gente menos respetable. Era... un tanto ingenuo, me parece. Confiaba en unos principios morales inexistentes en los círculos en los que se movía. Lo malinterpretaban. Los hombres creían que ofrecía favores sexuales, y cuando él rehusaba se enojaban y lo echaban a la calle. Supongo que el que a uno lo rechacen con frecuencia produce ese tipo de emociones.

Se interrumpió, con el rostro transido de piedad.

Esta vez fue Casbolt quien retomó el hilo, con voz grave.

—Verá, señor Monk, el pobre Gilmer, a quien también yo ayudé económicamente en una ocasión, apareció muerto hace unos meses en una casa de prostitución masculina. No sabemos si le habían dado refugio llevados por la compasión o si trabajaba allí, pero eso hace que cualquier dinero que recibiera, fuera como presente o como pago, resulte sospechoso.

—Sí, lo entiendo. —Monk veía el cuadro con bastante claridad. No sabía con precisión hasta dónde lo creía, aunque eso probablemente fuese irrelevante—. Alguien ha encontrado pruebas de su donativo y quieren que siga siendo generoso... sólo que con ellos.

Alberton parpadeó.

—No es tan sencillo como eso, pero en esencia así es. No es dinero lo que quieren. De ser así, podría verme tentado, para proteger a mi familia, aunque soy consciente de que una vez que pagas ya no hay vuelta atrás.

—También daría la impresión de que tiene algo que ocultar —señaló Monk, percibiendo un dejo de desdén en su voz. Aborrecía el chantaje más que cualquier otra forma de robo. Lo consideraba una forma de tortura, prolongada y deliberada. Sabía de personas para quienes había supuesto la muerte—. Haré cuanto pueda para ayudarle —agregó.

Alberton le miró.

—No puedo satisfacer el pago que exigen.

Casbolt asintió levemente con la cabeza; su rostro reflejaba ira y pesar. Miró fijamente a Monk con intención.

Monk aguardó.

—Quieren que pague vendiéndoles armas —explicó Alberton—. A Baskin & Company, una firma que me consta que es la tapadera de otra que vende directamente a los piratas que operan en el Mediterráneo. —Apretaba tanto los puños que tenía los nudillos blancos—. Puede que usted no sepa, señor Monk, que mi mujer es medio italiana. —Lanzó una breve mirada a Casbolt—. Creo que lo hemos mencionado durante la cena. Su hermano, su esposa y sus hijos fueron asesinados en el mar frente a las costas de Sicilia..., por unos piratas. Comprenderá que me resulte imposible venderles armas en estas circunstancias.

—Sí..., sí, claro —repuso Monk—. Nunca es bueno pagar un chantaje, pero en este caso es doblemente imposible. Si me da toda la información de que disponga haré cuanto esté en mi mano para averiguar quién le está amenazando y resolver el asunto. Quizá logre hallar pruebas de que su regalo no fue más que compasión, y entonces quedarán desarmados. Por otra parte, puede que podamos usar la misma arma contra ellos. ¿Cuento con su aprobación para obrar en ese sentido?

Alberton respiró hondo.

—Sí —aseveró Casbolt sin titubeos—. Por descontado. Perdóneme, pero necesitaba formarme algún juicio sobre su disposición a perseverar en un caso difícil e incluso peligroso hasta su conclusión, a luchar por la justicia cuando todo parece volverse en contra; por eso antes, durante la cena, he hecho tantas preguntas sobre su persona sin que usted supiera el motivo. También quería ver si tenía usted la visión necesaria para entender una causa que fuera más allá del mero cumplimiento de la ley escrita.

Monk sonrió torciendo un poco el gesto. A él también le costaba creer en la palabra de muchos hombres.

—Bien, cuénteme cómo se pusieron en contacto con usted y todo lo que sepa sobre Alexander Gilmer, tanto de su vida como de su muerte —respondió—, y empezaré mañana por la mañana. Si vuelven a ponerse en contacto con usted, entreténgalos. Dígales que necesita tiempo para organizarlo todo y que está trabajando en ello.

—Gracias. —Por primera vez desde que había abordado el asunto, Alberton pareció calmarse un poco—. Le quedo profundamente agradecido. Ahora deberíamos discutir los acuerdos económicos.

Casbolt tendió la mano.

—Gracias, Monk. Creo que ahora podemos abrigar esperanzas.

2

Mientras iban de casa de los Alberton a la suya Monk había referido el caso a Hester, quien opinó que había hecho muy bien al aceptarlo. El chantaje le resultaba tan abominable como a él, y aparte de eso Judith Alberton le había caído bien; le angustiaba pensar en el bochorno y dolor que podría caer sobre la familia si se producía un escándalo a causa de las circunstancias en que Alberton había prestado ayuda a Alexander Gilmer.

Monk salió a primera hora camino de Little Sutton Street, en Clerkenwell, donde Alberton le había dicho que había muerto Gilmer. Acababan de dar las ocho y caminaba a paso vivo hacia Tottenham Court Road en busca de un coche de punto, aunque las calles ya estaban llenas de tráfico de toda clase: carruajes, carretas, carromatos, carros fuertes, carretones de puestos callejeros, mercachifles que vendían de todo, desde cerillas y cordones de zapatos a bocadillos de jamón y limonada. Un charlatán había congregado a un puñado de curiosos en la esquina y salmodiaba con burdos ripios sobre el último escándalo político haciéndoles reír a carcajadas. Alguien le lanzó una moneda a la que el sol arrancó un destello antes de que él la atrapara.

El reclamo musical de un trapero sonaba por encima del chacoloteo de cascos y el ruido sordo de las ruedas en los baches de la calle. Un tintineo de jaeces anunció el paso de un carro fuerte de cervecero cargado de gigantescos toneles. El aire estaba impregnado de olor a polvo, sudor de caballo y estiércol.

Monk echó un vistazo a los titulares que voceaba un vendedor de periódicos adolescente, pero no decían nada sobre América. Lo último que había oído era el rumor de que no se produciría una invasión real de los estados confederados hasta el otoño del año en curso. A mediados del anterior mes de abril, el presidente Lincoln había proclamado el bloqueo marítimo de la costa de la Confederación, desde Carolina del Sur hasta Tejas, para luego ampliarlo con la inclusión de Virginia y Carolina del Norte. Las fortificaciones habían empezado a proteger Washington.

Era martes 26 de junio. Si algo había sucedido desde entonces aparte de alguna esporádica refriega, la noticia aún no había llegado a Inglaterra. Podía tardar entre doce días y tres semanas, según el tiempo que hiciera en la mar y la distancia que antes tuviera que recorrer por tierra firme.

Vio un coche de punto libre y le hizo señas con el brazo, haciéndose oír por encima del alboroto general. En cuanto el conductor puso en marcha al caballo, Monk le dio la dirección de la comisaría de Clerkenwell. Ya había resuelto por dónde empezar. No era que sospechara que Alberton o Casbolt le hubiesen mentido, aunque otros clientes lo habían hecho en el pasado y sin duda otros lo harían en el futuro, pero con frecuencia hasta las personas mejor intencionadas se equivocaban, omitían hechos importantes o, sencillamente, su visión parcial del cuadro las llevaban a interpretarlo según sus propias esperanzas y temores.

El coche llegó a la comisaría; Monk se apeó, pagó la carrera y entró. Pese a los cinco años transcurridos desde el accidente y a la nueva vida que había creado, aún le sobrevenía una cierta inquietud, lo desconocido regresaba para recordarle las cosas que había descubierto sobre sí mismo. Desde el primer día tuvo momentos de familiaridad, breves rememoraciones que se desvanecían sin darle lugar a ubicarlas. Casi todo lo que sabía se basaba en pruebas y deducciones. Partió de su Northumberland natal hacia Londres e inició su carrera en la banca mercantil trabajando para un hombre que fue su amigo y mentor, quien se hundió en la miseria por un crimen del que era inocente sin que Monk consiguiera demostrarlo. Aquello fue lo que llevó a éste a ingresar en la policía, apartándolo del mundo de las finanzas. Le sobraban descubrimientos que demostraran que había sido un policía destacado, aunque con mala leche y, en ocasiones, incluso cruel. Los subalternos temían su afilada lengua, siempre presta a criticar, a mofarse de los débiles, de los inseguros. Aquello le desagradaba en grado sumo, pero por fin podía reconocer, aunque fuese ante sí mismo, que estaba avergonzado. Un temperamento vivo era una cosa, poner alto el listón de la valentía y la honestidad estaba bien, pero pedir a un hombre más de lo que era capaz de dar no sólo era inútil, era cruel, y, en última instancia, destructivo.

Cada vez que entraba en una comisaría que no conocía, estaba alerta ante la posibilidad de tropezarse con otro reflejo de sí mismo que no le gustaría encontrar. Aborrecía que le reconocieran, pero se negó a que eso le coartara. Entró por la puerta y se dirigió al mostrador.

El sargento era un hombre alto, de mediana edad y pelo ralo. Su rostro no expresó otra cosa que educado interés.

Monk suspiró, aliviado.

—Buenos días, señor —saludó el sargento en tono agradable—. ¿En qué puedo servirle?

—Buenos días —contestó Monk—. Necesito información sobre un incidente ocurrido en su zona hace unos meses. Un amigo mío corre el riesgo de verse envuelto en un escándalo. Antes de comprometerme a protegerle, si es que puedo, me gustaría corroborar los hechos. Lo único que busco es lo que haya archivado —sonrió—, pero quiero una fuente fidedigna.

El educado escepticismo del sargento dio paso a un cierto grado de comprensión.

—Entendido, señor. ¿Cuál es ese incidente en concreto? —Entornó los ojos como si supiera por dónde iban los tiros, al menos en cuanto a la naturaleza del incidente, por no decir cuál en particular.

Monk sonrió como disculpándose.

—La muerte de Alexander Gilmer en Little Sutton Street. Me consta que estará en sus archivos y alguien conocerá la verdad. —En momentos como aquél echaba de menos la autoridad que solía ostentar cuando le bastaba con requerir los documentos.

—Verá, señor, esos archivos se encuentran aquí, sin duda, pero no están abiertos al público. Seguro que lo comprende, señor...

—Disculpe. Monk, William Monk.

—¿Monk? —El interés brilló en los ojos del sargento—. ¿El mismo señor Monk que trabajó en el caso Carlyon?

—Sí —repuso Monk, asustado—. De eso hace ya unos años.

—Fue algo terrible —dijo el sargento, muy serio—. Bueno, supongo que ya que fue uno de los nuestros, ¿verdad?, podríamos contarle lo que sabemos. Voy a avisar al sargento Walters, que fue quien llevó el caso. —Se ausentó por unos minutos mientras Monk observaba los distintos carteles de personas buscadas, aliviado de que el sargento le conociera de después del accidente.

El sargento Walters era un hombre moreno y flaco provisto de un gran dinamismo. Llevó a Monk a una habitación pequeña sumida en un caos de libros y papeles amontonados por todas partes y dejó libre una silla cogiendo cuanto había encima para dejarlo todo en el suelo. Invitó a Monk a tomar asiento y él hizo lo propio en la repisa de la ventana, pues era el único espacio disponible que quedaba.

—¡Muy bien! —exclamó con una sonrisa—. ¿Qué quiere saber sobre el pobre Gilmer?

—Todo lo que usted sepa —respondió Monk—. O cuanto tenga el tiempo y la bondad de contarme.

—¡Ah, bueno!

Walters se puso más cómodo. Se le notaba la costumbre de sentarse en el alféizar. Saltaba a la vista que aquél era el estado habitual del despacho. Que fuese capaz de encontrar algo parecía milagroso.

Monk se apoyó en el respaldo, expectante.

Walters levantó la vista al techo.

—Unos veintinueve cuando murió. Tuberculosis. Flaco. Expresión de angustia, pero rasgos proporcionados. No era de extrañar que los artistas quisieran pintarlo. Se dedicaba a eso, ¿lo sabía? Sí, supongo que lo sabe. —Con un ademán le instó a corroborarlo.

Monk asintió con la cabeza.

—Eso me han dicho.

—Sólo lo vi después de muerto —prosiguió Walters. Hablaba en un tono bastante informal, aunque no apartaba los ojos del rostro de Monk, quien advirtió claramente que estaba siendo medido y que nada de su persona se daría por sentado. Ya veía a Walters tomando notas sobre él en cuanto saliera por la puerta para luego adjuntarlas al archivo de Gilmer, y sospechó que Walters sabría exactamente el lugar que ese archivo ocupaba en medio de aquel caos.

Monk se había enterado del nombre del artista por boca de Casbolt pero prefirió no decirlo.

—El sujeto se llama FitzAlan —continuó Walters, visto que Monk no decía nada—. Bastante famoso. Encontró a Gilmer en Edimburgo, o por esos pagos de allí arriba. Lo bajó hasta aquí y lo recogió. Le pagaba mucho. Se hartó de él, por la razón que fuera, y lo echó a la calle.

Aguardó para ver la reacción de Monk ante aquellas novedades.

Monk permaneció en silencio, con el rostro inexpresivo.

Walters le comprendió y sonrió. Estaban midiendo su ingenio, su profesionalidad, y ahora ambos lo sabían.

—Fue pasando de un artista a otro —dijo Walters, sacudiendo la cabeza—. Siempre cuesta abajo. Estaba bien una temporada hasta que se peleaba y lo volvían a echar. Puede que se fuera por voluntad propia, por supuesto, pero como no tenía donde ir y su salud fue empeorando, parece poco probable.

Monk trató de imaginarse al muchacho, solo, lejos de casa y cada vez más enfermo. ¿Por qué seguía provocando aquellos desacuerdos? No se lo podía permitir y seguro que lo sabía de sobra. ¿Era un hombre de talante indómito? ¿Se convirtió en un modelo inservible por los estragos que la enfermedad hizo en su aspecto? ¿O acaso aquellas relaciones se daban entre amantes, o, para entonces, entre usuario y usado, y cuando el usuario se cansaba del usado se deshacía de él y lo reemplazaba por otro? Era un cuadro triste y desagradable, fuera cual fuese la respuesta acertada.

—¿Cómo murió? —preguntó.

Walters lo miró fijamente, sin pestañear.

—El médico dijo que de tisis —contestó—. Pero además le habían propinado una buena paliza. No es exactamente un asesinato, técnicamente no, pero moralmente para mí lo es. Molería a palos a cualquier hombre que tratara a un perro como trataron a ese muchacho. No me importa lo que hiciera para ir tirando ni cuál fuese su naturaleza.

Bajo la serenidad de sus modales bullía una rabia tal que no osaba darle rienda suelta, pero Monk acertó a percibirla detrás de sus ojos, así como en la rigidez de los hombros y los brazos, y en los dedos que apretaban con fuerza el alféizar, con los nudillos blancos.

Walters le había caído bien al instante. Ahora aún le gustaba más.

—¿Atrapó al responsable? —preguntó, aunque adivinaba la respuesta.

—No. Pero no he dejado de buscar —respondió Walters—. Si encuentra a alguien en su..., mientras ayuda a su amigo..., le quedaré muy agradecido. —Miró a Monk con curiosidad, tratando de formarse un juicio sobre dónde recaerían sus lealtades y sobre qué clase de «amigo» tenía exactamente.

El propio Monk no lo tenía muy claro. La carta de chantaje que Alberton le había mostrado era relativamente inofensiva. Estaba mal redactada, con palabras recortadas de periódicos y pegadas en una hoja de papel muy corriente, como el que uno podía comprar en cualquier papelería. Decía que los pagos debían interpretarse como adquisiciones de diversa índole y que a la luz del modo en que había muerto Gilmer, hacerlos públicos destruiría el prestigio social de Alberton. En ningún momento insinuaba que Alberton o Casbolt fueran responsables de la muerte de Gilmer. Posiblemente el chantajista tenía miedo de que demostraran que se encontraban en otro lugar cuando ocurrió, aunque aún era más probable que no necesitara recurrir a semejante amenaza. Creería que iba a conseguir lo que quería sin tener que llegar tan lejos.

—Si descubro algo —prometió Monk—, estaré encantado de ayudarle a administrar justicia. Tengo entendido que lo encontraron en un burdel masculino.

—Así es —repuso Walters—. Y antes que me pregunte qué estaba haciendo allí, le diré que no lo sé. El propietario dijo que se apiadó de él y lo sacó de la calle; una obra de caridad. —No había ironía en sus ojos y su mirada retaba a Monk a discrepar—. Puede que sea cierto. En su estado, el desgraciado de Gilmer poco servía como empleado, y le faltaban energías y dinero para ser cliente, suponiendo que tuviese esas inclinaciones, cosa que al parecer nadie sabe. Oficialmente está archivado como muerte por causas naturales. Ahora bien, todos sabemos de sobra que además alguien le arreó una paliza. Podría haberlos cogido por asalto si el pobre no hubiese muerto.

—¿Alguna idea sobre quién le pegó? —preguntó Monk, notando el nerviosismo de su propia voz—. ¿A título personal, aunque no pueda demostrarlo?

—Ideas —dijo Walters en tono cansino—. Poco más. Los clientes de sitios así no dejan su nombre en una lista. Los hay que tienen gustos bastante sórdidos que no pueden practicar en casa y lo último que quieren es que eso se sepa.

—¿Piensa que se trató de un cliente?

—Estoy convencido de ello. ¿Por qué? ¿Su amigo era uno de ellos? —La sorna de la voz de Walters era demasiado amarga para poder disimularla.

—Asegura que no. Si me dice cuándo murió Gilmer con exactitud, tal vez logre demostrar dónde se encontraba mi amigo.

Walters sacó su libreta y pasó unas páginas.

—Entre las ocho y las doce de la noche del 28 de septiembre del año pasado. ¿Están chantajeando a su amigo por la muerte de Gilmer?

—No; por haberle dado dinero, lo cual cabe interpretar de forma negativa.

—Nadie le dio nunca demasiado, al pobre. —Walters se encogió de hombros—. Acumuló un buen montón de deudas. Pensé que tal vez uno de sus acreedores le había arreado una paliza para enseñarle a pagar con más prontitud. Detuvimos e interrogamos al hombre del que sospechábamos. —Sonrió, enseñando los dientes. Soltó como un gruñido, aunque definitivamente con placer—.

Bastante enérgicamente —agregó—. Dijo que Gilmer había pagado lo que le debía. De entrada no le creí, pero el muy cabrón logró demostrar irrefutablemente dónde había estado toda la noche. ¡La pasó en la cárcel! Fue la única vez que lamenté algo semejante.

—¿Sabe de cuánto se trataba? —inquirió Monk. Conocía la cantidad exacta que Alberton decía haber dado a Gilmer.

—No. ¿Por qué? —dijo Walters—. ¿Sabe algo al respecto?

—Tal vez —repuso Monk con una sonrisa—. ¿Cuánto era?

—Ya se lo he dicho: no lo sé. Aunque eran más de cincuenta libras.

Alberton había pagado sesenta y cinco. Monk se sintió insospechadamente aliviado. Hasta entonces no había caído en la cuenta de lo mucho que quería cerciorarse de que Alberton era sincero.

—¿Le da eso una respuesta? —Walters le miró de hito en hito.

—No —contestó Monk—; sencillamente confirma lo que pensaba. Mi amigo afirmó haber pagado esa suma, y por lo visto lo hizo.

—¿Por qué?

—Compasión —contestó Monk—. ¿Está pensando que fue por los servicios prestados? ¡Me gustaría conocer al muchacho que inspira semejantes pasiones!

Walters sonrió con franqueza. Abrió más los ojos.

—Se diría que es un buen hombre atrapado en una situación desagradable.

—Así es, en efecto —convino Monk—. Gracias por su ayuda.

Walters se puso de pie de un salto.

—Espero que resulte ser verdad —dijo en tono agradable—. Me gustaría pensar que alguien le ayudó... Da igual quién fuera.

—¿Le conoció en vida? —Monk se levantó despacio.

—No. Del resto me enteré mientras esclarecíamos su muerte. Bastante tengo que hacer como para investigar casos de prostitución, mientras no alteren el orden público. —Se encogió de hombros—. Además, los «poderes fácticos» prefieren que no llamemos la atención y mucho menos que anotemos nombres y direcciones. —No fue preciso que explicara lo que quería dar a entender—. Pero no deje de avisarme si averigua quién le hizo eso, ¿lo hará?

—Lo haré —prometió Monk, abriéndose paso hacia la puerta entre los montones de papeles—, pues me gustaría que coincidiera con él... y porque le debo una.

A primera hora de la tarde, con un calor sumamente incómodo, Monk llegó a la imponente casa de Kensington que albergaba el estudio de Lawrence FitzAlan. Un sol de pleno verano caía a plomo sobre la acera, reverberando en oleadas que hacían bailar la vista. Las alcantarillas estaban secas y en el aire se olía la acritud del estiércol sin barrer.

La doncella que abrió la puerta era sorprendentemente guapa, y Monk se preguntó si FitzAlan también la estaría pintando. Ya había decidido cómo aproximarse al artista y no tuvo el menor reparo en mentir. Basándose en el enojo de Walters, quizá de forma injusta, se había formado una opinión muy poco elevada de FitzAlan.

—Buenas tardes —saludó, haciendo gala de sus encantos, pues sabía que resultaba bastante efectivo; era un recurso que usaba con frecuencia—. Me gustaría muchísimo que alguien pintara un retrato de mi esposa y, como es natural, acudo al mejor artista que conozco. ¿Podría concertar una cita para ver al señor FitzAlan tan pronto como le sea conveniente? Por desgracia, estaré en Londres poco tiempo antes de regresar a Roma por un mes o dos.

La muchacha le miró con interés. El cabello moreno de Monk y su rostro enjuto encajaban la mar de bien con su idea de un italiano misterioso. Le invitó a pasar a un vestíbulo ampuloso donde se exhibían costosas esculturas y fue a avisar a su amo de que tenía visita.

FitzAlan era un hombre extravagante con un elevado concepto de su talento, cualidad que Monk, tras echar un vistazo a las telas que había en el estudio, comprobó que era notable. Había cinco vueltas de cara en distintos lugares, colgadas o apoyadas de modo que se vieran bien, aunque a primera vista parecieran dispuestas sin ningún cuidado. El trazo era excelente, el juego de luz y sombra dramático, los rostros fascinantes. Muy a su pesar, a Monk se le iba la vista hacia ellos en lugar de mirar a FitzAlan.

—¡Usted es un amante del arte! —exclamó FitzAlan con satisfacción.

Monk supuso que haría el mismo número con cada visitante; siempre un leve tono de sorpresa en la voz, como si el mundo sólo lo poblaran ignorantes.

Monk se obligó a buscar la mirada de FitzAlan. El artista no era alto, aunque sí corpulento, ancho de espaldas y, a sus más de cincuenta años, empezaba a tener barriga. Su cabello rojizo había perdido color pero aún era abundante y lo llevaba afectadamente largo. Su rostro, de rasgos firmes, reflejaba orgullo y complacencia.

A Monk le daba rabia halagarlo pero tenía que hacerlo si pretendía quedarse el tiempo suficiente para averiguar lo que quería.

—Sí. Le ruego que disculpe mi descortesía, pero es que los ojos se me van a sus cuadros pese a mi intención de ser educado. Perdóneme.

FitzAlan se mostró encantado.

—Está usted perdonado, querido señor —dijo, histriónico—. ¿Desea un retrato de su esposa?

—Bastante más que eso, en realidad. Un amigo mío vio un cuadro muy bueno de un muchacho, pintado por usted —respondió Monk, desarmándolo con su sonrisa—, pero no tuvo ocasión de adquirirlo porque su dueño, como es natural, no estaba dispuesto a venderlo. Me preguntaba si tendría otros del mismo tema de los que poder darle noticia. Está muy ansioso por poseer uno. De hecho, es una especie de obsesión, para él.

Los halagos complacieron a FitzAlan. Trataba de ocultarlo, pero Monk había acertado al suponer que sus afanes de gloria distaban mucho de verse colmados pese a la fama de la que ya entonces gozaba.

—¡Vaya! —exclamó, quedándose muy quieto, como si estuviera reflexionando, aunque el brillo de los ojos y una leve sonrisa le delataban—. Vamos a ver. No estoy seguro de qué muchacho podrá tratarse. Pinto a cualquiera cuyo rostro me intrigue, sin que me importe quién sea. —Permanecía atento a la reacción de Monk—. No me interesa nada pintar hermosos retratos para hacer que hombres famosos se vean más guapos de lo que son —añadió con orgullo—. El arte es el único señor..., no la fama ni el dinero, ni los halagos de la gente. A la posteridad le importará un rábano quién era el sujeto en cuestión, sólo cómo aparece en la tela, lo que le diga al alma del hombre que lo vea décadas después, puede que siglos.

Monk se mostró de acuerdo. Era una percepción precisa y sincera, aunque le irritaba tener que admitirlo.

—Por supuesto —dijo—. Eso es lo que separa al artista del artesano.

—¿Sabría describirme al personaje? —preguntó Fitz-Alan, deleitándose con tanta adulación.

—Rubio, de rostro enjuto, con aire espiritual, como alucinado —respondió Monk, procurando imaginar el aspecto que habría tenido Gilmer en sus primeros tiempos como modelo, antes de que su salud se deteriorara.

—¡Vaya! —exclamó FitzAlan—. Creo que sé a quién se refiere. Tengo un par arriba. Los he estado reservando hasta el día en que fueran apreciados por lo que valen.

Monk dominó su enojo con dificultad. Tosió, llevándose la mano a la cara para ocultar la repulsa que le inspiraba aquel hombre capaz de aludir con tanta indiferencia a un muchacho a quien había conocido y utilizado, y de cuya muerte sin duda estaba enterado.

—Disculpe —se excusó, antes de proseguir—. Me gustaría mucho verlos.

FitzAlan ya se estaba dirigiendo hacia la puerta, indicando el camino de regreso al vestíbulo, donde pasaron junto a un Adonis desnudo de mármol para subir la escalera hasta una estancia mucho más espaciosa utilizada como almacén. Fue sin titubeos hasta dos telas, ocultas por otras, más tardías, y les dio la vuelta para que Monk las pudiera admirar.

Por más que le hiriera, en efecto las admiró. Eran excepcionales. El rostro que miraba desde los colores de los óleos era apasionado, sensible, ensombrecido por una visión que iba más allá de las necesidades cotidianas. Probablemente por aquel entonces ya supiera que estaba tísico y no le quedaba mucho para saborear las alegrías de la vida o el dolor que lo consumía. ¿Por eso resultaban más intensas y conmovedoras? FitzAlan había captado todo lo precioso y efímero de los ojos, los labios, la palidez casi traslúcida de la piel. Era un cuadro perturbador. A Monk le pasó por la cabeza pedir a Alberton lo que costara a título de recompensa. Le dolía pensar que no volvería a verlo tras aquellos breves momentos. Le recordaba la dulzura de la vida y que nunca había que desperdiciar o desdeñar un instante de ese don.

—Le gusta —aseveró FitzAlan innecesariamente.

Monk no habría podido negarlo. Por más pecados que mancharan el alma del pintor, el cuadro era soberbio. Se obligó a recordar por qué estaba allí y preguntó:

—¿Quién es?

—Un vagabundo —respondió FitzAlan—. Un muchacho que encontré en la calle; le di cobijo durante un tiempo. Un rostro maravilloso, ¿verdad?

Monk dio la espalda a FitzAlan para ocultar sus emociones. No podía permitirse hacer patente su aversión.

—Sí. ¿Qué fue de él?

—Ni idea —respondió FitzAlan con cierto asombro—. Nadie más lo habrá pintado así, se lo aseguro. Era tísico. Esa mirada ya no existirá. ¡Ahí es donde reside el valor, en el momento! La conciencia de la mortalidad. La percepción de la vida y la muerte es universal. Cuesta ciento cincuenta guineas. Dígaselo a su amigo.

¡Era la mitad de lo que costaba una buena casa! Estaba claro que FitzAlan no subestimaba su valía. Aun así, Monk se sorprendió elucubrando cómo arreglárselas para adquirir el cuadro. Jamás dispondría de una cantidad de dinero como aquella para gastarla de ese modo. Probablemente nunca llegaría a tenerla. Regateando quizá consiguiese un buen descuento, pero el precio seguiría quedando fuera de sus posibilidades económicas. ¿Y un trueque? Le habría gustado profundamente obligar a FitzAlan a aceptarlo, apretar hasta que algo le doliera lo bastante como para avenirse a desprenderse del cuadro a cambio de respirar aliviado.

—Se lo diré —repuso entre dientes—. Gracias.

Monk dedicó el resto del día y los dos siguientes a seguir el rastro del fulminante declive de Gilmer, pasando de un artista a otro, cada vez con menos talento, hasta verse en la indigencia. Al parecer siempre había terminado riñendo. Nadie esperó que le fuera bien ni le brindó su ayuda. Al final, más o menos a mediados del verano anterior, le había dado cobijo el propietario de un burdel masculino.

—Sí, pobre diablo —dijo a Monk—. Estaba en las últimas. Flaco como un rastrillo y pálido como la muerte. Me di cuenta de que se estaba muriendo. —Contrajo con piedad el rostro cubierto de cicatrices, sentado en un mullido sillón de su concurrido salón. Se trataba de un hombre extraordinariamente feo, contrahecho y con joroba, pero con unas manos hermosas. Monk nunca sabría quién o qué hubiese podido ser de él en otras circunstancias; sin embargo, le pasó por la cabeza preguntárselo. ¿Se había visto arrastrado a aquello o le había movido la codicia? Prefirió pensar en lo primero.

—¿Le contó algo sobre su vida? —inquirió Monk.

El hombre le miró fijamente. Monk no le había pedido que le dijese su nombre.

—Alguna cosilla —contestó—. ¿Por qué lo dice?

—¿Trabajaba para usted?

—Cuando estaba en condiciones... que no era a menudo.

Monk lo comprendió, aunque no dejó de disgustarle.

—Hacía la colada —dijo el hombre con ironía—. ¿En qué estaba pensando?

Para su sorpresa, Monk se ruborizó.

El hombre rió.

—No era de esa naturaleza —aseveró con firmeza—. Puedes transformar a un chaval joven, pero a su edad es más difícil y, además, con aquella pinta de muerto y tosiendo sangre, nadie iba a quererlo. Tanto si me cree como si no, lo acogí porque me dio pena. Tenía claro que no sería por mucho tiempo. Ya se lo habían quitado todo.

—¿Tiene idea de quién le pegó la paliza? —Monk procuró sin éxito que su voz no dejara traslucir su enojo.

El hombre le miró entornando los ojos.

—¿Por qué? ¿Qué piensa hacer al respecto?

No tenía sentido no mostrarse sincero. El hombre ya había percibido sus sentimientos.

—Depende de quien se trate —respondió—. Hay varias personas que estarían encantadas de hacerle la vida imposible a quienquiera que sea.

—Empezando por usted, ¿eh?

—No, yo no soy el primero. Hay unos cuantos delante de mí. Riñó con muchos de los artistas para los que trabajó. ¿Fue uno de ellos?

—Eso creo. —El hombre asintió despacio con la cabeza—. Aunque no es que se peleara con ellos. El primero simplemente se hartó y lo echó. Le pareció más provechoso pintar mujeres durante un tiempo. Al segundo no le alcanzaba para mantenerlo. El tercero y el cuarto le pidieron favores como los que yo vendo a un precio muy alto. Él no estaba dispuesto, por eso lo echaron también. Y para entonces ya tenía el aspecto bastante deteriorado por culpa de la enfermedad.

—¿Fue uno de ellos?

El hombre miró a Monk con recelo, como midiéndolo: el rostro moreno, su delgadez, la nariz ancha, la mirada impasible.

—¿Por qué? ¿Va a matarlo?

—No será tan rápido —respondió Monk—. A cierto sargento de la policía le gustaría vengarse lentamente..., sirviéndose de la ley, claro.

—¿Y usted lo pondría sobre la pista?

—Lo haría, si estuviera seguro de no equivocarme.

—Un cliente mío se quedó prendado de él y se resistía a aceptar una negativa. Yo mismo le habría molido a palos hasta hacerle temer por su vida, pero no puedo permitirme esas cosas. Si se corriera la voz, me quedaría sin negocio, y mis chicos conmigo.

—¿Nombre?

—Garson Dalgetty. Parece un caballero, pero es un

auténtico cabrón. Me dijo que con una sola mano le bastaba para arruinarme. ¡Y era verdad!

—Gracias. No diré de dónde he sacado esta información pero quiero un favor a cambio.

—¿Ah sí? ¿Por qué no me sorprende en absoluto?

—Porque no es tonto.

—¿Qué favor quiere?

Monk sonrió y exclamó:

—¡Nada de lo que usted vende! Quiero saber si Gilmer le dijo que alguien le hubiese dado dinero para saldar sus deudas, y me refiero a dar, no a pagar.

El hombre se mostró sorprendido.

—Así que está enterado de eso, ¿eh?

—Me lo dijo el hombre que le dio ese dinero. Me preguntaba si sería verdad.

—Vaya que sí. Fue muy generoso. —Se meció un poco en el sillón rojo—. Nunca pregunté por qué, pero le fue dando hasta que Gilmer llegó aquí, e incluso después de eso. Cortó el grifo cuando murió.

Monk se sobresaltó al darse cuenta de lo que acababa de decir el hombre.

—¿No dejaba de contraer deudas?

—Las medicinas, pobre diablo. A mí no me alcanzaba para eso.

—¿Quién era?

—Ha dicho que lo sabía.

—Y lo sé; pero ¿lo sabe usted?

El hombre torció su feo rostro con una mueca de amargura.

—Chantaje, ¿verdad? No, no lo sé. Gilmer nunca me lo dijo y yo nunca le pregunté.

—¿Quién lo sabía?

—¿Cómo voy a saberlo? No le será difícil averiguarlo, si pone un poco de empeño. Yo nunca he querido hacerlo.

Monk se quedó un rato más, dio las gracias al hombre y se marchó, procurando no mirar a derecha ni a izquierda mientras salía. Había detectado un fondo de compasión en aquel hombre y no quería saber nada sobre su comercio.

El hombre había acertado de pleno al decir que no sería difícil seguir el rastro de los pagos, ahora que Monk sabía que se habían hecho de forma regular. Le llevó el resto de la jornada y le bastó con echar mano de sus conocimientos de banca y del sentido común. Cualquier otra persona podría haber hecho lo mismo.

También escribió una nota al sargento Walters, diciéndole que el nombre del hombre que buscaba era Garson Dalgetty.

Mientras salía de Clerkenwell se preguntó por qué Alberton no había mencionado que pasaba a Gilmer una asignación de cinco guineas mensuales. No era una suma importante. Le alcanzaría para un poco de comida extra, el suficiente jerez y láudano para aliviar los momentos más duros y poco más. Se trataba de una obra de caridad, nada de lo que avergonzarse, más bien al contrario. Ahora bien, ¿era todo como parecía?

No se tomó la molestia de seguir el rastro a las posibles dádivas de Casbolt. Los donativos de Alberton le bastaban para su propósito. Si con eso no daba con el chantajista, reiniciaría la investigación empezando por Casbolt.

El siguiente paso a dar sería localizar a los tratantes de armas que harían de intermediarios en el pago de Alberton, pero antes iría a darle novedades, tal como había prometido.

El final de la tarde transcurrió de forma bien distinta a como Monk tenía previsto. Llegó a la casa de Tavistock Square y le recibieron de inmediato. Alberton parecía preocupado y cansado, como si alguno de sus negocios no estuviera marchando bien.

—Gracias por venir, Monk —saludó con un amago de sonrisa, invitándole a pasar a la biblioteca—. Siéntese. ¿Le apetece un vaso de whisky o alguna otra cosa? —Hizo un ademán hacia el botellero de plata y cristal de una mesa accesoria.

Monk rara vez recibía trato de igual, ni siquiera en los casos más delicados. Le constaba que cuanto más acuciada estaba la gente por la necesidad, menos deseaba relajarse con aquellos a quienes pedían ayuda. Alberton suponía una grata excepción. No obstante, declinó la invitación, pues quería mantener bien despejada la cabeza y, además, hacerlo patente.

Alberton tampoco se sirvió nada. Al parecer la invitación respondía a la mera hospitalidad, no al deseo de tener una excusa para permitirse tomar una copa.

Monk comenzó a referirle sucintamente lo que había averiguado sobre la vida y muerte de Gilmer. Estaba contándole su visita a casa de FitzAlan cuando el mayordomo llamó a la puerta.

—Lamento molestarle, señor —se disculpó—, pero el señor Breeland está aquí otra vez e insiste mucho en verle. ¿Debo pedirle que aguarde, señor, o... hago que un lacayo lo acompañe a la puerta? Me temo que podría resultar muy desagradable y teniendo en cuenta que ha sido invitado del señor...

Alberton miró a Monk.

—Lo siento —dijo muy serio—. Esta situación es sumamente incómoda. Conoció al joven Breeland la otra noche. Como sin duda habrá observado, es un fanático de su causa, incapaz de ver ningún otro punto de vista. Mucho me temo que esperará hasta que le atienda y, si me permite hablarle con franqueza, preferiría que mi hija no volviera a encontrarse con él, cosa que puede ocurrir si no le veo enseguida. —Su rostro expresaba ternura y exasperación—. Es muy joven y está llena de ideales. Se parece bastante a él. Sólo acierta ver la justicia de una única causa, ignorando las demás.

—Por supuesto —convino Monk, poniéndose de pie—. No me importa esperar. De todas formas, tengo poco que decir. He venido porque me pidió que le diera novedades por irrelevantes que fueran.

Alberton esbozó una sonrisa.

—En realidad, creo que fue Robert más que yo, aunque comprendo su intención. Uno se siente impotente, le cuesta controlarse, si no sabe lo que está ocurriendo. Sea como fuere, le agradecería mucho que se quedara mientras atiendo a Breeland, si no es mucho pedir. Puede que la presencia de un tercero sirva para apaciguar un ápice sus excesos. La verdad es que creía haberme expresado con claridad suficiente. —Se volvió hacia el mayordomo, que seguía esperando pacientemente—. Sí, Hallows, diga al señor Breeland que pase.

—De acuerdo, señor.

Hallows se retiró obedientemente pero, por un instante, antes de que le diera tiempo a disimularla, su rostro dejó traslucir la opinión que le merecía la importunidad de Breeland.

Lyman Breeland apareció un momento después, como si hubiese ido pisando los talones al mayordomo. Vestía muy formal, con un traje oscuro de cuello cerrado y unos botines de fino corte muy bien lustrados.

Hizo obvio su desconcierto ante la presencia de Monk.

Alberton lo advirtió.

—El señor Monk es mi invitado —dijo con frialdad—. No es rival de usted en el ámbito del armamento ni en ningún otro. Ahora bien, tal como le he dicho con anterioridad, señor Breeland, las armas que le interesan ya están vendidas...

—¡No, no lo están! —interrumpió Breeland—. Está en negociaciones. Todavía no le han pagado y, créame, señor, no le miento. La Unión tiene sus recursos para obtener información. Le han entregado un depósito, pero los Rebeldes andan escasos de fondos y será afortunado si llega a ver la segunda mitad de la suma.

—Es posible —dijo Alberton con evidente aversión—, pero no tengo ningún motivo para suponer que aquellos con quienes trato no son hombres de honor, y que lo sean o no, no es asunto suyo.

—Yo tengo todo el dinero —dijo Breeland—. Diga a Philo Trace que enseñe lo mismo, a ver si puede.

—Le he dado mi palabra, señor, y no pienso retractarme —replicó Alberton sin ocultar su enfado.

—¡Será cómplice de la esclavitud! —exclamó Breeland, levantando la voz. Tenía el cuerpo rígido, los hombros levantados—. ¿Cómo es posible que un hombre civilizado haga eso? ¿O es que ya han pasado ustedes de la civilización a la decadencia? ¿Ya ha dejado de importarles de dónde provienen sus comodidades o quién ha pagado por ellas?

Alberton estaba pálido de rabia.

—Yo no me erijo en juez de los hombres ni de las naciones —dijo en voz baja—. ¿Debería hacerlo? Tal vez lo suyo sería exigir a cualquier posible comprador que se justifique ante mí y responda de todos los disparos que tenga intención de efectuar con las armas que yo le venda. Y dado que esto es a todas luces ridículo, ¿quizá lo que tendría que hacer es no vender armas?

—¡Está reduciendo el argumento al absurdo! —contraatacó Breeland, rojo de ira—. La diferencia moral entre el agresor y el defensor está más que clara para cualquier hombre. Así como la diferencia entre el amo de esclavos y el hombre que quiere liberar a todo el mundo. Sólo un sofista sumamente hipócrita sostendría lo contrario.

—Podría sostener que el confederado que desea establecer su propio gobierno según lo que cree que está bien tiene más justificación para su causa que el unionista que pretende obligarle a permanecer en una Unión que ya no es de su agrado —repuso Alberton—. Ahora bien, ésta no es la cuestión, como bien sabe. Trace acudió a mí antes que usted y convine en venderle armamento. Yo no falto a mi palabra. Ésa es la cuestión, señor Breeland, la única cuestión. Trace no me ha inducido a error ni me ha engañado, de modo que no tengo motivo para incumplir mis compromisos. No me quedan armas que venderle a usted; eso es lo único que pasa.

—Devuélvale el depósito a Trace —desafió Breeland—. ¡Dígale que no es esclavista! ¿O acaso lo es?

—Los insultos me ofenden —dijo Alberton, con el rostro ensombrecido—, pero no me hacen cambiar de parecer. He consentido en verle porque me daba miedo que no se fuese de mi casa hasta que lo hiciera. No tenemos más que hablar. Buenas tardes, señor.

Breeland no se movió. Estaba pálido y apretaba los puños en los costados, pero antes de que encontrara las palabras adecuadas para responder, la puerta se abrió detrás de él y Merrit Alberton entró en la biblioteca.

Llevaba un vestido rosa intenso y el cabello recogido en un elaborado moño del que escapaban algunos mechones. Tenía las mejillas encendidas y los ojos brillantes. Hizo caso omiso de Monk y lanzó una fugaz mirada a Breeland aunque se plantó deliberadamente a su lado. Se dirigió a su padre.

—¡Lo que estás haciendo es inmoral! Has cometido una equivocación al ofrecer las armas a los confederados. ¡Jamás se te habría ocurrido hacerlo si fueran rebeldes contra Inglaterra! —Fue levantando la voz movida por una imperiosa indignación—. Si aquí aún tuviéramos esclavitud, ¿venderías armas a los traficantes de esclavos para que dispararan contra nuestro ejército, nuestra marina, hasta nuestros hombres y mujeres en sus casas, por querer que todo el mundo fuese libre? ¿Lo harías?

—Eso no es comparable, Merrit...

—¡Claro que lo es! ¡Los rebeldes tienen esclavos! —Temblaba de emoción—. ¡Compran hombres y mujeres, y niños, y los usan como animales! ¿Cómo puedes vender armas a personas así? ¿No te queda una pizca de moralidad? ¿Lo haces sólo por dinero? ¿Es eso?

Sin apenas darse cuenta se iba acercando a Breeland, quien mantenía su expresión casi imperturbable.

—Merrit —comenzó Alberton.

Pero ella le interrumpió.

—¡No existe ningún argumento que justifique lo que estás haciendo! ¡Estoy tan avergonzada de ti que me cuesta soportarlo!

Alberton hizo un gesto de impotencia.

—Merrit, no es tan sencillo como...

Seguía negándose a escuchar y haciendo caso omiso de la presencia de Monk. Una sensación de ultraje le hizo más estridente la voz.

—¡Sí que lo es! Vendes armas a personas que tienen esclavos y que están en guerra con sus compatriotas que quieren abolir la esclavitud. —Abrió los brazos con furia—. ¡Dinero! ¡Todo es por el dinero y es pura maldad! No entiendo que tú, mi propio padre, intentes siquiera justificarlo, y mucho menos participar en ello. ¡Estás vendiendo muerte a personas que la usarán en la peor causa posible!

Breeland hizo ademán de apoyar una mano sobre su brazo.

Alberton por fin perdió la calma.

—¡Cállate, Merrit! ¡No sabes lo que estás diciendo! Déjanos a solas...

—¡Ni hablar! No puedo —protestó—. Sé muy bien de qué estoy hablando. Lyman me lo ha contado. Y también tú, ¡eso es lo peor de todo! ¡Conoces la situación y aun así sigues adelante! —Dio un paso hacia él, olvidando a Monk y a Breeland, con el rostro contraído—. ¡Por favor, papá! ¡Por favor, por todos los que sufren en la esclavitud, por la justicia y la libertad, y sobre todo por ti mismo, vende armas a la Unión, no a los Rebeldes! Di que no puedes dar tu apoyo a la esclavitud. Ni siquiera perderás dinero... Lyman puede pagar la suma íntegra.

—No es una cuestión de dinero. —Alberton también levantó la voz, más aguda por el dolor—. ¡Por el amor de Dios, Merrit, parece que no me conozcas! —Habló como si Breeland no estuviera presente—. Di mi palabra a Trace y no voy a romperla. Estoy tan poco de acuerdo con la esclavitud como tú, pero tampoco estoy de acuerdo en que la Unión obligue al Sur a permanecer en ella a la fuerza! Hay muchas clases distintas de libertad. Existen la libertad del hambre y las ataduras de la pobreza, además de la clase de esclavitud de la que hablas. Existe...

—¡Pamplinas! —espetó Merrit—. Sólo piensas en ti. No te presentas al Parlamento para intentar cambiar nuestra forma de vida y acabar de una vez con el hambre y la opresión. ¡Eres un hipócrita! —Era la peor palabra que se le podía ocurrir, y su amargura fue palpable en sus ojos y en su voz.

Breeland miraba con frialdad a Alberton. Por fin pareció comprender que no daría su brazo a torcer. Si todo lo que había dicho Merrit no le afectaba, a él no le quedaba nada que añadir.

—Lamento que estime conveniente actuar contra nosotros, señor —dijo con distante formalidad—, aunque de todas maneras nos impondremos. Conseguiremos lo que necesitamos para ganar, por muchos sacrificios que eso nos exija y por alto que sea el precio. —Tras echar un breve vistazo a Merrit, como sabiendo que le iba a comprender, dio media vuelta y marchó a grandes zancadas. Sus pisadas resonaron en el parqué del vestíbulo.

Merrit miraba fijamente a su padre entre airada y desdichada.

—¡Detesto todo lo que representas! —exclamó con furia—. ¡Lo desprecio tanto que me avergüenzo de vivir bajo tu techo, de que pagues la comida que como y la ropa que visto! —Abandonó la estancia y subió a toda prisa por la escalera.

—Lo siento muchísimo, Monk —dijo Alberton con abatimiento mirando a Monk—. No imaginé que fuera a someterle a una situación tan violenta. Lo único que puedo hacer es disculparme.

Antes de que agregara algo más, Judith Alberton apareció en el umbral. Estaba un poco pálida y resultaba bastante obvio que había oído por lo menos el final de la discusión. Echó un vistazo a Monk, avergonzada, y luego miró a su marido.

—Me temo que está enamorada del señor Breeland —dijo con poca fluidez—. O que cree estarlo. —Observaba a Alberton con preocupación—. Puede que le lleve algo de tiempo, Daniel, pero verás que recapacita. Se arrepentirá de haber hablado de una forma tan... —Se le quebró la voz, como si estuviese insegura de qué palabra usar.

Monk aprovechó la circunstancia para despedirse. Ya había dicho cuanto tenía que decir sobre la investigación. Sería mejor que los Alberton resolvieran sus dificultades en la intimidad.

—Le mantendré informado de cuanto averigüe —prometió.

—Gracias —dijo Alberton, tendiéndole la mano—. Lamento haberle hecho pasar por esto. Me temo que los ánimos están muy caldeados con este asunto de América y me parece que apenas estamos asistiendo al principio.

Monk era de la misma opinión pero se abstuvo de comentarlo, dándoles las buenas noches y permitiendo que el mayordomo le acompañara a la puerta.

Despertó confuso, preguntándose por un momento dónde se encontraba, esforzándose por apartar el insistente ruido de los últimos jirones de un sueño. De pronto, se incorporó. Era de madrugada, aunque el día apenas comenzaba a clarear. El ruido persistía.

Hester estaba despierta.

—¿Quién será? —preguntó con inquietud, sentándose erguida con la melena apoyada en los hombros—. ¡Son las cuatro menos cuarto!

Monk saltó de la cama y cogió su batín. Se lo puso a toda prisa y se dirigió a la puerta principal de la casa, donde la llamada sonaba con más fuerza e insistencia. No se había molestado en ponerse pantalones y zapatos. Quienquiera que fuese parecía desesperado y decidido a despertarle aun a riesgo de perturbar el descanso de todo el vecindario.

Monk buscó a tientas el cerrojo y abrió la puerta.

Allí estaba Robert Casbolt, a la mortecina luz del alba, sin afeitar y con el cabello revuelto.

—Pase. —Monk retrocedió, sosteniendo la puerta abierta.

Casbolt obedeció sin titubear, comenzando a hablar antes de cruzar el umbral.

—Siento molestarle con modos tan frenéticos pero es que tengo mucho miedo de que haya ocurrido algo irreparable. —Hablaba a trompicones, como si se le trabara la lengua—. Judith, la señora Alberton, me ha enviado una nota. La preocupación la tiene fuera de sí. Daniel se marchó poco después que usted y todavía no ha regresado. Me ha dicho que Breeland estuvo en la casa anoche y que se mostró muy enojado..., incluso amenazador. Le aterroriza pensar que... Lo siento. —Se pasó las manos por la cara como para aclarar las ideas y tranquilizarse—. Lo peor es que Merrit también ha desaparecido. —Clavó en Monk unos ojos llenos de horror—. Al parecer subió directamente a su habitación tras la discusión con su padre. Judith supuso que permanecería encerrada, con el genio atravesado, y que probablemente no volvería a bajar hasta la mañana siguiente.

Monk no lo interrumpió.

—Pero al no poder conciliar el sueño, inquieta como estaba por Daniel —prosiguió Casbolt—, ha ido al dormitorio de Merrit y ha visto que se había ido. No estaba en ningún lugar de la casa y su doncella ha revisado sus cosas echando en falta una maleta y algunas prendas de vestir..., un traje sastre y por lo menos dos blusas. Y el cepillo y los peines. Por el amor de Dios, Monk, ayúdeme a encontrarlos, se lo ruego.

Monk trató de ordenar sus pensamientos para establecer un plan de acción claro y decidir por dónde empezar. Casbolt parecía al borde de la histeria. Se le entrecortaba la voz y tenía el cuerpo tan tenso que abría y cerraba los puños como si no soportara estarse quieto.

—¿Ha avisado a la policía la señora Alberton? —preguntó Monk.

Casbolt negó con la cabeza.

—No. Ha sido lo primero que le he propuesto, pero tiene miedo de que si Merrit se ha fugado con Breeland se vea envuelta en un escándalo que la arruinaría. Ella... —Soltó un profundo suspiro—. Sinceramente, Monk, creo que tiene miedo de que Breeland le haya hecho algo malo a Daniel. Según parece salió de la casa hecho una furia y dijo que ganaría fuera como fuese.

—Es verdad —convino Monk—. Yo mismo lo oí.

Recordó con un escalofrío la pasión que encerraba la voz de Breeland. Era el ardor del artista que partiendo de la nada creaba una gran visión del mundo, del explorador que se aventuraba en lo desconocido y abría caminos para hombres de menos valía, del inventor, del pensador, del mártir que moría antes que negar la luz que había visto... y del fanático que veía justificado cualquier acto por la causa a la que servía.

Casbolt hacía bien en temer a Breeland; igual que Judith Alberton.

—Bien, me voy con usted —concluyó Monk—. Voy a vestirme y a avisar a mi esposa. Serán cinco minutos, como mucho.

—¡Gracias! Muchas gracias.

Monk asintió con la cabeza y se fue a toda prisa hacia el dormitorio.

Hester estaba sentada, envuelta en un chal.

—¿Quién es? —preguntó antes de que Monk hubiese cerrado la puerta.

—Casbolt —contestó él, quitándose el batín para ponerse la camisa—. Alberton salió poco después de que yo me marchara y no ha vuelto a casa; y Merrit ha desaparecido. Es probable que haya ido en busca de Breeland. ¡La muy estúpida!

—¿Puedo ayudar?

—¡No, gracias! —Monk se abrochó la camisa con dedos torpes, moviéndose con demasiada premura, y alcanzó los pantalones.

—Ten cuidado con lo que vayas a decirle —le advirtió Hester.

A Monk le habría encantado poner a Merrit Alberton sobre sus rodillas y azotarla. Su rostro debía de expresarlo, pues Hester se levantó de inmediato y se aproximó a él.

—William, es joven y está llena de ideales. Cuanto más severo te muestres con ella, más terca se pondrá. Enfréntate a ella y será capaz de cualquier cosa antes de admitir que se da por vencida. Suplícale que te ayude y comprenda, gánate su compasión y se mostrará razonable.

—¿Cómo lo sabes?

—Porque una vez tuve dieciséis años —respondió con una pizca de aspereza.

Monk sonrió.

—¿Y estabas enamorada?

—Naturalmente.

—¿De un comprador de armas para un ejército extranjero? —Se puso la chaqueta. No había tiempo para afeitarse.

—No, en realidad era párroco —contestó.

—¿Párroco? ¿Tú... enamorada de un párroco?

—¡Tenía dieciséis años! —Hester se ruborizó.

Monk sonrió y le dio un beso rápido, notando que ella respondía tras un mero instante de titubeo.

—Ten cuidado —susurró ella—. Puede que Breeland...

—Ya lo sé.

Antes de darle ocasión de agregar nada más, salió para reunirse con Casbolt, que aguardaba impaciente junto a la puerta.

Casbolt subió a su carruaje —que esperaba en la calle— antes que Monk, gritando al cochero acurrucado en el pescante. No podía decirse que los amaneceres de verano fueran fríos, aunque hacía fresco para esperar a la intemperie, más aún cuando al pobre hombre lo habían sacado de la cama tras dormir tan sólo cuatro horas.

El carruaje se puso en marcha dando un tirón y enseguida ganó velocidad. En total hacía catorce minutos que Casbolt había interrumpido el sueño de Monk.

—¿Adónde nos dirigimos? —preguntó Monk mientras el coche, lanzado por el adoquinado, viraba bruscamente en una esquina, arrojándole contra Casbolt.

—Al domicilio de Breeland —contestó Casbolt—. He estado a punto de ir directamente sin usted, pero se me ha ocurrido que si me desviaba un par de calles de mi camino podría contar con su apoyo. No sé con qué nos encontraremos al llegar. Es probable que con un solo hombre no baste, y me he formado la opinión de que sería bueno tenerle a mi lado en una pelea, llegado el caso. Dios sabe lo que Merrit tiene en mente. Debe de haber perdido el sentido de... todo. ¡Apenas conoce a ese hombre! Podría... —Otra sacudida del coche, que al girar en sentido contrario lo arrojó encima de Monk, le hizo dar un grito ahogado—. ¡Podría ser cualquier cosa! —prosiguió—. ¡Ese hombre es un fanático, dispuesto a sacrificarlo todo y a todos por su maldita causa! Está más loco que cualquiera de nuestros militares y Dios sabe bien lo locos que están. —Fue levantando la voz, con una nota de ira—. Basta con recordar sus fantochadas en Crimea. Cualquier precio para ser héroes... La gloria de la victoria, sangre y cuerpos por todas partes. ¿Y para qué? La fama, un ideal..., medallas y una nota a pie de página en la historia.

Cruzaban chacoloteando una plaza sumida en la penumbra de su frondosa arboleda.

—¡Malditos sean Breeland y sus estúpidos ideales! —exclamó en un arrebato de furia—. No le corresponde adoctrinar a una muchacha de dieciséis años que cree que todo el mundo es tan noble y sencillo como ella. —Había una sorprendente malevolencia en su voz, una pasión tan profunda que escapaba a su control y se palpaba en el aire con toda su crudeza mientras pasaban a toda velocidad por calles que el alba iba llenando de luz.

Monk deseó ofrecer algún consuelo a Casbolt, pero sabía que lo que Casbolt había dicho era cierto. Deploraba las palabras necias, de modo que guardó silencio.

De pronto el carruaje se detuvo, Casbolt echó un vistazo fuera para asegurarse de que no estaban en un cruce, pareció reconocer el sitio y más que apearse se arrojó a la calle.

Monk fue tras Casbolt, que cruzó la acera a grandes zancadas dirigiéndose a un portal. Lo abrió abruptamente y entró. No era sino la entrada exterior de un conjunto de apartamentos, y el portero de noche dormitaba cómodamente instalado en un sillón del vestíbulo.

—¡Vengo a casa del señor Breeland! —gritó Casbolt cuando el hombre terminó de despertar.

—Sí, señor. —Se puso de pie apresuradamente, rebuscando la gorra en el asiento—. Pero ocurre que el señor Breeland no está aquí. Se ha marchado, señor.

—¿Marchado? —Casbolt quedó estupefacto—. Anoche estaba aquí. ¿Qué quiere decir con eso de que se ha marchado? ¿Adónde? ¿Cuándo regresará?

—No volverá, señor. —El portero negó con la cabeza—. Se ha ido definitivamente. Pagó lo que debía y se llevó las maletas. Aunque sólo tenía una.

—¿Cuándo? —inquirió Casbolt—. ¿A qué hora se fue? ¿Iba solo?

—No lo sé, señor —respondió el portero, entornando los ojos—. Hacia las once y media, poco más o menos. En cualquier caso, antes de medianoche.

—¿Iba solo? —preguntó Casbolt. Le temblaba todo el cuerpo y tenía la tez blanca, con la frente perlada de sudor.

—No, señor —contestó el portero, claramente asustado—. Había una joven dama con él. Muy guapa. Era rubia, por lo que pude ver. También llevaba una maleta. —Tragó saliva con dificultad—. ¿Se estaban fugando? —Se atragantó y comenzó a toser convulsivamente.

—Probablemente —repuso Casbolt, con la voz quebrada por el dolor.

El portero dominó su ataque de tos.

—¿Usted es el padre? ¡No lo sabía, se lo juro por Dios!

—El padrino —contesto Casbolt—. Es posible que su padre también viniera en busca de ella. ¿Vino alguien más aquí?

El portero hizo una mueca.

—Llegó un mensaje para el señor Breeland pero lo trajo un recadero cualquiera. Se lo subió al señor Breeland personalmente y luego se largó. Y después de eso también vino otro hombre pero sólo le vi la espalda mientras subía.

—¿A qué hora llegó el mensaje? —preguntó Casbolt, con voz aguda por la desesperación.

—Poco antes de que se fuera. —El portero estaba realmente inquieto—. Llamé a la puerta del señor Breeland y me abrió. El chaval le dio el mensaje. No se fiaba de mí. Dijo que le habían pagado para entregarlo en mano, como he explicado, y se empeñó en hacerlo a su manera.

—¿Hacia las once y media? —intervino Monk.

—Sí, o un poco más tarde. De todas formas, el señor Breeland salió pocos minutos después, con sus cosas en la maleta y la joven dama tras él. Me pagó lo que debía, para que yo se lo diera al casero, y se largó. Y ella con él.

—¿Podemos ver su apartamento? —pidió Casbolt—. Puede que hallemos algún indicio, aunque abrigo pocas esperanzas.

—Claro, como quieran.

El portero, muy dócil y servicial, no se hizo de rogar y emprendió la marcha.

—¿Tiene alguna idea de lo que decía la nota? —preguntó Monk, caminando a su lado—. ¿Aunque sea por encima? ¿Qué cara puso después de leerla? ¿Se mostró complacido, sorprendido, enfadado, afligido?

—¡Complacido! —exclamó el portero—. Muy complacido, diría yo. Se le iluminó la cara y dio las gracias al chaval. ¡Le dio seis peniques! —Tenía claro que semejante extravagancia hablaba a las claras de lo muy complacido que estaba—. Y le entraron las prisas por marcharse, sí señor.

—¿Y en ningún momento dijo adónde? —apremió Casbolt, tan nervioso que iba pasando el peso de un pie al otro, incapaz de parar quieto.

—No. Sólo dijo que tenía que darse prisa, irse cuanto antes, y así lo hizo. En diez minutos estuvo listo.

Llegó a la puerta del apartamento de Breeland y la abrió, haciéndose a un lado para dejarlos pasar.

Casbolt entró sin pensarlo y fue dando la vuelta, mirando con detenimiento.

Monk le siguió. La habitación aparecía despojada de cualquier efecto personal. Sólo vio un poco de vajilla, un barreño, un aguamanil y un montón de toallas. En el tocador había una Biblia y unos trozos de papel. No quedaba nada que indicara quién ocupaba la habitación hacía sólo unas horas.

Casbolt fue derecho al tocador y empezó a revolverlo todo, abriendo y cerrando cajones. Tiró de la colcha, las mantas y las sábanas hasta destapar el colchón, con ademanes de creciente nerviosismo al no encontrar nada más que el mobiliario nuevo del casero.

—Aquí no hay nada —declaró Monk en voz baja.

Casbolt empezó a soltar maldiciones con voz irritada por la rabia y la desesperación.

—No tiene sentido quedarse —interrumpió Monk—. ¿Dónde más podemos buscar? Si Breeland se ha marchado y Merrit está con él, quizás Alberton haya ido tras ellos. ¿Hacia dónde es más probable que se dirigieran?

Casbolt se tapó la cara con las manos. Luego se irguió y miró a Monk con ojos como platos.

—¡La nota! Merrit estaba con él, así que no podía ser suya. Además se mostró complacido, y mucho. ¡Lo único que le importa son las malditas armas! Tiene que ser eso.

Se encaminó hacia la puerta.

—¿Dónde?

Monk fue tras él hacia el vestíbulo.

—Si ha cogido a Merrit para pedir un rescate, pues al almacén. Allí es donde están las armas —exclamó Casbolt, corriendo hacia la puerta principal y saliendo a la calle—. ¡Está en Tooley Street! —gritó al cochero, montando de un salto antes que Monk. El carruaje arrancó con una sacudida y salió disparado, lanzando a Monk de golpe contra el asiento. Le costó lo suyo enderezarse y recobrar el equilibrio.

Circularon en silencio, consumidos por el miedo a lo que iban a encontrar. Ya era pleno día y se veían obreros camino del trabajo. Se cruzaron con los carros que iban hacia el mercado de Covent Garden o algún otro. Era una atmósfera familiar.

Cruzaron el río por el Puente de Londres, donde las barcazas surcaban las aguas en incesante actividad, y les llegó el olor a humedad y salitre que entraba con la marea. La luz era intensa, un reflejo quebradizo en la cambiante superficie del Támesis.

Torcieron a la derecha y frenaron en seco junto a dos altos portalones de madera. Casbolt saltó a tierra y corrió hacia ellos. Los empujó con el hombro y se abrieron de par en par, sin que ningún cerrojo o barra se lo impidiera.

Monk fue tras él y entró con paso decidido en el patio del almacén. Por un instante, la fría luz de la mañana le hizo creer que se hallaba vacío. Las puertas del almacén estaban cerradas, las ventanas tapiadas y el adoquinado salpicado de barro, con huellas claras en varias direcciones, como si un vehículo pesado hubiese maniobrado.

Había excrementos frescos de caballo.

Entonces los vio; unos bultos oscuros y amorfos.

Casbolt se quedó paralizado.

Monk fue hacia ellos con el corazón en un puño y el paso inseguro. Había dos cuerpos tendidos el uno junto al otro y un tercero un poco apartado, a unos tres metros. Los tres estaban contorsionados, como si una vez en el suelo alguien les hubiese levantado las rodillas y los codos con un palo de escoba. Tenían las manos y los pies atados y estaban amordazados. Los dos primeros eran desconocidos.

Monk caminó hasta el tercero y le vinieron náuseas. Era Daniel Alberton. Igual que a los otros, le habían pegado un tiro en la cabeza.

3

Monk se quedó mirando horrorizado a Alberton hasta que los sollozos ahogados de Casbolt le hicieron caer en la cuenta de que tenían que actuar. Se volvió y vio a este último demacrado, al parecer incapaz de moverse. Parecía a punto de desmayarse.

Monk fue hasta él y, tomándolo por los hombros, le obligó a volverse. Su cuerpo, bajo las manos de Monk, estaba rígido y a la vez vacilante, como si el más leve golpe fuese a derribarlo.

—Tenemos... que hacer algo —dijo Casbolt con un hilo de voz, apoyando todo su peso en Monk—. Hay que avisar... ¡Dios mío! Esto es... —No consiguió completar la frase.

—Siéntese —ordenó Monk, ayudándole a hacerlo en el suelo—. Echaré un vistazo a ver qué descubro. Cuando esté en condiciones, vaya en busca de la policía.

—¿Me... Merrit? —tartamudeó Casbolt.

—Me parece que aquí no hay nadie más —contestó Monk—. Voy a comprobarlo. ¡No se mueva de donde está!

Casbolt no contestó. Parecía demasiado aturdido para moverse sin ayuda. Monk dio media vuelta y se encaminó hasta los cuerpos de los dos hombres que yacían juntos. El primero era de complexión fuerte, bastante fornido, y aunque resultaba difícil asegurarlo debido a su postura doblada, Monk estimó que su talla era algo inferior a la media. Tenía la cabeza y lo que quedaba de cara cubiertos de sangre. El pelo que aún se veía era castaño claro y sin canas. Tendría treinta y tantos años.

Monk tragó saliva y pasó al siguiente cadáver. Este segundo hombre aparentaba más edad; tenía el pelo salpicado de canas, el cuerpo más enjuto, las manos nudosas. Le habían bajado la ropa por debajo de los hombros y presentaba un corte casi sin sangre efectuado en la piel justo debajo del cuello. Tenía forma de T. Tuvieron que hacérselo después de morir.

Monk volvió junto al primer hombre y lo observó con mayor detenimiento. Encontró la misma marca en un hombro, medio oculta por la forma en que había caído, aunque había tan poca sangre que aquel corte también tuvieron que hacérselo cuando el corazón ya había dejado de latir. Era extraño y salvaje hacerle eso a un muerto. ¿Respondía a un odio profundo? ¿A algún enconado propósito, quizá? Debía de tener importancia, de lo contrario, ¿por qué iba nadie a perder tiempo quedándose allí para hacerlo? Lo más coherente después de semejante asesinato era que los autores quisieran escapar lo antes posible.

Al principio el horror había impedido a Monk tocar la carne para comprobar si aún estaba templada. Ahora tenía que hacerlo.

Echó un vistazo a Casbolt, que seguía sentado en el suelo, mirándole fijamente.

Se agachó y tocó la mano del hombre muerto. Empezaba a estar fría. A continuación tocó el hombro bajo la chaqueta y la camisa. Aún quedaba un vestigio de calor en la carne. Debían haberlos matado dos o tres horas antes, aproximadamente hacia las dos de la madrugada. Alberton debió de llegar poco después de medianoche. Los otros dos serían vigilantes contratados.

El relevo no tardaría en llegar. Al otro lado de los portalones se oía el ruido de los carros que pasaban por la calle y de vez en cuando una voz. El mundo estaba despertando para iniciar la jornada. Se puso de pie y caminó hasta donde Daniel Alberton yacía en la misma postura grotesca. El disparo había sido más limpio. Gran parte de su rostro era aún reconocible. Presentaba la misma marca con forma de T en el hombro.

Monk estaba desconcertado por la inmensa rabia y el inmenso pesar que sentía. Hasta entonces no había caído en la cuenta de lo mucho que apreciaba a aquel hombre. No había previsto que lo embargase un sentimiento de pérdida tan grande. Comprendió que Casbolt estuviera tan destrozado como para apenas poder moverse o hablar. Eran amigos de toda la vida.

No obstante, tenía que hacer que Casbolt recobrara el dominio de sí mismo y fuera en busca del primer agente de policía que encontrara de servicio, para que éste enviara a un oficial de mayor rango y el carromato de la morgue para retirar los cadáveres. Se volvió y echó a andar. Casi había llegado junto a Casbolt cuando con un pie golpeó algo duro oculto en el barro que cubría los adoquines. Primero creyó que se trataba de una piedra y apenas le echó un vistazo, pero un destello de luz llamó su atención, y se agachó a mirar. Parecía metal, amarillo y brillante. Lo recogió y limpió el barro endurecido. Era un reloj de hombre, redondo y sencillo, con una inscripción en el dorso.

—¿Qué es? —preguntó Casbolt, levantando la vista hacia él.

Monk titubeó. El nombre que figuraba en el reloj era el de Lyman Breeland y la fecha el 1 de junio de 1848. Volvió a dejarlo exactamente en el mismo sitio donde estaba.

—¿Qué es? —repitió Casbolt, levantando la voz—. ¿Qué ha encontrado?

—El reloj de oro de Breeland —respondió Monk en voz baja. Deseó poder ofrecer algún consuelo, pero nada de lo que dijera alteraría el horror de la situación y era preciso que actuaran—. Será mejor que intente reponerse y vaya a avisar a la policía. —Observó atentamente el rostro pálido de Casbolt para determinar si sería capaz de hacerlo—. Seguro que hay un agente haciendo la ronda no lejos de aquí. Pregunte. Hay gente en la calle. Alguien sabrá por dónde anda.

—¡Las armas! —exclamó Casbolt, poniéndose de pie con dificultad y tambaleándose un poco para luego correr arrastrando los pies hacia las grandes puertas de madera del almacén.

Monk fue tras él y casi lo había alcanzado cuando Casbolt tiró del picaporte abriéndolas de par en par. En la parte visible del almacén no había nada en absoluto, ni cajas, ni cajones, ni ninguna otra cosa.

—No están... —dijo Casbolt—. Se las ha llevado..., hasta la última. Y toda la munición. Seis mil fusiles y más de medio millón de cartuchos. ¡Todo lo que Breeland quería y un pico de quinientas unidades más!

—Vaya a buscar a la policía —ordenó Monk con firmeza—. Aquí no podemos hacer nada. No es un simple robo, sino un asesinato triple.

Casbolt se quedó boquiabierto.

—¡Por Dios! ¿Piensa que me importan algo las armas? Sólo quería saber si era él quien había hecho esto. ¡Le ahorcarán!

Se volvió y se alejó hacia la verja con las piernas agarrotadas y el paso un tanto inseguro.

Cuando hubo salido del patio y cerrado los portalones, Monk empezó a inspeccionar de nuevo todo el lugar, esta vez con más detenimiento. No volvió junto a los cadáveres. La mera visión de éstos, la imposibilidad de hacer nada por ellos, le enfermaba, y además creía que no descubriría nada relevante. En cambio, escudriñó concienzudamente el suelo. Comenzó por la entrada, ya que era el único acceso posible para un vehículo. El patio estaba adoquinado pero el pavimento lo cubría una buena capa de barro, polvo, manchas de hollín de las chimeneas de las fábricas vecinas y restos secos de estiércol. Con el debido cuidado se podían rastrear las huellas más recientes que habían dejado las ruedas de al menos dos carros fuertes al entrar y con toda probabilidad maniobrar para dejar los caballos de cara a la salida y las traseras hacia las puertas del almacén.

Anduvo arriba y abajo por la zona donde los caballos habrían aguardado, probablemente durante un par de horas, mientras cargaban seis mil armas en cajas de veinte y toda la munición. Hasta empleando la grúa del almacén era una tarea descomunal. Eso explicaría lo que los hombres habían hecho durante las dos horas que mediaban entre la medianoche y su muerte: antes de matarlos los habían obligado a cargar las armas y la munición.

Encontró estiércol fresco aplastado por al menos dos pares de ruedas.

¿Habrían dejado algún carro esperando fuera?

No. Habrían llamado la atención. Alguien habría podido acordarse de él. Los habrían entrado todos a la vez para que esperaran su turno en el patio. Éste era lo bastante grande.

Obviamente, Breeland había contado con cómplices, preparados y a la espera de la orden. ¿Quién le había enviado el mensaje? ¿Qué decía? ¿Que ya estaban listos, con los carros a punto y hasta un barco dispuesto a llevárselos con la marea de la mañana? La policía se encargaría de investigarlo. Monk no tenía ni idea de cuándo había mareas en el río. Cambiaban ligeramente a diario.

Recorrió todo el patio, y luego el interior del almacén, sin encontrar nada que le dijera algo que no supiera ya. Alguien había llevado al menos dos carros, aunque era más probable que hubiesen sido cuatro, en algún momento de la noche anterior, seguramente alrededor de la medianoche, y había matado a los vigilantes y a Alberton antes de llevarse las armas. Uno de ellos había sido Lyman Breeland, a quien se le había caído el reloj durante el esfuerzo físico de cargar las cajas de armas. Cabía concebir que se debiera a alguna otra clase de esfuerzo, una pelea entre sus propios hombres, o con los vigilantes, o hasta con Alberton. La gama de posibilidades no alteraba los hechos que importaban. Daniel Alberton estaba muerto, las armas habían desaparecido, igual que Breeland, y al parecer Merrit se había marchado con él, tanto si estaba al corriente de sus planes como si no. Nada permitía decir si ahora se encontraba con él por voluntad propia o como rehén.

Monk oyó el chirrido de unas ruedas al frenar y el portalón abrirse. Entró un policía muy alto y delgado, de miembros desgarbados, con una expresión entre la curiosidad y la tristeza. Tenía un rostro largo y estrecho que parecía por naturaleza más apropiado para la comedia que para aquellas descarnadas muertes. Le seguía un agente de más edad, imperturbable, y, por último, un Casbolt con el rostro ceniciento, temblando de frío pese a que el sol ya estaba alto y empezaba a hacer calor.

—Lanyon —se presentó el policía. Miró a Monk de arriba abajo con interés—. ¿Encontró usted los cadáveres, señor? Junto con el señor Casbolt aquí presente...

—Sí. Teníamos motivos para creer que algo iba mal —explicó Monk—. La señora Alberton llamó al señor Casbolt porque su marido y su hija no habían vuelto a casa. —Conocía el procedimiento, lo que precisarían saber y por qué. Había estado en aquella misma posición infinidad de veces, tratando de entresacar los hechos relevantes de las declaraciones de personas horrorizadas y afligidas, tratando de separar la verdad de la emoción, los prejuicios, las observaciones a medias, la confusión y el miedo. Y sabía lo dificultosos que resultaban los testigos que hablaban más de la cuenta, la necesidad de hablar que se experimenta tras una conmoción, ese empeño por transmitir todo lo que uno ha visto y oído, darle sentido cuando aún no tiene ninguno, emplear las palabras como un puente para no hundirse en el horror.

—Ya. Entiendo. —Lanyon seguía observando a Monk—. El señor Casbolt dice que estuvo usted en la policía, señor. ¿Es verdad?

De modo que Lanyon no sabía nada de él. Monk no estaba muy seguro de si eso le complacía o no. Significaba que comenzaban sin prejuicios pero ¿y luego, si llegaba a sus oídos la reputación de Monk, qué ocurriría?

—Sí. Hasta hace cinco años —repuso.

Por primera vez Lanyon miró alrededor, para terminar posando la vista inevitablemente en los cadáveres que había en el suelo, a unos veinte metros de ellos.

—Mejor será que los vea —dijo en voz baja—. El forense está de camino. ¿Sabe cuándo fue visto con vida por última vez el señor Alberton?

—Ayer por la noche. Su esposa dice que salió de casa entonces. Será fácil corroborarlo interrogando al servicio.

Caminaban hacia los cuerpos de los dos vigilantes. Se detuvieron junto a ellos y Lanyon se agachó. Monk no pudo evitar volver a mirarlos. Había una peculiar obscenidad en lo grotesco de su postura. El sol estaba lo bastante alto como para empezar a caldear el patio. Había un par de moscas zumbando. Una se posó en el charco de sangre.

Monk estuvo a punto de vomitar de rabia.

Lanyon soltó una especie de gruñido. No tocó nada.

—Qué raro —dijo en voz muy baja—. Parece más una especie de ejecución que un asesinato corriente, ¿verdad? Ningún hombre se sienta así porque le apetezca.

Tendió la mano y palpó la piel del cuello del hombre que quedaba más cerca, por debajo de la ropa. Monk sabía que estaba comprobando la temperatura y que sacaría la misma conclusión que él. También sabía que descubriría la incisión con forma de T.

—Vaya... —dijo Lanyon inspirando profundamente al destapar el corte—. Definitivamente, una ejecución, si es que se le puede llamar así. —Levantó la vista hacia Monk—. Y se llevaron todas las armas, según el señor Casbolt.

—Así es. El almacén está vacío.

Lanyon se puso de pie, frotándose las manos en los costados de los pantalones y dando patadas en el suelo, como si tuviera los pies fríos o un calambre.

—Y eran armas de la mejor calidad, mosquetes estriados Enfield P1853 y una buena provisión de munición para usarlos. ¿Correcto?

—Eso es lo que me han dicho —convino Monk—. Yo no he visto nada.

—Lo comprobaremos. Habrá un archivo. Y personal de día. De momento el agente los retendrá fuera, junto con la nueva guardia, si es que la hay. —Echó otro vistazo a los cuerpos—. Los del turno de noche poco pueden contarnos, los pobres.

Se encaminó hacia el lugar donde yacía Alberton. Volvió a agacharse y lo observó con atención.

Monk guardó silencio. Vio al agente y a Casbolt a cierta distancia, examinando el almacén, las puertas, las huellas en la fina capa de barro, entrecruzadas donde los carros habían maniobrado, donde sin duda habían cargado las cajas de armas.

Lanyon interrumpió sus pensamientos.

—¿Qué significa esa T? —preguntó, mordiéndose el labio—. ¿Será de «timador»? ¿De «traidor», quizá? —Se levantó con el ceño fruncido y una expresión a la vez de rabia y tristeza en el rostro. Era un hombre sencillo, pero poseía una simpatía que lo hacía agradable enseguida—. Este señor Breeland que quería comprar las armas es americano, ¿verdad?

—Sí. De la Unión.

Lanyon se rascó el mentón.

—Nos dijeron que el ejército de la Unión ejecuta a sus soldados de una forma parecida, cuando tiene que hacerlo. Muy desagradable. No veo la necesidad. Un pelotón de fusilamiento convencional es más que suficiente, en mi opinión. Supongo que tendrán sus razones. ¿Por qué no le vendió las armas el señor Alberton? ¿Era simpatizante del Sur, acaso?

—Me parece que no —contestó Monk—. Es sólo que se había comprometido a venderlas al comprador sudista y que no quería retractarse. No creo que para él fuese una cuestión de diferencias ideológicas entre ambos bandos, más bien de su honor al cumplir una promesa. —Le resultó extrañamente difícil decirlo. En su mente veía a Alberton con vida y luego la figura desmoronada en el suelo, con el rostro casi irreconocible.

—Pues le salió caro —comentó Lanyon en voz baja.

—¡Señor! —llamó el agente—. ¡Aquí hay algo!

Lanyon se volvió.

El agente sostenía el reloj.

Lanyon fue hacia él, seguido de cerca por Monk. Cogió el reloj de manos del agente y lo inspeccionó detenidamente. El nombre grabado se leía con toda claridad.

—Diría que ya lo ha encontrado alguien antes —dijo, mirando a Monk con el rabillo del ojo.

—Fui yo. Miré qué ponía y lo dejé donde estaba.

—Y supongo que nos lo iba a decir —dijo Lanyon con una penetrante mirada. Tenía los ojos de un azul claro muy pálido y el pelo lacio con tendencia a despeinarse.

—Sí, de no haberlo recuperado ustedes. Supuse que lo hallarían.

Lanyon no contestó. Sacó un trozo de tiza del bolsillo y marcó los adoquines, luego entregó el reloj al agente y le pidió que lo guardara.

—Tampoco es que importe mucho el sitio donde estaba —comentó.

—Excepto que no podía llevar mucho tiempo ahí —señaló Monk—. Si hubiese estado en un rincón, habría cabido la posibilidad de que llevase días aquí.

Lanyon observó a Monk con curiosidad.

—¿Duda que haya sido Breeland?

—No —respondió Monk con sinceridad—. Estuvimos en su domicilio. Se lo llevó todo, casi una hora o menos antes de que llegaran aquí, a juzgar por el tiempo que tardarían en cargar los cajones y el que llevan muertos los hombres.

—Sí. El señor Casbolt me lo ha dicho. Por eso vinieron aquí. Y según parece miss Alberton también ha desaparecido de su casa. —No aventuró ninguna conclusión.

—Sí.

Casbolt se aproximó.

—Sargento, la señora Alberton de momento sólo sabe que su hija ha desaparecido. No está al corriente de... —Hizo un ademán hacia los cuerpos, aunque sin mirarlos—. Quizá nosotros... quizá Monk y yo podríamos ir a decírselo, en lugar de... quiero decir... —Tragó saliva con dificultad—. ¿Podrá dejarla tranquila al menos hasta mañana? Esto le va a resultar... Quedará destrozada. Estaban muy unidos..., tanto su marido como su hija..., y por un hombre que ha estado en su casa como invitado.

Lanyon sólo lo dudó un instante.

—Sí, señor. No veo razón alguna para que no lo hagan. Pobre señora. Es bastante obvio que este robo se perpetró de un modo particularmente brutal. —Negó con la cabeza—. Aunque no entiendo por qué les hicieron esto. Parece como si Breeland se sintiera traicionado pero, según me han contado ustedes, el confederado llegó el primero. Puede que el trato incluyera algo que desconocemos. Lo investigaremos, aunque eso no afecta a los asesinatos. En los negocios se dan estafas todos los días. Sí, señor Casbolt, usted y el señor Monk pueden ir a dar la noticia a la señora Alberton y quedarse con ella para atenderla en lo que precise. Aunque tendré que hablar de nuevo con usted en algún momento del día.

—Gracias —dijo Casbolt sin ocultar su emoción.

Una vez en la calle Monk se volvió hacia él.

—No entiendo por qué dijo que yo debía acompañarle; sería mejor que se lo dijera a la señora Alberton a solas. Usted es su primo. Yo soy prácticamente un desconocido. Y en cualquier caso siempre sería más útil aquí que en cualquier otro sitio.

Se había detenido mientras hablaba. El carruaje de Casbolt seguía aguardando, con el cochero que no perdía detalle de cuanto ocurría. En la calle había un cierto bullicio de peones, estibadores y otros obreros camino de sus puestos de trabajo. Un carro cargado de ladrillos pasó en una dirección, un carro fuerte de carbón en la otra.

Casbolt negó impacientemente con la cabeza.

—Ahora no podemos hacer nada por Daniel. —Hablaba con voz ronca. Por la expresión de sus ojos parecía que acabara de ver el infierno y no fuera a olvidarlo jamás—. Debemos pensar en Judith y en Merrit. La policía tal vez crea que se fue con Breeland por voluntad propia, o quizá que es un rehén. —Sacudió la cabeza de forma casi imperceptible—. Pero si ya han salido de Inglaterra, no podrá hacer nada. América está sumida en una guerra civil. Tendría poco o ningún sentido enviar representantes a Washington con vistas a deportar a Breeland y juzgarlo por triple asesinato. Será el héroe del momento. Ha llevado a la Unión armamento suficiente para pertrechar a cinco regimientos. Sencillamente, se negaran a creer que obtuvo esas armas mediante un asesinato. —Se humedeció los labios secos—. Y todavía nos queda el asunto del chantaje. Por favor..., venga conmigo. Veamos qué quiere Judith. ¿No es lo mínimo que podemos hacer?

—Sí —dijo Monk en voz baja, más conmovido de lo que hubiese querido. Le daba pavor la idea de ir a comunicar a Judith Alberton la muerte de su marido. Había sentido un gran alivio al pensar que esa vez no le correspondía a él. No le extrañaba lo más mínimo que Lanyon estuviera dispuesto a permitir que Casbolt se encargara de hacerlo. Y ahora era ineludible. No podía cambiar nada de lo sucedido pero Casbolt tenía razón, podría ayudar a Merrit de un modo que la policía no, y resultaba imposible rehusar. Ni siquiera le pasó por la cabeza intentarlo.

Circularon en silencio desde el almacén, ajenos al bullicio matutino de las calles, alejándose del tráfico y el humo de la zona industrial, de las camisas manchadas de mugre de aquellos hombres vestidos de gris y marrón que se dirigían a otros patios, fábricas y oficinas. Sin mediar palabra, entraron a las calles más elegantes del centro, con hombres de traje oscuro, comerciantes, oficinistas y vendedores de periódicos que voceaban las noticias del día.

Cuando quisieron darse cuenta ya habían llegado a Tavistock Square. Monk aún no estaba preparado para enfrentarse a Judith, pero sabía que demorarlo no serviría de nada. Se apeó detrás de Casbolt y siguió a éste por la escalinata.

La puerta principal se abrió antes de que Casbolt tuviera ocasión de llamar. El mayordomo, muy pálido, les hizo pasar.

—La señora Alberton está en el salón de recibo, señor —dijo a Casbolt, reconociendo apenas la presencia de Monk. Sin duda percibió en el rostro de Casbolt el cariz de las noticias que traía—. ¿Hago venir a su doncella, señor?

—Sí, por favor. —La voz de Casbolt era poco más que un susurro—. Me temo que traigo una noticia... terrible. Envíe también a alguien a buscar al doctor Gray.

—Sí, señor. ¿Puedo hacer algo más?

—Me tomaría un coñac, y osaría decir que el señor Monk también. He pasado la peor mañana de mi vida.

—¿Ha encontrado al señor Alberton, señor?

—Sí, y lamento comunicarle que ha muerto.

El mayordomo contuvo el aliento y se tambaleó por un instante antes de recobrar el dominio de sí.

—¿Ha sido el caballero americano, señor, por las armas? —inquirió.

—Eso parece, pero no diga nada a nadie de momento. Ahora tengo que...

Se interrumpió. Judith abrió la puerta del salón de recibo y los miró fijamente desde el umbral. Al ver la expresión de angustia de Casbolt se confirmaron sus peores temores.

Casbolt dio un paso al frente como para sostenerla si se caía, pero con un esfuerzo tan intenso que saltaba a la vista, Judith Alberton recobró el equilibrio y permaneció erguida.

—¿Ha... muerto?

Casbolt, sin habla, se limitó a asentir con la cabeza.

Judith soltó un leve suspiro, con el rostro ceniciento.

—¿Y Merrit?

—No hay rastro de ella. —La tomo del brazo suavemente, pero casi sosteniendo todo su peso—. No hay motivo para suponer que le haya ocurrido algo malo —dijo con toda claridad—. Por eso he traído a Monk. A lo mejor puede ayudarnos. Vayamos a sentarnos. Hallows mandará que avisen al doctor Gray y nos traerá un poco de coñac. Por favor..., pasa... —La hizo girar mientras hablaba, introduciéndola en la estancia, y Monk pasó tras ellos y cerró la puerta. Tenía la sensación de estar entrometiéndose en una pena muy íntima. Casbolt pertenecía a la familia, quizá fuese el último pariente que le quedaba a Judith. Se conocían desde la infancia. Monk era un intruso.

Judith se quedó plantada en medio del salón hasta que Casbolt la llevó hasta un sillón, en el que se desplomó. Estaba deshecha de dolor, con los ojos hundidos y la tez pálida, pero no vertió una lágrima.

—¿Qué ha sucedido? —preguntó, mirando a Casbolt como si perderlo de vista supusiera abandonar toda esperanza o posibilidad de ayuda.

—No lo sabemos —contestó—. Daniel y los dos vigilantes del almacén murieron de un disparo. Probablemente fue muy rápido. No habrán sufrido.

No dijo nada acerca de las extraordinarias posturas en las que estaban ni de los cortes con forma de T. Monk se alegró. Él tampoco lo habría mencionado. Si no llegaba a enterarse nunca, tanto mejor. Si se hacía público, sería más adelante, cuando tuviera más fuerzas.

—Y se han llevado todas las armas y la munición —agregó Casbolt.

—¿Breeland? —susurró Judith, escrutando el rostro de su primo. Estaba sentado a su lado, e instintivamente se acercó aún más a él.

—Eso parece —respondió—. Antes fuimos a su casa en su busca —continuó—. En busca de Merrit, en realidad, pero se había marchado con todas sus pertenencias. Recibió un mensaje, hizo las maletas y se marchó en cuestión de minutos, según el portero.

—¿Y Merrit? —Había terror en la voz de Judith, en sus ojos, en las delgadas manos cruzadas en el regazo.

Casbolt se acercó y puso sus manos sobre las de ella.

—No lo sabemos. Estaba en su casa y se fue con él.

Judith comenzó a balancearse, negando con la cabeza.

—¡No puede ser! ¡Es imposible que lo sepa! Ella jamás...

—Claro que no —dijo Casbolt en voz baja, apretándole las manos—. Seguro que no tenía la más remota idea de lo que él se proponía hacer, y es muy probable que nunca se lo diga. No pienses lo peor; no hay motivo para ello. Merrit es joven, está llena de ideales exaltados y no cabe duda de que bebe los vientos por Breeland, pero en el fondo sigue siendo la misma de siempre y quería con locura a su padre, pese a esa estúpida discusión.

—¿Qué va a ser de ella? —El rostro de Judith era la máscara de la agonía—. Le preguntará cómo ha conseguido las armas. Sabe de sobra que su padre se negaba a vendérselas.

—Le dirá una mentira —dijo Casbolt sin más—. Dirá que finalmente Daniel cambió de parecer, o que las ha robado..., a ella le traerá sin cuidado, pues cree que su causa está por encima de la moral común. Aunque nunca daría su sanción a la violencia. —Su voz sonó convencida y por un momento hubo una chispa de esperanza en el rostro de Judith. Por primera vez se volvió hacia Monk.

—Es evidente que tenía cómplices —intervino Monk—. Alguien llevó un mensaje a su domicilio. No habría podido transportar las armas él solo. Como mínimo tienen que haber sido dos y lo más probable es que fueran tres. —No mencionó la ayuda que creía habían prestado los vigilantes a punta de pistola—. Merrit pudo estar a cargo de otra persona mientras efectuaban la operación.

—¿Es posible...? —Judith tragó saliva y se tomó un momento para recobrar la compostura—. ¿Es posible que simplemente se haya fugado con Breeland y que ninguno de los dos tenga nada que ver con... las armas? —Era incapaz de pronunciar la palabra «asesinato»—. ¿No puede haber sido obra del chantajista?

Casbolt se quedó atónito. Miró inquisitivamente a Monk y luego a Judith.

—Él no me ha dicho nada —se apresuró a asegurarle Judith—. Fue Daniel. Sabía que pasaba algo malo y lo interrogué al respecto. Era incapaz de ocultarme nada.

—Los ojos se le llenaron de lágrimas, que empezaron a correr por sus mejillas.

Casbolt se sentía desdichado e impotente. Estaba demacrado por la impresión y el agotamiento. De pronto, Monk sintió una inmensa simpatía por él. Acababa de perder a su mejor amigo y, con el robo de las armas, también una importante suma de dinero. Había visto los cuerpos con todo su grotesco horror y ahora tenía que intentar dar apoyo a la viuda que no sólo había perdido a su marido sino también a su hija. Pasarían días antes de que ella pensara siquiera en su parte correspondiente de pérdidas económicas, si es que llegaba a hacerlo.

—Lamento que hayas tenido que enterarte. —Casbolt carraspeó—. Fue una tontería. Daniel se hizo amigo de ese muchacho porque el pobre estaba enfermo y solo. Pagaba sus facturas, eso es todo.

—Ya lo sé... —dijo Judith.

—Es sólo una cuestión de reputación —prosiguió Casbolt—. Quería ahorrarte cualquier disgusto, pero nunca habría vendido armas a los chantajistas pues conocía el uso que harían de ellas. —La miró con expresión de ternura y dolor sobreentendido. Al fin y al cabo, el hermano de Judith también había sido su primo y amigo—. Y no creo que estuviera dispuesto a pagar nada —agregó con amargura—. Si pagas una vez a un chantajista, admites tácitamente que tienes algo que ocultar. Luego no hay quien lo pare. Por eso he hecho venir al señor Monk ahora. Puede que aún nos pueda echar una mano... —Dejó la frase en suspenso, como para que la contestara ella.

—Sí. —Judith asintió—. Supongo que todavía tenemos que descubrirlos. Me temo que... apenas me acordaba de ellos. —Se volvió hacia Monk.

—Haré cuanto usted desee, señora Alberton —prometió Monk—. Aunque ahora me gustaría ir con la policía y ver cómo progresan sus investigaciones. Es lo primero que debemos saber.

—Sí... —Un nuevo destello de esperanza iluminó la mirada de Judith—. Quizá... Merrit... —No se atrevía a decirlo en voz alta.

Casbolt no abrigaba tal esperanza, como se reflejaba en su rostro, pero no se sintió con ánimos de decírselo a su prima.

—Sí, vaya —dijo en cambio, mirando a Monk y asintiendo—. Yo me quedaré aquí. Usted averigüe qué ha descubierto Lanyon. Vaya con él. Por favor, considere que sigue bajo contrato. Ayúdenos en la forma que le sea posible. Saque sus propias conclusiones... lo que sea. Sólo manténganos informados, ¿de acuerdo?

—Por supuesto.

Monk se puso de pie y se despidió. Sintió un inmenso alivio al salir de la casa de la tragedia. Resultaba doloroso ser testigo de la aflicción de Judith, aunque no se lo quitaría de la cabeza fuera donde fuese. Aun así, el ejercicio físico procuraba un cierto alivio y se dirigió a grandes zancadas hacia Gower Street, donde confiaba encontrar un coche de punto para regresar al almacén. Desde allí emprendería la búsqueda de Lanyon.

Una vez en Tooley Street comenzó por el agente que había quedado apostado junto a la entrada al almacén, quien no tuvo el menor inconveniente en comunicarle que Lanyon había interrogado a fondo a todo el mundo. Luego se había ido hacia Hayes Dock, pues era el punto más cercano del río con un muelle provisto de grúa con la que pasar las armas a barcazas.

Por supuesto, también era posible que se hubiesen dirigido a la estación terminal del ferrocarril o que cruzaran el Puente de Londres para regresar a la orilla norte del río. No obstante, el transporte por agua parecía la elección más probable y Monk siguió las indicaciones del policía hasta el muelle, si bien no contaba con que Lanyon siguiera aún allí.

El lugar bullía de actividad, abarrotado de carros y carromatos cargados con toda clase de mercancías. Las tiendas estaban abiertas y hombres y mujeres entraban y salían de ellas acarreando fardos y paquetes. Éstos parecían ser de toda índole: comestibles, efectos navales, cabos, velas, ropa para el mal tiempo tanto en tierra como en la mar.

Caminó a paso vivo por los muelles, dirigiéndose hacia el sur, río abajo. Las gaviotas revoloteaban y volaban en círculos, sus chillidos discordantes sonaban con fuerza por encima del rumor de la marea entrante contra las piedras, del chapoteo causado por el paso de barcas, gabarras y alguna que otra embarcación más pesada, y de los gritos que intercambiaban los hombres que trabajaban en la carga y descarga. El intenso olor a sal, pescado y alquitrán le trajo el recuerdo de un pasado remoto, cuando no era más que un crío en un muelle de Northumberland. Allí estaba él, junto al mar, contemplando el horizonte infinito desde un pequeño embarcadero de piedra, entre voces con la cadencia típica del acento de la región.

La ensoñación se desvaneció y Monk se encontró de nuevo en Hayes Dock, donde discernió la inconfundible silueta alta y delgada de Lanyon, con su cabello rubio y lacio que el viento ponía de punta dándole aspecto de cepillo. Hablaba con un hombre fornido, con la cara mugrienta y las manos ennegrecidas. Monk supo sin necesidad de preguntarlo que era porteador de carbón, que se ganaba el pan acarreando sacos subiendo los seis metros de las escaleras de mano de las bodegas de los buques, atravesando media docena de barcazas o más hasta la orilla, y bajando o subiendo más escaleras, según la marea y lo cargado que estuviera el barco. Era un trabajo agotador. Por lo general, ningún hombre lo seguía haciendo tras cumplir los cuarenta. Con frecuencia las lesiones los dejaban fuera de combate mucho antes de esa edad. Monk no conseguía recordar por qué lo sabía. Era otra de tantas cosas perdidas en el pasado.

Aunque aquello en ese momento no venía al caso. Lanyon le vio y le hizo señas de que se acercara antes de seguir interrogando al porteador de carbón.

—¿Ayer terminó a las nueve de la noche y durmió en la cubierta de esa barcaza de ahí, debajo del toldo? —Sonrió como si estuviera repitiendo lo que él le había dicho para dejarlo claro.

—Eso es —contestó el porteador de carbón—. Estaba borracho y la parienta me lo hizo pagar caro. Ésa nunca baja la guardia. No me da un respiro. Por no hablar de la llantina y los berridos de los críos. De modo que me acosté aquí. Aunque no estaba tan cansado como para no oírlos llegar y cargar las cajas. Llevaban docenas de ellas. Estuvieron lo menos una hora. Cajón tras cajón, sin parar. Y nadie decía una puñetera palabra. No como los tíos normales, que hablan entre sí. Venga ir y venir, arriba y abajo con aquellos condenados cajones. Tenían que ir llenos de plomo, no vea cómo se tambaleaban los desgraciados. —Sacudió tristemente la cabeza.

—¿Tiene idea de qué hora era? —inquirió Lanyon.

—Qué va... Sólo que era negra noche, así que en esta época del año, calculo que sería entre las doce y eso de las cuatro.

Lanyon echó un vistazo a Monk para cerciorarse de que estaba escuchando.

—¿Por qué? —preguntó el porteador de carbón, pasándose una mano mugrienta por la mejilla y sorbiendo por la nariz—. ¿Era mercancía robada?

—Probablemente —admitió Lanyon.

—Vaya, pues ahora ya hace un buen rato que se fueron —dijo el hombre en tono cansino—. A estas alturas estarán al otro lado del río, más allá de Isle of Dogs. No tendrá forma de hacerlos volver. ¿Qué diablos llevaban? Pesaba un huevo, fuese lo que fuese.

—¿La barcaza fue río arriba o río abajo? —preguntó Lanyon.

El hombre le miró como si fuese imbécil.

—¡Abajo, por descontado! Hacia el Pool, casi seguro, o tal vez más lejos. Puede que hasta Southend.

Las barcazas surcaban el agua sin cesar. Los hombres se llamaban unos a otros. Los chillidos de las gaviotas se mezclaban con los traqueteos de las cadenas y los chirridos de los cabrestantes.

—¿Cuántos hombres vio? —insistió Lanyon.

—No lo sé. Dos, creo. Mire, yo lo que quería era echar una cabezada..., un poco de paz. No me dediqué a mirarlos. Si a unos tíos les daba por acarrear lo que fuera en plena noche, no era asunto mío...

—¿Les oyó decir algo? —intervino Monk.

—¿Como qué? —El porteador de carbón le miró sorprendido—. Ya he dicho que no dijeron ni pío.

—¿Nada de nada? —presionó Monk.

El rostro del hombre se endureció y Monk supo que se aferraría a su historia, fuese cierta o no.

—¿Se fijó en su estatura? —preguntó, cambiando de tema.

El hombre meditó por unos instantes, haciendo esperar a Monk y Lanyon.

—Sí... Había uno bajito y otro más alto y delgado. Muy tieso iba, como si llevara un palo en la espalda, aunque trabajaba duro..., por lo poco que vi —corrigió—. Armaban bastante jaleo. Hacían un ruido metálico.

Lanyon le dio las gracias y comenzó a desandar lo andado por la orilla del río. Monk caminaba a su lado.

—¿Seguro que era el carro del almacén? —preguntó.

—Sí —contestó Lanyon sin titubeos—. No suele haber mucha gente por aquí en plena noche, más bien al contrario. Y también he enviado hombres en otras direcciones. Registrarán otros almacenes por si sólo recorrieron una distancia corta. No es probable pero no quiero dejar ningún cabo suelto.

Bajó de la acera para sortear una pila de sogas. Pasaron junto a las escaleras de Horsleydown New Stairs; delante de ellos había cuatro muelles seguidos que los obligaron a adentrarse cosa de medio kilómetro tierra adentro, rodeando la dársena de St. Saviour's Dock, para volver a la orilla del río en los embarcaderos de Bermondsey Wall.

La Torre de Londres se erguía grisácea en la otra ribera. El sol salpicaba el río de manchas brillantes aquí y allá entre finas capas de bruma y nubes de humo. Delante de ellos se encontraba el Pool de Londres, con su espeso bosque de mástiles. Las filas de barcazas avanzaban lentamente con la marea, tan cargadas que el agua lamía sus bordas.

Tras ellos quedaban los oscuros, desmoronados y asolados edificios de Jacob's Island, una barriada infame donde dos brotes de cólera tremendos se habían cobrado la vida de miles de personas en la última década. El olor a aguas negras y madera podrida preñaba el aire.

—¿Qué sabe acerca de Breeland? —preguntó Lanyon, apretando un poco el paso como para escapar de la opresión del lugar, pese a que seguían el meandro del río hacia Rotherhithe y lo que les aguardaba no era mucho mejor.

—Poca cosa —contestó Monk—. Le vi dos veces, ambas en casa de los Alberton. Estaba obsesionado con la causa de la Unión, pero en ningún momento me pareció un hombre capaz de recurrir a esta clase de violencia.

—¿Mencionó a alguna otra persona, a algún amigo o socio?

—No, a nadie. —Monk ya había reflexionado sobre ello—. Creía que estaba aquí solo, simplemente para concertar la adquisición; igual que el hombre de la Confederación, Philo Trace.

—Sólo que Alberton había prometido las armas a Trace con anterioridad.

—Sí. Además, Trace había pagado un depósito por la mitad de su importe. De ahí que Alberton sostuviera que no podía incumplir el acuerdo.

—¿Y Breeland siguió insistiendo?

—Sí. No parecía dispuesto a aceptar la idea de que para Alberton se trataba de una cuestión de honor. Era un tanto fanático.

¿Tendría que haber sido capaz de prever que Breeland estaba tan inclinado a hacer uso de la violencia como para que una negativa rotunda fuese a romper sus frágiles vínculos con la decencia y puede que hasta con la cordura? ¿Acaso el evitar eso había sido moralmente su cometido, aun no siendo el objeto de su contrato?

Lanyon se sumió en sus pensamientos. Caminaban a paso vivo. Había casi un kilómetro hasta el otro lado de la dársena y tenían que sortear fardos y cajones de embalaje, pilas de maromas, cadenas, hojalata oxidada, hombres acarreando mercancías desde los enormes tinglados hasta las barcazas atracadas, mecidas por los sorbetones del agua, entrechocando y rayando sus bandas cuando las alcanzaba el breve oleaje causado por un barco al pasar.

Los estibadores eran hombres de toda edad y condición. Aquel trabajo podía hacerlo cualquiera que tuviera la fuerza física necesaria. Monk se sorprendió por lo familiar que le resultaba el entorno. En algún momento del pasado había estado en sitios semejantes. Reconocía las distintas clases de hombres nada más verlos: carniceros, panaderos y dueños de tiendas de comestibles y bares arruinados; abogados o funcionarios separados del cargo o despedidos; sirvientes sin referencias, pensionistas, desheredados, antiguos soldados y marineros, caballeros en apuros, refugiados de Polonia y otros países centroeuropeos; y el consabido puñado de ladrones.

—Tuvieron que planearlo muy bien. —Lanyon interrumpió su reflexión—. No sufrieron ningún contratiempo. La cuestión es: ¿orquestó la disputa tan sólo para obtener información sobre los movimientos de Alberton y averiguar si las armas ya habían sido despachadas? ¿Acaso sabía de sobra que Alberton no daría su brazo a torcer?

A Monk no se le había ocurrido semejante posibilidad. Había dado por sentado que las disputas eran tan espontáneas como parecían. La indignación de Breeland le había parecido genuina. ¿Estaba al alcance de cualquiera tan soberbia actuación? Breeland no le había causado la impresión de poseer la imaginación suficiente como para simular nada.

Lanyon aguardaba una respuesta, mirando de reojo a Monk con expresión de curiosidad.

—No cabe duda de que estaba planeado —reconoció Monk de mala gana—. Tuvo que tener hombres preparados para ayudar, con un carro. Tenían que conocer el río y saber dónde alquilar una barcaza. Quizás ése fue el mensaje que recibió, haciéndole abandonar su alojamiento esa noche. Me he estado preguntando dónde encajaba Merrit Alberton, si era su huida de casa lo que lo había precipitado todo.

Lanyon soltó un gruñido.

—A mí también me gustaría saber cuál ha sido su participación en el asunto —dijo—. ¿Hasta qué punto sabía ella la clase de hombre que Breeland es en realidad? ¿Cómo hay que considerarla, amante o rehén?

—Tiene dieciséis años —respondió Monk, sin saber demasiado bien qué quería dar a entender.

Lanyon permaneció en silencio. Volvían a estar a la orilla del agua. A ambos lados del río altas chimeneas escupían humaredas negras que flotaban ensuciando el aire. De los tejados de las inmensas naves fabriles sobresalían unas ruedas que giraban como las paletas de barcos a vapor desmesuradamente gigantescos. Desde algún rincón del pasado, a Monk le sobrevino el recuerdo de que el puerto de Londres tenía cabida para unos quinientos buques. Sólo los almacenes de tabaco ocupaban dos hectáreas y media. Ahora olía el tabaco, junto con el alquitrán, el azufre, el salitre de la marea, la fetidez de las curtidurías y la fragancia del café.

Los envolvían los ruidos del trabajo y el comercio, gritos, golpes de metal contra metal, chirridos de madera contra piedra, el chapoteo del agua y el gemido del viento.

Se cruzaron con un hombre con la cara teñida de azul por el añil que descargaba. Tras él había un hombre negro con un elegante chaleco, como el que llevaría un oficial de cubierta. Un hombre obeso de abundante cabello gris que se le rizaba en el cuello llevaba una regla con la punta de latón que goteaba alcohol. A unos diez metros había un montón de barriles, cuyo contenido acababa de comprobar. Era aforador, en eso consistía su trabajo.

Un penetrante y dulzón olorcillo a especias duró sólo un instante, pues de inmediato Monk y Lanyon tuvieron que sortear una pila de corcho, luego unos bidones amarillos de azufre y por último un montón de mineral de cobre con el color del plomo.

A una veintena de metros, unos marineros cantaban mientras realizaban sus tareas, marcando el compás.

Lanyon paró a un agente de aduanas, cuya chaqueta tenía los característicos botones dorados, y le explicó quién era, sin mencionar a Monk.

—Sí, señor —dijo el aduanero amablemente—. ¿Qué ha sucedido, pues?

—Un triple asesinato con robo en un almacén de Tooley Street, anoche —resumió Lanyon—. Pensamos que la mercancía fue cargada en una barcaza y transportada río abajo. Probablemente llegarían aquí hacia la una o las dos de la madrugada.

El aduanero se mordió el labio inferior, dubitativo.

—Pues la verdad es que no sé nada al respecto. Lo mejor será que pregunte a los barqueros, o mejor incluso a los rastreadores del río. También trabajan de noche, buscando cuerpos y cosas por el estilo. Nunca se sabe lo que acaba cayendo al río. No andará buscando cuerpos también, ¿verdad?

—No —dijo Lanyon en tono grave—. Tenemos todos los cuerpos que necesitamos. Iba a probar con los barqueros y los rastreadores pero se me ocurrió que usted sabría qué barcos tenían previsto zarpar del Pool con rumbo a América, más concretamente esta misma mañana.

Torció el gesto con expresión lúgubre, como si fuera consciente de la ironía que encerraba su petición.

El aduanero se encogió de hombros.

—Bueno, si había alguno, ¡me parece que su ladrón y asesino hará un buen rato que se ha largado!

—Lo sé, lo sé —convino Lanyon—. No me servirá de nada. Sólo es que tengo que estar seguro. Puede que tenga cómplices aquí. Lo que sucedió anoche no fue obra de un solo hombre. Si algún inglés le ayudó, quiero atrapar a ese canalla y mandarlo a la horca. El americano igual puede alegar alguna justificación, aunque para mí no sea válida, pero nuestros paisanos no. Si lo han hecho habrá sido por dinero.

—Vaya, acompáñeme al despacho y veré qué puedo hacer —propuso el agente de aduanas—. Creo que el *Princess Maude* iba a zarpar con la primera marea, y tenía ese destino, pero tengo que comprobarlo.

Lanyon y Monk le siguieron obedientemente y averiguaron que dos barcos habían salido con destino a Nueva York por la mañana temprano. Interrogaron a estibadores, ensacadores y porteadores de lastre hasta entrada la tarde, antes de comprobar a su plena satisfacción que las armas de Alberton no habían salido en ninguno de los dos buques.

Profundamente decepcionados, se dirigieron al varadero de Ship Aground para tomar un almuerzo tardío.

—¿Qué diablos hizo con ellas, entonces? —exclamó Lanyon, enfadado—. Tendría intención de enviarlas a su país; ¡qué otro uso iba a darles!

—Será que las ha llevado más abajo —aventuró Monk, hincando el diente a un grueso pedazo de empanada de carne y cebolla—. No a un carguero, sino a un barco más rápido y ligero, dadas las circunstancias.

—¿Dónde? No hay un atracadero decente en toda la ribera de Limehouse y de Isle of Dogs, ¡por lo menos para un barco que pretenda cruzar el Atlántico cargado de armas! ¿En Greenwich, quizá? ¿Blackwall, Gravesend, en algún rincón del estuario, ya puestos?

Monk frunció el ceño.

—¿Iría tan lejos en una barcaza? —dijo—. Ya sé que estamos a finales de junio pero todavía puede hacer mal tiempo. Para mí que las llevó a un barco como es debido y levó anclas lo antes posible. ¿No cree?

—Sí —convino Lanyon, antes de tomar un largo trago de cerveza. El local estaba abarrotado de estibadores y gentes del río de toda clase que comían, bebían y charlaban. El calor era opresivo y los olores embotaban el olfato—. Supongo que entonces lo único que nos queda por hacer es hablar con los barqueros y los rastreadores. Primero los barqueros. Cualquiera que anoche estuviera trabajando pudo haber visto algo. Seguro que había alguien por ahí; siempre hay alguien. Sólo es cuestión de encontrarlo. Como buscar una aguja en un pajar. El aduanero tenía razón: ¿para qué molestarse?

—La razón es que Breeland no lo hizo solo —respondió Monk, terminando el último bocado de empanada—. ¡Y es obvio que no se trajo una barcaza desde Washington!

Lanyon le lanzó una mirada sardónica, sonriendo de buen humor. Terminó su comida y se levantaron para marcharse.

Les llevó el resto de la tarde y hasta entrada la noche cubrir la vasta extensión que iba de Deptford, al sur del río, a Isle of Dogs, en el norte, yendo y viniendo en los pequeños transbordadores que empleaban los barqueros, preguntando sin cesar.

A la mañana siguiente reanudaron la búsqueda y finalmente cruzaron desde la ensenada de West India Port Basin hasta las marismas de Bugsby's Marshes, en el meandro que trazaba río más allá de Greenwich.

—Aquí no hay nada, caballeros —dijo el barquero con pesar, sacudiendo la cabeza sin dejar de remar—. Para mí que se confunden. No hay más que marisma: ciénagas y eso. —Dirigió a Monk una mirada crítica y triste; no le habían pasado por alto el buen corte de la chaqueta, las manos limpias y los botines ajustados como un guante—. Usted no es de por aquí. ¿Quién le ha dicho que en Bugsby hubiese algo que valiese tanto la pena como para ir hasta allí?

—Yo sí soy de por aquí —espetó Lanyon con acritud—. Nacido y criado en Lewisham.

—¡Pues entonces tendría que tener más cabeza! —exclamó el hombre—. Los esperaré y los llevaré de vuelta. A no ser que decidan cambiar de opinión ahora mismo; si es así, les cobro medio pasaje.

Lanyon sonrió.

—¿Estaba en el río anteayer por la noche?

—Y si es así ¿qué? Trabajo algunas noches, algunos días. ¿Por qué? —Se apoyó un momento en los remos para ceder el paso a una barcaza en cuya estela el bote se meció suavemente.

Lanyon seguía exhibiendo una sonrisa medio amistosa medio atribulada, como si fuese un aficionado en su trabajo y ansiara que le echaran un cable.

—Asesinaron a tres hombres en Tooley Steet, más allá de Rotherhithe. Robaron un cargamento de armas y lo llevaron en barcaza río abajo. No sé hasta dónde. Más allá de este punto seguro. Pensamos que pasaron la carga a un barco ligero y rápido que estaría fondeado por aquí cerca antes de zarpar hacia América. En ese caso, usted tuvo que verlos.

El barquero abrió mucho los ojos y se puso de nuevo a remar.

—¡La derrota de América! Nunca he visto un barco anclado aquí. Ojo, igual fondeó pasada la punta, frente a la dársena de Victoria Docks. Aunque supongo que entonces habría visto los mástiles, vamos, digo yo.

Monk sintió una decepción tan amarga como desproporcionada. ¿Cuán lejos río abajo habrían llegado? En el estuario no había barqueros. Raro sería que hubiese un alma antes del amanecer. Aunque si Breeland había llegado hasta allí manejando una barcaza cargada hasta los topes a través del Pool de Londres de noche, a lo largo de Limehouse Reach y doblando Isle of Dogs hasta más allá de Greenwich, para entonces ya habría empezado a clarear, y sería pleno día para cuando alcanzaran la proximidad del mar abierto.

—¿No vio nada? —insistió, consciente de que el apremio le hacía hablar con aspereza.

—Vi pasar una barcaza por aquí, grande y negra, muy hundida en el agua —respondió el hombre—. Demasiado hundida, si quiere mi opinión. Eso es buscarse problemas. No sé por qué hay tíos que corren riesgos así. Más vale alquilar otra barcaza que arriesgarte a perderlo todo. Avaricia, eso es lo que es. He visto unos cuantos naufragios que lo demuestran. ¡Pregunte a los rastreadores! Se han ahogado más hombres por avaricia que por ninguna otra cosa.

Lanyon se puso tenso.

—¿Una barcaza sobrecargada?

—Eso es. Siguió río abajo, pero no vi ningún barco.

—¿A qué distancia la vio pasar? —inquirió Lanyon, inclinándose hacia delante con ansiosa expectación. Las gaviotas revoloteaban y volaban en círculos por encima de ellos. El intenso olor a lodo que desprendía el agua preñaba el aire. Los bajíos de las marismas quedaban poco más allá.

—A unos veinte metros —respondió el barquero—. ¿Cree que llevaban sus armas?

—¿En qué se fijó? ¡Cuéntemelo todo! Son los hombres que busco. Asesinaron a tres ingleses para conseguir lo que se llevaron. Uno de ellos era un buen hombre con esposa e hija; los otros dos también eran personas decentes, trabajadoras y honradas. Por favor, ¡descríbame esa barcaza!

—¿Quiere ir hasta las marismas o no?

—No. ¡Hábleme de la barcaza!

El barquero suspiró y se apoyó en los remos para levantarlos y dejar el bote a la deriva. La marea estaba cambiando y podía permitirse que la mansa corriente trabajara por él. Se concentró, tratando de imaginar la barcaza como si la estuviera viendo otra vez.

—Bueno, iba muy hundida en el agua, con un montón de carga —comenzó—. No pude ver lo que era porque lo llevaban tapado. Aún no era totalmente de día, pero el cielo empezaba a clarear, así que distinguí bien la silueta. Y por supuesto llevaba luces de navegación. —Miraba atentamente a Lanyon—. Vi a dos hombres. Quizás hubiese más, aunque yo sólo vi dos en todo momento..., diría. Uno era alto y delgado. Oí cómo le gritaba al otro, y le aseguro que no era de estos pagos. Ojo, y soy sordo como una tapia para los acentos. No distingo a un oriundo de Tyneside de uno de Cornualles.

Ni Lanyon ni Monk le interrumpieron, aunque cambiaron una breve mirada antes de seguir prestando atención al barquero, que seguía desplomado sobre los remos con los ojos entornados. El bote continuaba avanzando dócilmente a la deriva, llevado por las aguas entrantes.

—No recuerdo que el otro dijera gran cosa. El alto parecía el jefe; vamos, el que daba las órdenes.

Lanyon no pudo contenerse.

—¿Le vio la cara?

El barquero se mostró sorprendido; de pronto abrió desmesuradamente los ojos y miró fijamente más allá de Lanyon, hacia el río.

—No, no le vi la cara con claridad. Era antes del alba. Tuvieron que bajar el río a buena marcha si venían de más al norte de Rotherhithe. Pero llevaba una pistola al cinto, lo veo tan claro como si ahora mismo lo tuviera aquí delante. Y las manos manchadas de sangre...

—¿Sangre? —espetó Lanyon con aspereza—. ¿Está seguro?

—Claro que estoy seguro —repuso el barquero con expresión muy seria—. Vi el color rojo cuando pasó por debajo de la luz de navegación y algo oscuro en los pantalones y la camisa, como salpicones. No le di más vueltas, entonces. —Se pasó la mano por la cara—. ¿Cree que fue él quien mató a sus tres hombres en Tooley Street?

—Sí —dijo Lanyon en voz baja—. Eso creo. Gracias, me ha sido de gran ayuda. Ahora tengo que averiguar adónde regresó la barcaza, a quién pertenece y qué ha sido del otro hombre. Alguien tuvo que devolverla río arriba.

—Yo no la vi volver, aunque para entonces quizá ya me hubiese ido a casa.

Lanyon sonrió.

—Mejor será que nosotros también volvamos, por favor. No tengo ganas de desembarcar en Bugsby's Marshes. Parece un sitio muy desagradable.

El barquero forzó una sonrisa, aunque seguía con el rostro pálido y agarraba con fuerza los remos.

—Se lo dije.

—Sólo una cosa más —agregó Monk en voz baja mientras el hombre apoyaba su peso en los remos para hacer girar el bote. La marea comenzaba a correr en sentido contrario y de pronto se vio obligado a darle la espalda. Monk casi sentía los tirones en sus propios músculos mientras observaba.

—¿El qué?

—¿Vio algún indicio de una mujer..., una chica joven? Puede que fuese vestida como un chico, incluso.

El barquero se quedó pasmado.

—¡Una mujer! No, jamás he visto a una mujer en una barcaza. Ya me dirá qué pinta una mujer en una embarcación de ésas.

—Quizá fuese como rehén. O puede que por voluntad propia, para embarcarse en el buque de altura que aguardaba río abajo.

—Yo no la vi, aunque esas barcazas tienen una especie de cabina. Puede que estuviera dentro... Que Dios la proteja. Ojalá lo hubiese sabido. ¡Habría hecho algo! —Sacudió la cabeza—. ¡Tenemos policía fluvial! —Su expresión dejaba claro que aquél habría sido el último recurso, si bien en caso de extrema necesidad habría renunciado a sus principios y recurrido a ella.

Lanyon se encogió de hombros, como si estuviese arrepentido.

Monk no dijo nada y se acomodó en el asiento para el trayecto de regreso a Blackwall, desde donde iría al centro para explicar a la señora Alberton que Breeland había escapado y que ni él ni Lanyon ni nadie podían hacer nada al respecto.

Monk llegó a Tavistock Square a última hora de la tarde. No le sorprendió encontrar a Casbolt allí y, a decir verdad, le tranquilizó verle. Le sería más fácil ceñirse a los hechos, sencillamente porque su emoción no podía ser tan profunda o su sensación de pérdida tan espantosa como la de Judith.

Le hicieron pasar al salón de recibo de inmediato. Casbolt estaba de pie junto a la chimenea vacía, cuya boca tapaba una delicada pantalla de tapiz. Tenía la tez pálida, y al parecer le costaba un gran esfuerzo mantener la compostura. Judith Alberton se encontraba junto a la ventana, como si contemplara las rosas que había justo al otro lado del cristal, y se volvió en cuanto oyó entrar a Monk. La esperanza que éste vio reflejada en el rostro de la mujer le hizo compadecerse de ella y sentirse culpable por no poder hacer nada para ayudarla. Las noticias que traía no le brindarían ningún consuelo.

El ambiente era electrizante, como si hasta el aire que había en el salón estuviera aguardando un trueno.

Judith le miraba fijamente, ansiosa por adivinar por su expresión lo que le iba a decir, intentando protegerse del dolor y, sin embargo, incapaz de abandonar toda esperanza.

Monk carraspeó.

—Metieron las armas en una barcaza y las llevaron río abajo hasta Greenwich. Debían de tener un barco esperando y las cargaron en él. —Miraba a Judith, no a Casbolt, aunque era muy consciente de que él estaba pendiente de cada una de sus palabras—. Seguimos sin saber nada de Merrit —agregó, bajando aún más la voz—. El último testigo con el que hablamos, un barquero de cerca de Greenwich, vio a dos hombres, uno alto y envarado cuyo acento no logró identificar, y otro más bajo y fornido; pero a ninguna mujer. El sargento Lanyon, que es quien lleva el caso, no se da por vencido pero lo mejor que nos cabe esperar es que localice al propietario de la barcaza y demuestre su complicidad. Podría enjuiciarlo como cómplice.

Pensó añadir algo sobre que no existía prueba alguna de que a Merrit le hubiese ocurrido algo malo, pero comprendió que sería una estupidez. Nada habría sido más fácil que llevarse a Merrit con ellos y deshacerse de su cuerpo en cuanto salieran del estuario. Sin duda, Judith también lo había pensado y, si no, no tardaría en hacerlo en los interminables días venideros.

—Entiendo... —susurró—. Gracias por venir a decírmelo. No le habrá sido fácil.

Casbolt se acercó a ella con el rostro transido de pena.

—Judith...

Ella levantó la mano con delicadeza aunque dando a entender que se detuviera. Monk supuso que si alguien la tocaba sería incapaz de mantener el dominio de sí misma. La compasión le resultaría insoportable. Tal vez cualquier emoción fuera demasiado para ella.

Anduvo muy despacio hacia Monk. Incluso en aquel estado de aflicción era extraordinariamente guapa y distinta de cualquier otra mujer que él hubiese visto jamás. Aquella boca tan grande tendría que haberla hecho poco agraciada y en cambio era sensual, de sonrisa fácil en el pasado, ahora severamente controlada y al borde del llanto, revelando toda su vulnerabilidad. Sus altos y pronunciados pómulos reflejaban la luz.

—Señor Monk, ¿dónde piensa que ha ido Lyman Breeland?

—A América con las armas —respondió él al instante. No abrigaba la menor duda al respecto.

—¿Y mi hija?

—Con él. —No las tenía todas consigo, pero era la única respuesta que cabía darle.

Judith no perdió la compostura.

—¿Por voluntad propia, a su entender?

Monk no tenía ni idea. Había un montón de posibilidades distintas, la mayoría de ellas inquietantes.

—No lo sé, aunque ninguna de las personas con

quienes hablamos presenció un forcejeo ni nada por el estilo.

Judith tragó saliva con gran esfuerzo.

—Aun así —dijo—, es posible que se la llevara con él como rehén, ¿no le parece? Me resisto a creer que haya participado de buen grado en el asesinato de su padre aunque diera su visto bueno al robo de las armas. Es una joven muy exaltada. —Se le quebró la voz—. No medita las cosas hasta su última consecuencia pero no tiene ninguna malicia. Jamás aprobaría... el asesinato. —Se obligó a pronunciar la aciaga palabra y la pena hizo que su voz sonase más aguda—. El de nadie.

—¡Judith! —protestó Casbolt de nuevo, haciendo patente su angustia por ella—. ¡Por favor! ¡No te atormentes así! No hay forma humana de saber lo que ha ocurrido. Por supuesto que Merrit no habrá tenido nada que ver con... con la violencia. Lo más seguro es que no esté enterada de nada. Y es evidente que está enamorada de Breeland.

Estaba de pie muy cerca de ella, pero se abstuvo de hacer el menor intento de tocarla, ni siquiera levemente.

—Las personas enamoradas hacen cosas increíbles. Hombres y mujeres lo sacrificarían todo por el ser amado. —Su voz sonaba ronca, como si hablara presa de un miedo incesante tan intenso que hubiese devenido físico—. Si Breeland la quiere, jamás le hará daño; no importa qué otras barbaridades cometa. Tienes que creerlo. Hasta el hombre más malvado es capaz de amar. Breeland está obsesionado con ganar su guerra. Ha perdido toda noción de la moralidad que tú y yo defendemos como una necesidad para vivir civilizadamente, pero aun así tratará a la mujer que ama con ternura y consideración, y hasta dará su vida para protegerla. —Por fin la tocó, suavemente, con manos temblorosas—. Por favor, no tengas miedo de que le haga daño. Fue ella quien decidió acompañarle. Es casi seguro que no sepa lo que él ha hecho. Le ocultará esa información, por su propio bien. Merrit nunca lo sabrá. Tal vez cuando llegue a América se digne escribir para decirte que está sana y salva. Por favor..., ¡no desesperes!

Finalmente, Judith se volvió hacia él, con apenas un asomo de sonrisa en los labios.

—Mi querido Robert, has sido un firme apoyo para mí, como siempre, y te quiero por eso. Eres la persona en quien más confío. Pero tengo que hacer lo que me parece correcto. Por favor, no trates de disuadirme. Estoy resuelta a hacerlo. Te tendré en mayor estima, si eso es posible, si me prestas tu apoyo una vez más pero cueste lo que cueste debo hacer esto. Tú ya has hecho muchísimo por nosotros, y si la situación no fuese tan desesperada no te pediría más, pero mi hija corre un peligro del que no sé cómo protegerla. En el mejor de los casos, se ha fugado con el hombre que asesinó a su padre, tanto si éste la quiere bien como mal. Pero es un hombre malvado, y aunque crea que la ama, no puede ser el hombre que ella elegiría.

—Judith... —intentó protestar Casbolt.

Le hizo caso omiso. Puede que ni siquiera le oyera.

—En el peor, Merrit le trae sin cuidado y simplemente se ha aprovechado de su amor por él para llevársela consigo como rehén, y en caso de que la policía británica le dé caza, la utilizará como garantía para escapar. Cuando deje de necesitarla, puede... puede que también la mate.

Casbolt inspiró con un jadeo.

Monk no intervino. Lo que Judith decía era verdad, y habría sido una crueldad inducirla a dudarlo y que luego tuviera que hacer acopio de coraje para admitirlo otra vez.

—Señor Monk, ¿iría usted a América y haría lo posible para traer a Merrit de vuelta a casa..., a la fuerza si la persuasión no bastara?

—Judith, eso es de lo más... —intentó Casbolt de nuevo.

—Difícil —terminó ella por él, aunque sin apartar los ojos del rostro de Monk—. Ya lo sé, pero debo pedirle que haga cuanto pueda. Pagaré todo lo que tengo, que es una suma considerable, por verla libre de Breeland y en Inglaterra.

Casbolt apretó el brazo de su prima.

—Judith, aun suponiendo que el señor Monk tenga éxito y la haga regresar, de buena o mala gana, él es un hombre, y viajar en su compañía la comprometería hasta tal punto que al llegar aquí habría arruinado por completo su vida. Si lo...

—Ya he pensado en eso. —Puso una mano sobre la suya, estrechando los dedos para aumentar muy levemente la presión—. La esposa del señor Monk posee una valentía fuera de lo común. Hemos tenido el privilegio de conocerla y escuchar algunas de sus experiencias en los campos de batalla de Crimea. No le faltarán arrestos, espíritu ni sentido práctico para acompañarlo a América y ayudarle a convencer a Merrit de que vuelva. Cuando Merrit sepa quién es Breeland, necesitará toda la ayuda que se le pueda brindar.

Casbolt cerró los ojos, apretando los músculos de la mandíbula; una vena palpitaba en su sien. Cuando habló lo hizo con voz apenas audible.

—¿Y qué pasa si ya lo sabe, Judith? ¿Has pensado en eso? ¿Qué pasa si quiere lo bastante a Breeland como para perdonarle? Se puede amar lo suficiente como para perdonar cualquier cosa.

Ella lo miró de hito en hito con los ojos muy abiertos.

—¿Aun así quieres hacerla volver a casa? —preguntó Casbolt—. Créeme, si encontrara la manera de no tener que decirte esto y seguir cuidando de ti y velando por tu felicidad, lo haría. Sin embargo, puede que Merrit no sea tan libre de regresar a Inglaterra como tú piensas.

A Judith le temblaron los labios por un instante, pero no apartó la mirada de él.

—Si tuvo algo que ver en la muerte de su padre, aunque fuese indirectamente, debe volver aquí y responder por ello. Amar a Breeland o creer en la causa de la Unión no es excusa. —Se volvió otra vez hacia Monk aunque sin apartarse de Casbolt ni liberarse de su brazo—. Pagaré el pasaje a América para usted y su esposa y todos los gastos de su estancia allí, así como lo que cobre por su tiempo y destreza, si hace cuanto esté a su alcance para traer a mi hija de vuelta. Si además consigue arrestar a Lyman Breeland y traerlo para que sea juzgado por la muerte de mi marido y de los dos hombres que murieron con él, tanto mejor. La justicia así lo requiere, aunque yo no busco venganza. Sólo quiero ver a mi hija a salvo y libre de Breeland.

—¿Y si ella no desea venir? —preguntó Monk.

—Tráigala de todos modos —repuso Judith bajando la voz—. No creo que cuando comprenda toda la verdad siga deseando permanecer con él. A veces la conozco mejor que ella a sí misma. Soy su madre, la he observado y amado desde que empezó a respirar. Está llena de pasiones y sueños, es indisciplinada, apresurada en sus juicios y en ocasiones insensata, pero tiene su honra. Busca un sueño que perseguir, al que entregarse..., mas no es éste. Por favor, señor Monk, tráigala de vuelta.

—¿Y si tiene que responder ante la ley, señora Alberton? —inquirió Monk. Tenía que saber a qué atenerse.

—No creo que mi hija sea culpable de ningún delito, quizá sólo de estupidez y un egoísmo pasajero —contestó Judith—, pero si finalmente es culpable de esos actos, tiene que responder. Huyendo no hallará la felicidad.

—¡Judith, no sabes lo que estás diciendo! —protestó Casbolt—. Que Monk vaya en busca de Breeland, ¡cómo no! ¡Ese hombre debe colgar del extremo de una soga! ¡Pero Merrit no! Una vez que esté aquí, no podrás protegerla de lo que la ley disponga. Por favor..., reconsidera lo que puede significar para ella.

—Hablas como si la creyeras culpable —replicó Judith, herida y enojada con él.

—¡No! —Casbolt negó con la cabeza—. Pero la ley no siempre es justa y acertada. Piensa en lo que puedes hacerla sufrir antes de tomar una decisión tan precipitada.

Judith miró a Monk con expresión suplicante.

—Preguntaré a mi esposa —contestó él—. Si está dispuesta, iremos a América e intentaremos encontrar a Merrit. Si lo conseguimos, nos enteraremos por ella de la verdad de lo ocurrido y de hasta dónde sabía. ¿Se fía de mí para que tome mi propia decisión sobre si le conviene más regresar a casa o permanecer allí, con Breeland o sin él?

—¡Cómo va a quedarse! —exclamó ella, con la voz quebrada—. ¡Tiene dieciséis años! ¿Cómo se las va a arreglar sola? ¡Terminará en la calle! Se marchó con Breeland sin haberse casado con él. —Estrechó con fuerza la mano de Casbolt, que seguía sujetándosela—. ¿Qué hombre decente se interesará por ella? En el mejor de los casos, Breeland es un asesino, y, en el peor..., también un secuestrador. Tráigala de vuelta, señor Monk. O..., si es culpable..., llévela a Irlanda..., a algún lugar donde no la conozcan, y yo me reuniré con ella allí. Iré a buscarla...

Los dedos de Casbolt apretaban tanto los suyos que hizo una mueca, aunque no dijo nada. Siguió con la vista clavada en Monk, rogándole una respuesta mejor.

Pero no la obtuvo.

—Hablaré con mi esposa —prometió Monk otra vez—. Mañana le daré una respuesta. Yo... Ojalá hubiese podido traerle algo mejor.

Monk advirtió que decir aquello había sido innecesario, pero lo sentía tan vivamente que pronunció las palabras sin sopesar su vacuidad.

Judith asintió con la cabeza, incapaz de contener las lágrimas.

Sin agregar nada más, Monk se volvió y se marchó, saliendo a la noche veraniega con la cabeza llena de planes.

4

Hester apenas había visto a Monk durante los dos últimos días, pues llegaba a casa tarde y agotado, demasiado rendido hasta para comer, pasando a asearse y acostarse cuanto antes. Se levantaba temprano, desayunaba a solas una taza de té y tostadas, y volvía a marcharse antes de las ocho. No le había contado nada, salvo que no abrigaba ninguna esperanza de atrapar a Breeland, quien para entonces ya debía de estar en alta mar, cruzando el Atlántico.

Poco podía hacer para ayudar, excepto no formular preguntas para las que no tuviera respuesta y mantener la tetera canturreando suavemente en el hornillo.

Al volver de casa de Judith Alberton poco después de las nueve de la segunda noche, supo de inmediato que algo de la mayor importancia había cambiado. Todavía estaba pálido por la angustia y tan cansado que se movía despacio, como si le doliera todo el cuerpo. Tenía la boca seca y su primera mirada, después de saludarla, fue para la tetera.

Se sentó y aflojó los cordones de los botines; era obvio que tenía ganas de hablar. Sus ojos siguieron con impaciencia los movimientos de Hester mientras ésta preparaba el té, instándola a apresurarse. No obstante, no comenzó hasta que ella hubo dispuesto la tetera, las tazas y la leche en una bandeja.

Lo que fuera a decirle no sería sencillo, como tampoco del todo bueno o malo. Hester se metió prisa tanto por ella misma como por él.

Comenzó por contarle cómo había seguido el rastro de las pruebas río abajo hasta llegar a Greenwich, sacando la conclusión de que el culpable había escapado. El objetivo de robar las armas era llevarlas a América. ¿Por qué iba Breeland a desperdiciar siquiera una hora?

Ahora bien, pese a sus palabras, por la expresión de su rostro y el apremio de su voz Hester supo que había algo más, que aún tenía que añadir algo.

Aguardó pacientemente.

Él la miraba como si tratara de sopesar sus reacciones.

—¿Qué sucede? —inquirió—. ¿Qué más tienes que decirme?

—La señora Alberton quiere que tú y yo vayamos a América y hagamos lo posible para traer a Merrit de regreso a su casa, sin tener en cuenta las circunstancias o lo que ella desee.

—¿Nosotros? ¿A quién te refieres? —preguntó ella al instante.

—Tú y yo —repuso Monk con una sonrisa cansada, sardónica.

—¿Tú... y yo? —repitió ella, incrédula—. ¿Ir a América?

Nada más decirlo acertó ver un atisbo de sentido, una minúscula chispa de luz en la oscuridad.

—Suponiendo que la encuentre —explicó Monk—, tanto si logro convencerla de que regrese como si tengo que traerla por la fuerza, necesitaré ayuda. Y además será preciso que alguien le haga de carabina. No puedo llegar a Inglaterra con ella del brazo.

La observaba como si pudiera descifrar no sólo sus palabras sino también sus pensamientos y las emociones que residían en lo más hondo, puede que incluso lo que se negaba a pensar.

La idea era abrumadora, incluso con aquel razonamiento que sonaba tan razonable. ¡A América! Cruzar el

Atlántico hasta un país en conflicto armado consigo mismo. Ninguna noticia de batalla campal había llegado a Inglaterra, pero sin un milagro sólo sería cuestión de tiempo que se convirtiera en una guerra declarada.

Sin embargo, también vio en los ojos de su marido que ya había tomado una decisión, no en su mente, quizá, sino en un nivel más profundo. Había trazado planes, urdido formas de persuadirla. ¿Era por la aventura que suponía, por el desafío, por un sentido de la justicia, por la rabia que le daba lo ocurrido a Daniel Alberton, por la arrogancia de Breeland? ¿O acaso por una culpabilidad equivocada, puesto que Daniel Alberton le había pedido ayuda y él había fracasado? Poco importaba que hubiese sido Breeland y no el chantajista quien había arruinado su vida.

¿O le movía la compasión por Judith Alberton, quien, en una sola noche espantosa, había perdido todo lo que más amaba?

Fue por Judith por quien Hester contestó.

—De acuerdo. Pero ¿seguro que Merrit no tuvo nada que ver con ello, aun sin ser consciente? Me parece que estaba muy enamorada de Breeland. Lo veía como una especie de santo guerrero. —Frunció el ceño—. Supongo que estás seguro de que fue Breeland... Que no cabe la posibilidad de que fuese el chantajista... ¿O sí? Al fin y al cabo, el precio de su silencio eran las armas.

—No. —Bajó la vista, como protegiendo una pena íntima—. Encontré el reloj de Breeland en el patio del almacén. No podía llevar mucho tiempo allí; sólo tenía un poco de barro y estaba cerca de donde estacionaron los carros. Lo habría visto cualquiera durante el día. Y puesto que Alberton se negaba a venderle las armas, no tenía ningún motivo legítimo que justificara su presencia en el recinto.

Un escalofrío le recorrió todo el espinazo; se sintió mareada.

—¿El reloj de Breeland? —repitió sus palabras—. ¿Cómo es?

—¿Que cómo es? —Monk parecía desconcertado—. ¡Pues un reloj! Un reloj redondo de oro sujeto con una cadena.

—¿Cómo sabes que era suyo? —insistió Hester, sabiendo que discutir era vano pero aun así sintiendo la obligación de intentarlo.

—Porque llevaba su nombre grabado; y la fecha.

—¿Qué fecha?

Un parpadeo de impaciencia le cruzó el rostro. Estaba demasiado cansado y triste para buscarle tres pies al gato.

—Uno de junio de 1848. ¿Por qué? ¿Por qué insistes tanto en eso, Hester?

Tenía que decírselo. No podía ocultarle aquello y permitir que marchara a América sin saberlo.

—No fue Breeland quien lo perdió —dijo en voz muy baja—. Se lo había regalado a Merrit como recuerdo. Me lo enseñó la noche que estuvimos cenando en su casa. Dijo que jamás lo perdería de vista.

Monk la miró como si no comprendiera lo que le estaba diciendo.

—Lo siento —agregó Hester—, pero tuvo que estar presente, fuera por voluntad propia o no. —Se le ocurrió otra idea—. A no ser que él le quitara el reloj y lo arrojara a propósito...

—¿Por qué diablos iba a hacer eso?

Pese a su tono, Hester vio en los ojos de Monk que éste ya había pensado una respuesta.

—Para incriminarla..., de modo que no le fueran detrás... Una especie de advertencia de que la tenía con él... como rehén.

Monk guardó silencio, con expresión reflexiva.

Hester aguardó. No tenía sentido enumerar todas las posibilidades. Él podía pensarlas tan bien como ella, incluso mejor. Sirvió más té para ambos, bien cargado y algo menos caliente por llevar tiempo en infusión.

—La señora Alberton sabe que puede tenerla como rehén —dijo por fin—. Aun así, quiere que lo intentemos.

—¿Y si se marchó por voluntad propia? —preguntó Hester. Cabía esa posibilidad.

—Dice que Merrit es exaltada e idealista y que actúa sin pensar, pero en su opinión, bajo ninguna circunstancia aprobaría un asesinato.

Ahora la miró a los ojos para comprobar si estaba de acuerdo.

—Espero que se encuentre bien —contestó Hester.

—¿Crees que no lo está? —dijo Monk en tono apremiante.

—No lo sé; pero ¿qué otra cosa diría cualquier mujer de su propia hija?

—¿Quieres que rehúse?

—No. —La respuesta le salió sin darle tiempo a sopesarla, sorprendiéndola más a ella que a él—. No —repitió—. Si estuviera en su lugar, creo que preferiría saber la verdad antes que vivir el resto de mis días con la esperanza de lo mejor y el temor de lo peor. Si amara a alguien, me gustaría pensar que tendría la fe suficiente para ponerlo a prueba. Además, poco importa lo que tú y yo pensemos. Es lo que la señora Alberton quiere.

—Quiere que vayamos a América y traigamos a Merrit de vuelta, de buen grado o por la fuerza, y también a Breeland, si podemos.

Lo miró perpleja.

—¡También a Breeland!

—Sí. Es culpable de triple homicidio. Debe ser enjuiciado y responder por ello.

—¿Nada más? —Muy a su pesar hubo un dejo de desesperado sarcasmo en su voz—. ¿Sólo eso?

Monk sonrió, con la mirada clara y firme.

—Sólo eso. ¿Lo hacemos?

Hester suspiró profundamente.

—Sí... Hagámoslo.

Al día siguiente, domingo 29 de junio, Hester hizo el equipaje con las pocas cosas que iban a necesitar, en su mayor parte ropa y artículos de tocador. Monk volvió a Tavistock Square para dar su repuesta a Judith Alberton. No dejaba de ser un alivio saber que al menos esta vez era la que ella deseaba.

La encontró a solas en el estudio, sin disimular que le esperaba. Iba vestida totalmente de negro, lo que acentuaba la palidez de su piel, pero sus cabellos seguían presentando el mismo color cálido, y el sol que entraba a raudales por la ventana los hacía resplandecer.

Le dio los buenos días con las fórmulas de cortesía al uso, aunque sus ojos no se apartaron ni un instante de los suyos con una implícita pregunta que traicionaba sus emociones.

—Hablé con mi esposa —dijo Monk en cuanto ella volvió a sentarse y él hizo lo propio al otro lado del escritorio—. Está dispuesta a ir y hacer cuanto podamos para traer a Merrit de vuelta aquí. —Vio que se calmaba, casi sonrió—. No obstante, le preocupa que Merrit pueda estar implicada en el crimen —prosiguió—, aunque sea indirectamente, y que, después de todo, no sea lo que usted desee que ocurra. Eso escaparía a nuestro control.

—Lo sé muy bien, señor Monk —dijo Judith con ecuanimidad—. Creo en su inocencia. Estoy dispuesta a correr ese riesgo. Y soy perfectamente consciente de que también lo corro por ella, no sólo por mí misma. —Se mordió el labio. Sus manos, sobre el escritorio, eran gráciles y presentaban los nudillos blancos. No llevaba más joyas que su alianza—. Si fuese mayor, tal vez no lo haría, pero aún es una cría aunque ella opine lo contrario.

Y estoy preparada para hacer frente al hecho de que quizá me odie por ello. Lo he meditado toda la noche y estoy plenamente convencida de que a pesar de los riesgos que conlleva regresar a Inglaterra, los peligros que le aguardan en América con Breeland serán mayores, y allí no habrá nadie que se preocupe por ella. —Apartó sus ojos de los de Monk—. Aparte de eso —prosiguió—, debe enfrentarse a lo que Breeland ha hecho y, si tuvo participación en ello, por pequeña o involuntaria que sea, también tiene que asumir la responsabilidad. Uno no puede construir su felicidad sobre mentiras... tan terribles como ésta.

Monk no supo qué decir. No podía discutir, y mostrarse de acuerdo habría resultado un tanto impertinente, como si estuviera capacitado para compartir su dolor. Hacerlo sería menospreciarlo.

—Entonces debemos marcharnos cuanto antes —respondió—. Mi esposa ya está haciendo las maletas.

—Le estoy muy agradecida, señor Monk. —Judith le dedicó un amago de sonrisa—. Tengo aquí el dinero y el nombre de la compañía naviera. Me temo que está en Liverpool; es desde donde zarpan con más frecuencia con destino a Nueva York..., cada miércoles, para ser exactos. Tendrán que apresurarse para coger el próximo vapor, ya que hoy es domingo. Pero puede hacerse, y le ruego que no lo demore. Con la esperanza de que ustedes aceptarían, ayer telegrafié a la naviera reservándoles un camarote. —Se mordió el labio inferior—. Aún estoy a tiempo de cancelar la reserva.

—Saldremos mañana por la mañana —prometió Monk.

—Gracias. También tengo dinero para sus gastos mientras estén en América. No sé cuánto tiempo precisará para llevar a cabo su misión, pero debería haber bastante para un mes. Es todo lo que he conseguido reunir con tan poca antelación. Como comprenderá, los negocios de mi marido todavía no se han despachado. He vendido algunas joyas de mi propiedad.

—Un mes debería ser más que suficiente —se apresuró a asegurar Monk—. Espero encontrarla mucho antes de eso. Y tanto si está ansiosa por volver a casa, porque no esté enterada de los actos de Breeland o la retenga contra su voluntad, como si no, tendremos que llevárnosla tan pronto como podamos para evitar que Breeland halle el modo de complicarnos la existencia. Sean cuales sean las circunstancias, estos fondos serán suficientes.

—Muy bien.

Judith puso un abultado fajo de dinero sobre el escritorio. No titubeó, como si ni siquiera le hubiese pasado por la cabeza que Monk pudiera no ser honesto.

—Debería firmar un recibo por esta suma, señora Alberton —indicó Monk.

—¡Oh! Claro, sí; desde luego —repuso ella. Buscó papel de carta y cogió una pluma. La mojó en el tintero y escribió; luego le pasó la hoja para que la firmara.

Monk lo hizo y se la devolvió.

Judith secó la hoja con papel secante y la metió en el cajón de arriba del escritorio sin echarle siquiera un vistazo. Monk podría haber escrito cualquier cosa.

Llamaron a la puerta y un instante después ésta se abrió.

—¿Sí? —preguntó Judith, con el entrecejo fruncido.

—El señor Trace está aquí, señora —anunció el mayordomo con cierta inquietud—. Parece impaciente por hablar con el señor Monk.

La mención del nombre de Trace no pareció disgustarla.

—Dígale que pase —ordenó. Se volvió hacia Monk y añadió—: Confío en que no le importe.

—Por supuesto que no.

Le llamó la atención el que Trace siguiera en contacto con los Alberton después de lo sucedido con las armas, hecho del que sin duda estaría al corriente.

Trace entró un instante después, y aunque advirtió la presencia de Monk, concentró toda su atención en Judith. El pesar que reflejaba su semblante era demasiado patente como para ser fingido. No le preguntó cómo se encontraba ni expresó sus condolencias, pero su curioso rostro asimétrico, con sus ojos oscuros, dejaba al descubierto sus sentimientos. Monk se sobresaltó. Cuando Trace habló lo hizo con palabras corrientes, sin las formalidades que cualquiera habría empleado.

—Buenos días, señora Alberton. Lamento mucho importunarla, sobre todo en estos momentos, pero es que estaba muy preocupado por que no se me escapara el señor Monk. El señor Casbolt me refirió sus planes de contratarlo para que vaya en busca de Breeland, y mi intención es hacer lo mismo. —Miró a Monk por un instante, como para comprobar que había aceptado la misión. Al parecer se dio por satisfecho.

Judith se mostró desconcertada.

—¿De veras? No es tanto por Breeland sino para traer de vuelta a mi hija por lo que deseo que el señor Monk vaya a América. Aunque, por supuesto, lo más conveniente sería que además lo trajera a él.

—Ayudaré en todo lo que pueda —prometió Trace muy solemne—. Breeland merece la horca, pero, por supuesto, eso es mucho menos importante que salvar a miss Alberton de él y evitarle más pesares.

Permaneció muy erguido, un poco cohibido, como si no supiera muy bien qué hacer con las manos. Buscaba la compañía de Judith y sin embargo no estaba cómodo en su presencia.

Fue en ese preciso instante, observando su tensión, el fervor de su rostro, oyendo el tono de su voz, cuando Monk cayó en la cuenta de que Philo Trace estaba enamorado de Judith. Posiblemente su ofrecimiento tuviera muy poco que ver con las armas.

Monk no estaba seguro de si quería que fuese con él o no. Habría preferido gozar de absoluta autonomía. Estaba acostumbrado a trabajar solo o con algún subordinado a quien conociera bien.

Por otra parte, Trace era americano y quizá todavía conservara amigos en Washington. Sin duda conocería el territorio y estaría familiarizado con el transporte tanto por tren como por barco. Y lo que era más importante aún, conocería las costumbres y el talante de la gente y sería capaz de facilitar cosas que a Monk le resultarían harto complicadas.

Estudió a aquel hombre que estaba en medio de la habitación soleada con el rostro vuelto hacia Judith, aguardando la decisión de ésta, no la de Monk. Parecía más un poeta que un soldado, pero había en él autodisciplina, y la gracia de su cuerpo esbelto sugería una fortaleza considerable.

—Gracias —aceptó Judith—. Por mi parte le quedaría muy agradecida pero deberá consultar con el señor Monk si trabajará con él o no. Le he otorgado la libertad de actuar según le parezca mejor y pienso que sólo en esas condiciones podría emprender semejante tarea.

Trace dirigió a Monk una mirada interrogativa.

—Estoy plenamente decidido a ir, señor —dijo muy serio—. Que lo haga con usted o siguiéndole los pasos es decisión suya. Pero me va a necesitar, se lo aseguro. Usted piensa que hablamos el mismo idioma y que por lo tanto será capaz de hacerse entender. Eso sólo es verdad en parte. —Una expresión burlona cruzó su rostro—. Lo he descubierto durante mi estancia aquí. Usamos las mismas palabras, pero no siempre queremos decir lo mismo con ellas. Usted no conoce América ni las circunstancias en que nos encontramos en la actualidad. Habrá cuestiones que no logrará comprender... —Una incontrolada punzada de dolor le hizo apretar los labios—. Nadie lo entiende —prosiguió—, y nosotros mismos menos que nadie. Vemos morir nuestro estilo de vida. No lo comprendemos. El cambio nos asusta y al estar asustados nos enojamos y emitimos juicios erróneos. Una guerra civil es algo terrible.

Sentado en aquel plácido y soleado salón de recibo amueblado con las ganancias de la venta de munición, Monk fue muy consciente de que jamás había presenciado la guerra. Al menos, hasta donde lograba recordar. Conocía la pobreza, la violencia, un poco la enfermedad, mucho acerca del crimen; ahora bien, la guerra como locura que consumía a naciones enteras sin dejar nada intacto, le era desconocida.

Tomó la decisión al instante.

—Gracias, señor Trace. Con tal de que estemos de acuerdo en que yo me regiré por mi juicio y que podré servirme o no de su consejo, aceptaré gustoso su compañía y toda la ayuda que esté dispuesto a prestar.

Trace, parte de cuya fatiga se desvaneció de su rostro, respondió:

—Muy bien. En ese caso debemos marcharnos mañana por la mañana. Por si no le veo en la estación o en el tren, quedemos en encontrarnos en Liverpool, en las oficinas de la naviera en Water Street. La próxima salida es con la primera marea de la mañana del miércoles. Prometo no defraudarle, señor.

Monk y Hester salieron para la estación de Euston Square de buena mañana. Era una sensación extraña, y a Hester le recordó cuando siete años antes había partido hacia Crimea, también sin saber a qué se enfrentaría, cómo serían la tierra, el clima, el sabor de la comida y el olor del aire. Entonces también lo había hecho con una misión en mente. Era mucho más joven en numerosos aspectos, no sólo físicos, sino inconmensurablemente en experiencia y comprensión de la gente y de cómo los acontecimientos y las circunstancias pueden cambiar a una persona. Había estado segura de muchas cosas, convencida de entenderse a sí misma.

Con el tiempo había aprendido lo bastante para tener una noción de la magnitud de lo que no sabía y de lo fácil que resultaba cometer errores, sobre todo cuando una estaba convencida de llevar razón.

No tenía ni idea de lo que les aguardaba en Washington. No sabía si existía alguna posibilidad de que consiguiesen llevar a Merrit Alberton de vuelta a Inglaterra. Sus únicas certidumbres eran que no podían negarse a intentarlo y, por encima de todo, que esta vez no iba sola, sino con Monk. Ya no era lo bastante joven para estar segura de muchas cosas. La experiencia le había enseñado su propia falibilidad. Ahora bien, sentada en el tren que escupía vapor y arrancaba con una sacudida para salir de la inmensa bóveda de la estación, constató que tenía una sensación de camaradería muy distinta a la de cualquier otro viaje. Ella y Monk discutían por toda clase de cosas, importantes y triviales, y lo hacían con frecuencia. Sus gustos y opiniones diferían, pero en lo más hondo de su ser le constaba que él jamás le causaría daño intencionadamente y que su lealtad era absoluta. Mientras el vapor de la locomotora pasaba junto a la ventanilla y emergían a la luz del día, se sorprendió sonriendo.

—¿Qué ocurre? —preguntó Monk, mirándola con intención. Avanzaban entre tejados grises, calles estrechas y callejones traseros mugrientos y apretujados.

Hester no quería ponerse sentimental. Confesarle la verdad no le haría ningún bien a su marido. Debía decir algo sensato y convincente. La conocía demasiado bien para tragarse cualquier evasiva apresurada.

—Creo que está muy bien que el señor Trace también venga. Seguro que está aquí aunque no le hayamos visto. ¿Opinas que deberíamos contarle lo del reloj?

—No —respondió Monk de inmediato—. Prefiero esperar hasta que la propia Merrit nos dé su versión de lo ocurrido esa noche.

Hester frunció el ceño.

—¿Piensas que Breeland se lo quitó para arrojarlo allí deliberadamente? —inquirió—. Eso supondría una terrible sangre fría.

—Pero resultaría efectivo —contestó él, con una mueca de desdén—. Sería una excelente advertencia de que nada le detendrá si vamos tras él.

—Salvo que él no sabía que estábamos enterados de que se lo había regalado a Merrit —arguyó Hester—. La policía sólo vería su nombre en él. Judith no se lo diría, menos aún si supiera que lo habían encontrado.

—No, pero así ella sabría a qué atenerse —contestó Monk, apretando los labios con expresión de amargura—. Es lo único que él necesita. No contó con su coraje para enviar a alguien por su cuenta, con su determinación para enfrentarse a la verdad, sea cual sea.

Estaban llegando a las afueras de la ciudad, con vastas extensiones de campo abierto bañadas por la luz matutina. Las copas de los árboles parecían flotar sobre la hierba como nubes verdes. El día prometía ser largo, y aún pasarían dos noches en cama ajena antes de embarcar para la travesía del Atlántico y tocar tierra en una costa desconocida. Se preguntó fugazmente cómo había tenido la valentía, o la temeridad, para hacerlo sola en el pasado.

Llegaron tarde a Liverpool, y mientras seguían al mozo de cuerda por el andén hacia la salida vieron a Philo Trace. Se aproximó a ellos a grandes zancadas, con cara de alivio. Los saludó calurosamente y fueron juntos en busca de un coche de punto que los llevó hasta un modesto hotel no muy alejado del puerto, donde se alojarían hasta el momento de embarcar.

Judith Alberton había telegrafiado a la naviera tal como había dicho y tenían sus camarotes reservados. El barco iba atestado de inmigrantes que esperaban iniciar una nueva vida en América. Muchos de ellos se proponían dejar atrás la guerra viajando hacia las grandes llanuras del oeste o incluso más allá, hasta las montañas Rocosas. Allí encontrarían refugio para sus creencias religiosas, o extensas tierras donde establecerse en granjas y casas a las que no podían aspirar en Inglaterra.

El buque tenía previsto recoger más pasaje en el puerto irlandés de Queenstown, hombres y mujeres medio muertos de hambre que huían de la pobreza que siguió a la hambruna de la patata, dispuestos a ir a cualquier parte, a trabajar en cualquier cosa con tal de ganar el sustento de sus familias.

Era una sensación extraña volver a estar en la mar. El olor a aire estancado del camarote le recordó a Hester los barcos que transportaban las tropas a Crimea. Oía los gritos que intercambiaban los marineros, los crujidos de la madera. El cacarear de las gallinas y los chillidos de los cerdos la inquietaron porque sabía que estaban enjaulados para irlos comiendo a medida que se fueran alejando de la tierra firme y los víveres empezaran a escasear o echarse a perder. Soplaba viento en contra frente a las costas de Irlanda. La travesía sería larga.

Viajaban en un camarote de primera clase provisto de dos literas diminutas, un único lavamanos, un orinal que había que vaciar por el ojo de buey, un pequeño escritorio y una silla. La ropa se colgaba de un gancho que había detrás de la puerta. Monk no dijo nada, pero al ver su cara y oír la tensión de su voz, Hester entendió que lo encontraba casi insoportablemente opresivo. No le sorprendió que en cuanto tenía ocasión subiera a cubierta, incluso si hacía mal tiempo, donde los rociones los dejaban empapados y muertos de frío pese a estar a principios de julio.

Gracias a Dios no viajaban en tercera clase, hacinados en la bodega del barco, donde hombres, mujeres y niños apenas disponían de unos palmos cuadrados por cabeza y no podían dar un paso sin chocar con alguien. Si una persona se mareaba o indisponía, no gozaba de ninguna intimidad. El compañerismo, el buen humor y la compasión eran imprescindibles para la supervivencia.

La travesía duró dos semanas menos un día y atracaron en Nueva York el lunes 15 de julio.

Hester quedó fascinada. Nueva York era distinta de cualquier ciudad que hubiese visto hasta entonces: bulliciosa, rebosante de vida; allí donde iban se oía una multitud de lenguas habladas, risas, gritos, y, flotando en el ambiente, se percibía el resentimiento de la guerra. Había carteles de reclutamiento en los muros y soldados con uniformes variopintos por las calles. Daba la impresión de que estaban representadas todas las vestimentas militares de Europa y Oriente Próximo, hasta suabos franceses que parecían turcos con enormes pantalones bombacho, brillantes fajines a la cintura y turbantes o feces escarlatas con inmensas borlas que les colgaban hasta los hombros.

La bandera tachonada de estrellas ondeaba en todos los hoteles e iglesias por delante de los que pasaban y se repetía en miniatura en los jaeces de los caballos que tiraban de los omnibuses y en las escarapelas que lucían los carruajes particulares.

La economía no parecía muy boyante, y los retazos de conversación que llegaron a sus oídos versaban sobre combates de boxeo profesional, los precios de los alimentos, cotilleos y escándalos locales, política y secesión. Quedó asombrada ante las insinuaciones de que el propio estado de Nueva York podría separarse de la Unión, así como Nueva Jersey.

Ella, Monk y Philo Trace tomaron el primer tren

que pudieron con destino a Washington. Iba abarrotado de soldados tanto de azul como de gris, prevaleciendo el mismo caos de uniformes que en la ciudad. Hester se preguntó cómo se distinguirían entre sí en el campo de batalla, y ese pensamiento la turbó, aunque se guardó de manifestarlo.

Los recuerdos se agolpaban en su mente al ver los rostros jóvenes de los hombres tensos, asustados. Todos trataban de disimular el miedo, cada cual a su manera. Unos hablaban más de la cuenta, levantando la voz para soltar memeces, riendo por tonterías, ocultándose tras un barniz finísimo de bravuconadas. Otros permanecían sentados en silencio, pensando en sus hogares, en la batalla que los aguardaba y en la posibilidad de morir. Se horrorizó al constatar que muchos no tenían cantimplora y llevaban unas armas tan viejas y en tan mal estado que representaban más peligro para quien las disparara que para el enemigo. Eran tan variadas que costaba imaginar que se obtuviese munición para todas. Aunque se cargaban por el cañón, no eran lisas sino estriadas. Algunas eran viejos trabucos de chispa que fallaban con mucha más frecuencia y eran mucho menos certeros que las nuevas armas de precisión que Breeland había robado.

Hester se sintió enfermar al prever la masacre que se avecinaba si la guerra recrudecía. A juzgar por los fragmentos de las fanfarronadas juveniles que oía y la pasión por salvaguardar la Unión, sin duda era lo que ocurriría.

Oía esas conversaciones cuando se levantaba para estirar las piernas y desentumecer la espalda.

Un muchacho delgado y pelirrojo con falda escocesa estaba apoyado contra la mampara del pasillo, charlando con un adolescente con pantalones de montar y chaqueta grises.

—Expulsaremos a los Rebeldes —dijo el muchacho de la falda con vehemencia—. Por nada del mundo vamos a permitir que América se divida, de eso puedes estar seguro. Una nación temerosa de Dios, eso es lo que somos.

—En casa para la cosecha, calculo —dijo el adolescente con una lenta y tímida sonrisa. Al ver a Hester se irguió—. Perdón, señora.

Le hizo sitio para que pasara y ella le dio las gracias mientras se preguntaba, angustiada, hacia dónde se dirigía con tanta inocencia. Su cuerpo flaco, las manos encallecidas y la ropa raída dejaban claro que conocía bien la pobreza y el trabajo manual, pero no tenía noción alguna de la carnicería en que desembocaba toda batalla. Era algo que ninguna persona en su sano juicio podía imaginar.

Hester le devolvió la sonrisa, mirando sus ojos azules por un instante antes de seguir adelante.

—¿Se encuentra bien, señora? —preguntó de pronto el joven. Quizás había visto una sombra de lo que ella sabía, reconociendo su dolor.

Hester se obligó a mostrarse alegre.

—Sí, gracias. Sólo estoy un poco entumecida.

Al regresar al compartimiento se cruzó con un hombre de cierta edad que mordisqueaba la boquilla de una pipa de arcilla apagada.

—Hay que ir —dijo con gravedad al hombre que tenía enfrente—. Tal como yo lo veo, no hay elección. Si crees en América, tienes que creer que es una tierra para todos, no sólo para los hombres blancos. No está bien comprar y vender seres humanos. Eso es lo que pienso, en resumidas cuentas.

El otro hombre negó con la cabeza, mostrando su reserva.

—Tengo primos en el Sur. No son malas personas. Si todos los negros se liberan de repente, ¿adónde van a ir? ¿Quién se ocupará de ellos? ¿Alguien ha pensado en eso?

—Entonces ¿qué haces aquí?

El primer hombre se sacó la pipa de la boca.

—Estamos en guerra —dijo el otro simplemente—. Si van a luchar contra nosotros, tenemos que luchar contra ellos. Además, creo en la Unión, y América es eso, una... Unión.

Hester continuó hasta su asiento, turbada por la sensación de confusión y conflicto que reinaba en el ambiente.

Se detuvieron en Baltimore y subió más gente. Cuando arrancaron estaba sentada junto a la ventanilla, pues le había cambiado el sitio a Monk por un rato. Ambos contemplaban el paisaje. Frente a ellos, Philo Trace iba sentado cada vez más nervioso, con las arrugas de la cara más marcadas y las manos entrelazadas con fuerza, abriéndolas como para hacer algo cada dos por tres para luego volver a juntarlas.

Mirando por la ventanilla, Hester vio por primera vez los piquetes que vigilaban la vía del ferrocarril. Al principio de tanto en tanto, luego cada vez más seguidos. Tras ellos vio el progresivo despliegue de campamentos militares. Aumentaban tanto en tamaño como en densidad a medida que el tren avanzaba hacia el sur.

Si en Nueva York había hecho calor, al irse aproximando a Washington la temperatura era ya sofocante. La ropa se pegaba a la piel. El aire era tan húmedo y denso que costaba respirar.

Al adentrarse en Washington, las tierras baldías de las afueras aparecieron cubiertas de tiendas, grupos de hombres marchando y haciendo instrucción, carretas con toldo blanco y toda clase de armas y carros alineados. La fiebre de la guerra era más que aparente.

Llegaron a la estación y por fin pudieron bajar del tren, descargar el equipaje y buscar alojamiento para el tiempo que fueran a pasar en la ciudad.

—Breeland ya estará aquí —dijo Trace con convicción—. El ejército confederado está a sólo dos días de marcha hacia el sur. Deberíamos hospedarnos en el Willard, si podemos, o al menos ir allí a cenar. Es el mejor lugar para enterarse de las últimas noticias y rumores. —Sonrió con triste regocijo—. Me parece que detestarán el ruido. A la mayoría de los ingleses les ocurre, pero no tenemos tiempo para andarnos con remilgos. Senadores, diplomáticos, comerciantes, aventureros, todos se dan cita allí; y con sus esposas. El lugar suele estar lleno de mujeres e incluso de niños. Una velada allí y sabré dónde se encuentra Breeland, se lo prometo.

Hester quedó fascinada con la ciudad. Era todavía más distinta que Nueva York a cualquiera otra que hubiese visitado antes. Era obvio que la habían diseñado con una visión grandiosa; un día cubriría todo el terreno entre el río Bladensburg y el Potomac, pero por el momento se abrían vastas extensiones de hierba y matorrales entre las barriadas distantes que constituían la periferia, antes de llegar a las amplias calles principales aún sin pavimentar.

—Ésta es la avenida de Pennsylvania —dijo Trace, sentado en el carruaje ligero de dos ruedas al lado de Hester, cuyo rostro observaba. Monk iba dándoles la espalda, su expresión era una curiosa mezcla de concentración e intriga, como si estuviera tratando de planear la misión que los había llevado hasta allí pero su atención se desviara hacia las cosas que veía a su alrededor. Y es que en efecto el panorama hacía que uno no pudiese evitar distraerse. A un lado, los edificios eran verdaderamente magníficos, grandes estructuras de mármol dignas de adornar cualquier capital del mundo. Al otro se apiñaban las casas de inquilinato, los mercadillos y los talleres, con algunos solares vacíos, todavía sin ocupar. Los gansos y los cerdos deambulaban a sus anchas sin prestar ninguna atención al tráfico, mientras de vez en cuando alguno de los segundos se revolcaba en los profundos surcos que dejaban las ruedas de los carruajes cuando la lluvia convertía la calle en un lodazal. Ahora no había lluvia ni barro y su avance levantaba densas nubes de un polvo que atoraba los pulmones y se posaba en todas las cosas.

Bastante más adelante, el Capitolio parecía a primera vista una espléndida ruina de Grecia o Roma rodeada de vestigios del pasado. Más de cerca, se hizo patente que la verdad era justo lo contrario. Todavía estaba en construcción. La cúpula aún no se había erigido y los pilares, sillares y estatuas surgían entre los escombros, los montones de madera, los barracones de los obreros y los tramos de escalinata sin terminar.

Hester quiso decir algo apropiado pero no encontró palabras. Había moscas por todas partes. En Inglaterra no se le había ocurrido pensar, como tampoco en el barco, que América fuese a tener un ambiente tan tropical, aquel aire bochornoso como un envoltorio de franela caliente mojada.

Llegaron al Willard y gracias a las inmensas dotes de persuasión de Trace consiguieron dos habitaciones. Hester estaba agotada e inconmensurablemente aliviada de encontrarse, al menos por un rato, en privado y lejos del ruido, el polvo y las voces desconocidas. El calor era inevitable incluso allí, pero al menos estaban resguardados del deslumbrante resplandor del sol.

Hester miró a Monk; estaba de pie, muy erguido, en medio de la pequeña habitación, con la chaqueta arrugada y el pelo pegado a la frente. Advirtió que dudaba, y entonces cayó en la cuenta de lo ridículo de la situación. Era un momento para echarse a reír o llorar. Le sonrió.

Él titubeó, mirándola a los ojos, y poco a poco le devolvió la sonrisa para a continuación sentarse al otro lado de la cama. Por fin se echó a reír y la alcanzó y la estrechó entre sus brazos, tumbándose con ella encima, besándola una y otra vez. Estaban cansados y sucios, totalmente confundidos y lejos de casa, pero no debían permitir que nada de eso tuviera la menor importancia. Había bastado con echar una sola mirada seria al asunto para quedar paralizados.

A la mañana siguiente se reunieron de nuevo con Philo Trace para el desayuno, que resultó ser descomunal. Era tan abundante que dejaba en ridículo hasta el desayuno de las casas solariegas inglesas. Además del jamón, los huevos, las salchichas y las patatas habituales, había ostras fritas, bistecs, aros de cebolla y gachas de maíz. Al parecer se trataba de la primera de las cinco comidas que servían a lo largo del día, todas igualmente copiosas. Hester tomó dos huevos escalfados, un bol de fresas, que eran excelentes, tostadas con mermeladas que encontró demasiado dulces y el mejor café que hubiese probado jamás.

Philo Trace acusaba su cansancio; la fatiga y el pesar se reflejaban en su rostro. Tenía ojeras y las ventanas de la nariz apretadas. Ahora bien, iba inmaculadamente vestido y afeitado y era obvio que procuraba no poner de manifiesto las emociones que sin duda lo atormentaban al presenciar tan de cerca cómo su país se precipitaba de la oratoria bélica a la realidad de la guerra.

El comedor del hotel estaba lleno, en su mayor parte por hombres, entre los que se contaban unos cuantos oficiales del ejército, aunque había un considerable número de mujeres, más de las que hubiese encontrado en un establecimiento semejante en Inglaterra. Hester advirtió con sorpresa que abundaban los hombres con el pelo largo y suelto. Casi todos llevaban barba o bigote.

Trace se inclinó un poco hacia delante y dijo en voz baja:

—He hecho algunas averiguaciones. El ejército partió hacia el sur hace dos días, el 16, rumbo a Manassas.

—Se le quebró un poco la voz; no conseguía disimular la pena—. El general Beuregard está acampado cerca de allí con las fuerzas confederadas, y MacDowell ha ido a su encuentro. —Una sombra le nubló la mirada—. Supongo que llevarán las armas de Breeland consigo. O quizá debería decir las armas del señor Alberton.

Su desayuno permanecía intacto en el plato. No comentó si había abrigado alguna esperanza de evitar que las armas llegaran a manos de las fuerzas de la Unión. Hester pensó que si lo había hecho estaba ciego ante la realidad, aunque a veces uno no soportaba ver las cosas tal como eran y la ceguera devenía necesaria, al menos durante un tiempo.

Por todo el comedor resonaba un murmullo de voces que de vez en cuando se alzaban con excitación o enojo. Una nube de humo de tabaco flotaba en el ambiente pese a lo temprano de la hora, las ocho y media de la mañana, y al bochornoso calor.

—No podemos hacer nada al respecto —repuso Monk con calma y sentido práctico—. Estamos aquí para encontrar a Merrit Alberton y llevarla de vuelta a casa. —Su voz transmitía una sorprendente compasión—. Pero si desea abandonarnos y unirse a su gente, nadie le pedirá que permanezca aquí. Puede que incluso sea peligroso para usted.

Trace se encogió levemente de hombros.

—Todavía hay muchos sureños en la capital —dijo—. Es probable que todos esos hombres que ve con el pelo largo provengan del Sur, de los «estados esclavistas», como han dado en llamarlos —añadió con amargura—. Es una costumbre que no ha perdurado en el Norte.

A Hester le caía bien, aunque durante el viaje se había preguntado muchas veces cómo era posible que defendiese algo que para ella era una abominación, un atentado contra la justicia natural, se mirara por donde se mirase. No deseaba conocer su respuesta por temor a verse obligada a despreciarlo, de modo que no había preguntado. Percibió su ira contenida cuando a pesar de todo se la dio.

—La mayoría de ellos ni siquiera ha visto una plantación en su vida y mucho menos se ha detenido a pensar cómo funciona —prosiguió Trace—. Yo mismo no he visto muchas. —Soltó una risilla áspera, entrecortada, como si tuviera un nudo en la garganta—. En el Sur casi todos somos pequeños agricultores. Uno puede recorrer decenas de kilómetros y eso es todo lo que verá. Pero es del algodón y el tabaco de lo que vivimos. Eso es lo que vendemos al Norte y lo que ellos elaboran en sus fábricas y envían al extranjero. —De repente se interrumpió, bajando la cabeza y pasándose la mano por la frente presionando con tanta fuerza el pelo que tuvo que dolerle—. La verdad es que no entiendo a qué viene esta guerra, por qué tenemos que estar como perro y gato. ¿Por qué no se limitan a dejarnos en paz? Por supuesto, existen malos amos de esclavos, hombres que maltratan a los braceros y al servicio doméstico, y a quienes nada les ocurre ni siquiera si los matan. ¡Pero también hay una pobreza extrema en el Norte y nadie lucha por remediarlo! Algunas de esas ciudades industriales están llenas de hombres, mujeres y niños que se mueren de hambre y frío sin que nadie se preocupe de darles alimento y cobijo. ¡Les importa un bledo! Al menos los propietarios de plantaciones cuidan de sus esclavos, por razones económicas cuando no por un elemental sentido de la decencia.

Ni Monk ni Hester le interrumpieron. Cruzaron una mirada y quedó sobreentendido que Trace hablaba tanto para sí mismo como para ellos. Era un hombre abrumado por circunstancias que no lograba comprender y menos aún controlar. Ni siquiera seguía sabiendo en qué creía con certeza, sólo que estaba perdiendo lo que amaba y que pronto sería demasiado tarde para producir algún efecto sobre el horror que aumentaba a cada hora.

Hester se apiadó profundamente de él. Durante las dos semanas en que lo había tratado, en el barco y en el tren a Washington, lo había observado en momentos de recogimiento en los que la soledad parecía envolverlo como una manta, así como en otras ocasiones en las que había mostrado una inmediata empatía para con otros pasajeros, quienes también se enfrentaban a lo desconocido tratando de hallar el coraje y la determinación necesarios para hacerlo de buen talante, sin asustar ni preocupar a sus familias aumentando su temor.

A bordo del barco viajaba una mujer irlandesa delgada y de semblante adusto, que se esforzaba por consolar a sus cuatro hijos y comportarse como si supiera exactamente lo que haría cuando llegaran a un país extraño sin amigos ni un lugar donde vivir. Y, a solas, con la mirada perdida en la infinita extensión del océano, su rostro había revelado un descarnado terror. Fue Philo Trace quien se le acercó y sin mediar palabra rodeó sus estrechos hombros con el brazo, limitándose a compartir el momento y su mutua comprensión.

A Hester no se le ocurría nada que decir a aquel hombre que estaba siendo testigo del desmoronamiento de su país y que trataba de explicárselo a dos ingleses que habían ido con una única misión, posiblemente inútil, pero que luego podrían regresar a la paz y la seguridad, aunque fuese para rendir cuentas de su fracaso ante Judith Alberton.

—No sabemos lo que estamos haciendo —dijo Trace despacio, levantando la vista hacia Monk—. ¡Tiene que haber una forma mejor! Puede que legislar lleve años pero el legado de la guerra nunca desaparecerá.

—Usted no puede alterar el curso de los acontecimientos —repuso Monk sucintamente, si bien su rostro reflejaba la complejidad de sus sentimientos.

Trace se dio cuenta y esbozó una sonrisa.

—Lo sé. Mejor será que me centre en la tarea por la que hemos venido hasta aquí —reconoció—. Lo diré antes de que lo haga usted. Debemos localizar a la familia de Breeland. Aún deben de estar en la ciudad, y Merrit Alberton con ellos.

No agregó «si sigue con vida», pero la idea se hizo patente en la forma en que apretó los labios, un gesto fácil de interpretar porque además aquella frase estaba en la mente de Hester, quien a su vez no dudaba que también en la de Monk.

—¿Por dónde empezamos? —preguntó Monk. Paseó la mirada por el inmenso comedor, donde todas las mesas estaban ocupadas. Una multitud de personas había entrado y salido durante el rato que llevaban allí—. Hay que ser discretos. Si se enteran de que unos ingleses andan preguntando por ellos, igual se marchan o, peor aún, se deshacen de Merrit.

Trace, cuya expresión se endureció, dijo en voz baja:

—Tiene razón. Por eso propongo que sea yo quien haga preguntas. Para eso he venido. Al menos en parte. También necesitarán ayuda para irse de aquí con ella. Tal vez podamos ir hacia el norte, aunque igual no. Yo puedo guiarles hacia el sur pasando por Richmond y Charleston. Todo dependerá de lo que suceda en los próximos días.

Monk detestaba depender de un tercero y Hester lo sabía, pero no había alternativa, y negarse habría resultado pueril, además de reducir las posibilidades de éxito.

Quizá Trace también fuese consciente de ello. Una vez más un amago de sonrisa iluminó su rostro.

—Entérese de cuanto pueda sobre el ejército —le pidió—. Movimientos, equipo, cifras, moral. Cuanto más sepamos, más fácil nos será decidir qué camino seguir cuando tengamos a Merrit... y a Breeland, si es posible. Habrá un montón de corresponsales de guerra trabajando para periódicos ingleses. A nadie le llamará la atención. —Se encogió un poquito de hombros y una chispa de humor brilló en sus ojos—. En esta guerra ustedes son neutrales, al menos en teoría.

—Y también de hecho —puntualizó Monk—. Puede que desee ver a Breeland colgado del árbol más cercano, pero eso no significa que considere que toda la Unión esté cortada por el mismo patrón.

—¿Tampoco los dueños de esclavos del Sur? —Trace abrió mucho los ojos.

—Tampoco. —Monk le devolvió la sonrisa y se puso de pie, dejando el desayuno sin terminar—. Vamos —dijo a Hester—. Emprendamos la investigación de un brillante y perspicaz artículo para el *Illustrated London News*.

Pasaron el resto del día yendo de un extremo a otro de la ciudad, escuchando a la gente, observando a los transeúntes y a los congregados en el vestíbulo del hotel, percibiendo su preocupación y el frenesí que imperaba en el ambiente. Unos pocos reconocían abiertamente su temor, como si esperasen que el ejército confederado fuese a invadir el mismísimo Washington, pero la inmensa mayoría se mostraba segura de la victoria sin tener la más vaga idea del coste que supondría aunque ganaran todas las batallas.

Monk oyó quejas sobre la abrumadora presencia del ejército por todas partes, lo traumática que resultaba para la ciudad y, sobre todo, la desagradable peste del alcantarillado, que no daba abasto con la repentina afluencia de gente. Ahora bien, lo que preponderaba era el debate político sobre cómo el tema de la esclavitud se había transformado en la cuestión de conservar intacta la Unión.

Hester vio a hombres y mujeres en la calle, sobre todo mujeres, que habían enviado a sus hijos, maridos y hermanos al frente soñando con la gloria, con sólo una muy vaga noción de cómo iban a ser sus heridas, del horror de que formarían parte y de cómo éste cambiaría sus vidas. Los miembros amputados, las caras y los cuerpos cubiertos de cicatrices sólo serían las heridas externas. Las internas harían que no hallasen palabras con las que compartirlas y se sintiesen demasiado confusos y avergonzados como para intentarlo siquiera. Ella lo había visto en Crimea. Una de las constantes de la guerra era que unía estrechamente a amigos y enemigos, separándolos de todos los que no la hubiesen conocido, por profunda que fuese su lealtad para con éstos.

En un par de ocasiones habló con mujeres en el hotel y trató de decirles cuánto lino necesitarían para confeccionar vendajes, qué clase de remedios sencillos eran ideales para mantener limpios a los heridos, como lejía, vinagre y vino corriente, pero ellas no comprendían la magnitud de la tragedia, lo elevado que sería el número de heridos, ni lo rápido que alguien podía morir desangrado.

Una de las veces intentó explicar algo sobre enfermedades, el modo en que la fiebre tifoidea, el cólera y la disentería podían propagarse entre los hombres hacinados en un campamento militar como un incendio en un bosque seco. Pero sólo encontró incomprensión y, en un caso, profunda ofensa. Eran buenas personas, honestas, compasivas y absolutamente ciegas. En Inglaterra había ocurrido lo mismo. Conocía muy bien esa desesperante frustración, como así también la furia de la impotencia. No entendía por qué tenía que doler más la segunda vez, a miles de kilómetros de casa entre gentes muy distintas en muchos aspectos a sus paisanos y cuyo sufrimiento no se quedaría a contemplar. Quizá se debiera a que la primera vez ella también lo ignoraba todo, incapaz de imaginar lo que se avecinaba. En esta ocasión lo sabía; la realidad ya la había lastimado una vez y aún le dolía, aún le quedaban heridas abiertas que no conseguía curar.

A última hora de la tarde Trace ya había localizado a los padres de Breeland y se las había ingeniado para que él, Hester y Monk cenaran en el mismo lugar que ellos. Resultaba forzado, pero a las diez en punto estaban conversando en un corrillo de gente y a los cinco minutos fueron presentados.

—¿Cómo está usted? —dijo Hester, primero a Hedley Breeland, un hombre imponente de erizado cabello blanco y una mirada tan directa que casi desconcertaba, y a continuación a su esposa, una mujer de talante más cordial, pero que no se apartaba de él, contemplándolo con evidente orgullo.

—Feliz de conocerla, señora —dijo Hedley Breeland con cortesía—. Lástima que hayan venido ustedes en un momento tan inoportuno. El clima de Washington en pleno verano es siempre agobiante y ahora mismo tenemos problemas que sin duda habrán sido noticia incluso en Inglaterra.

No estuvo muy segura de si parte de aquello constituía una crítica a su elección de fechas; en la expresión del señor Breeland no había nada que mitigara la brusquedad de sus palabras.

—Es sólo que quisiéramos poder recibirles mejor pero toda nuestra atención está centrada en la contienda —intervino la señora Breeland—. Dios sabe bien que hemos hecho lo posible por evitarla, pero no hay forma de acomodarse a la esclavitud. Es algo totalmente fuera de lugar. —Miró a Hester con una sonrisa, disculpándose.

—No es sólo por la esclavitud —corrigió su marido—, sino por la Unión. No contamos con que los extranjeros lo comprendan, pero hay que hacer honor a la verdad.

Una mueca de fastidio apareció en el rostro de la señora Breeland, pero se disipó de inmediato. Hester no pudo por menos que preguntarse cuáles serían sus verdaderos sentimientos, qué emociones llenaban su vida; era muy probable que su marido lo ignorase por completo.

—Nuestro hijo acaba de comprometerse en matrimonio con una muchacha inglesa —prosiguió la señora Breeland—. Es una chica encantadora. Tuvo todo el coraje del mundo para hacer las maletas y venir hasta aquí con él sola, pues su padre se oponía a la boda.

Hester sintió que la invadía un sentimiento de alivio al constatar que Merrit se encontraba allí y al parecer por voluntad propia. Era imposible que la muchacha supiera la verdad.

De pronto notó que Monk, a su lado, se ponía tenso y le apretaba la mano apoyada en el brazo, en señal de advertencia.

—Supo que es un hombre cabal nada más verle —dijo Hedley Breeland levantando el mentón—. No habría podido hacer mejor elección en ningún país de este mundo de Dios, ¡y tuvo la sensatez de darse cuenta! Buena chica.

—¿Su hijo se encuentra aquí? —preguntó Hester con falsedad—. No sabe cuánto me gustaría conocer a esa muchacha. El coraje me merece una gran admiración. Sin él podemos perder todo lo que valoramos en la vida.

Breeland la miró fijamente, como si acabara de reparar en su existencia por primera vez y no estuviera muy seguro de si le gustaba o no.

Hester advirtió que había dicho algo que él consideraba vagamente indecoroso. Quizá Breeland pensara que las mujeres no debían expresar sus opiniones sobre esa clase de temas. Tuvo que obligarse a pensar en Judith Alberton y morderse la lengua para no decirle lo que opinaba acerca del silencioso coraje de mujeres de todo el mundo que soportaban el dolor, la opresión y la infelicidad sin quejarse. No logró contenerse del todo.

—No todo el coraje es obvio, señor Breeland —dijo con voz aguda—. A menudo consiste más en ocultar una herida que en exhibirla.

—No puedo decir que la comprenda, señora —repuso él con desdén—. Sólo sé que mi hijo está en el frente, que es donde debe estar todo buen soldado en momentos como éste.

—Qué valiente —apostilló Monk con un tono indescifrable, aunque Hester supo que hacía gala de su más fría ironía y que estaba rememorando los grotescos cuerpos abatidos a tiros en el patio del almacén de Tooley Street.

Alrededor de ellos se oía música, risas y el tintineo de copas. Mujeres con los hombros descubiertos iban de un lado a otro; las magnolias que llevaban prendidas en los vestidos despedían un perfume dulzón. Al parecer la moda era llevar flores auténticas.

—Me figuro que la novia estará aquí con ustedes —dijo Hester con la esperanza de que Breeland no tuviera tiempo de poner en entredicho el comentario de Monk.

—Naturalmente —respondió Breeland, volviéndose hacia ella—. Y también muestra un gran entusiasmo por cumplir con su deber. Estará orgullosa de ella, señora. Posee una visión preclara del bien y el mal y anhela luchar por la libertad para todos los hombres. Es algo que encuentro admirable. Todos los hombres son hermanos y como tales deberían tratarse entre sí.

Terminada la sentencia miró a Monk como si esperase ser contradicho.

Hester sintió pánico al pensar en todas las respuestas que Monk podría darle, la mayoría de ellas de un agudísimo sarcasmo.

En cambio, Monk sonrió, quizá con un ápice de mordacidad.

—Por supuesto que sí —dijo en voz baja—. Y constato que hacen cuanto está en su mano para que así sea.

—¡En efecto, caballero! —convino Breeland—. ¡Vaya, ahí está Merrit! Miss Alberton, la prometida de mi hijo. —Se volvió y vieron a Merrit aproximarse a ellos. Iba vestida con una falda ancha sujeta a un talle muy ceñido y un corpiño drapeado decorado con gardenias. Se la veía exaltada y guapísima.

—¿Hermanos? —dijo Hester a Monk en voz muy baja—. ¡Hipócritas!

—Caín y Abel —respondió él entre dientes.

Hester reprimió una risotada que transformó en tos justo cuando Merrit los vio y se detuvo. Su rostro reveló un instante de puro susto. Durante un breve momento se esforzó por recordar de qué los conocía. En cuanto los ubicó siguió caminando con una sonrisa vacilante pero la cabeza bien alta.

Hester pensaba que sabía cómo se sentiría cuando volviera a ver a Merrit, pero todos sus pronósticos se desvanecieron y tuvo que escrutar el rostro de la muchacha para averiguar si era descarado desafío lo que iluminaba su expresión o si no tenía ningún conocimiento de lo acaecido en el patio del almacén. Saltaba a la vista que no abrigaba ningún temor ni sentimiento de culpa.

Breeland los presentó y se produjo un instante de titubeo en el que ninguno de ellos supo si hacer mención de su encuentro anterior.

Merrit respiró hondo y no dijo nada.

Hester lanzó una mirada apremiante a Monk.

—Buenas noches, miss Alberton —saludó con una sonrisa comedida, lo justo para ser cortés—. El señor Breeland habla de usted poniéndola por las nubes. —Fue una lindeza ambigua, nada comprometedora.

Merrit se ruborizó, obviamente complacida, dejando al desnudo su extrema juventud. Pese a la feminidad de sus curvas y al romántico atuendo que lucía, Hester percibía que aún era una niña. No hacía falta mucha imaginación para figurársela en un aula con la melena suelta, un delantal y los dedos manchados de tinta.

Un arrebato de desespero hizo que Hester anhelara escapar de la verdad, apartar de su mente los cadáveres en el patio del almacén y olvidar que Lyman Breeland iba de camino a Manassas con el ejército de la Unión y las armas de Daniel Alberton.

Ensimismada, no oyó lo que le decían.

Monk respondió por ella.

Se las arregló para no perder el hilo durante el resto de la conversación hasta que sus interlocutores se despidieron para ir a hablar con otras personas.

Entrada la noche, Trace se presentó en la habitación de Monk y Hester muy serio, con sus oscuros ojos hundidos y unos profundos surcos de la nariz a la boca que acentuaban su fatiga.

—¿Han tomado una decisión? —preguntó, mirando primero a uno y luego a otra.

Hester supo en el acto a qué se refería. Se volvió hacia Monk, que estaba de pie junto a la ventana que daba a los tejados. Era casi medianoche y seguía haciendo un calor sofocante. Los ruidos de la ciudad flotaban en el aire junto con el olor a flores, polvo y humo de tabaco, mezclado con el del alcantarillado, del que todo el mundo se quejaba.

—Pensamos que no sabe que su padre ha muerto —contestó Monk en voz baja, consciente de que había otras ventanas abiertas—. Tenemos intención de decírselo y lo que hagamos luego dependerá de su reacción.

—Puede que no les crea —advirtió Trace, echando una mirada a Hester antes de seguir dirigiéndose a Monk—. Sin duda no creerá que haya sido Breeland.

Hester pensó en el reloj. Recordó lo orgullosa que

Merrit estaba de él y el modo en que acariciaba con los dedos su brillante superficie.

—Creo que podremos convencerla —dijo con gravedad—, aunque no sé qué hará cuando se vea obligada a admitirlo.

—Debemos mantenerlos separados a toda costa. —Monk observaba a Trace—. Si tiene ocasión, Breeland igual la toma como rehén. No va a regresar a Inglaterra sin presentar batalla —añadió con un dejo de interrogación. Hester comprendió que trataba de juzgar si Trace tendría valor para una confrontación y la violencia que ésta pudiera traer aparejada.

En modo alguno pudo decepcionarlo su reacción. Trace sonrió y por primera vez Hester no vio en él al hombre amable que tanto había compadecido a la mujer irlandesa del barco, ni al que había desplegado sus encantos en la cena ofrecida por Judith Alberton, ni a la persona acongojada por el conflicto en el que estaba sumido su pueblo. En cambio vio al oficial de marina que fue a Inglaterra a comprar armas para la guerra y que había derrotado a Lyman Breeland en dicha adquisición.

—Me encantaría llevarle de vuelta y verle comparecer ante un tribunal y responder de la muerte de Daniel Alberton —dijo en voz baja, pero sus palabras fueron claras y afiladas como el acero—. Daniel era un buen hombre, un hombre honorable, y Breeland podría haberse llevado las armas sin matarlo. Eso fue una atrocidad que ni siquiera la guerra justifica. Mató movido por el odio, porque Alberton se negó a faltar a su compromiso. Yo digo que vayamos a por él, salvo que hacerlo ponga en peligro a Merrit.

—Se lo diremos mañana —prometió Monk.

—¿Cómo lo harán? —preguntó Trace.

—Hemos estado pensando en ello. —Monk se calmó un poco y se adentró en la habitación, apartándose de la ventana—. La batalla comenzará pronto, puede que tan pronto como mañana. Las mujeres están preparando una especie de ambulancias para los heridos. Hester tiene más experiencia en medicina de campaña que cualquiera de ellas. Se ofrecerá voluntaria. —Advirtió la mirada escéptica de Trace. Sonrió apretando los labios—. Yo no podría detenerla aunque me pareciera mala idea. Y créame, ¡usted tampoco podrá!

Trace se mostró dubitativo.

—Además creo que es buena idea —prosiguió Monk—. No le será difícil reiniciar el trato con Merrit, pues ella también querrá ayudar. Son dos mujeres inglesas atrapadas en las mismas circunstancias, lejos de casa, y con las mismas creencias respecto a la esclavitud y al cuidado de los heridos.

Trace seguía teniendo reservas.

—¿Está segura? —preguntó dirigiéndose a Hester.

—Segurísima —contestó ella sucintamente—. ¿Alguna vez ha presenciado una batalla?

—No. —De pronto se mostró vulnerable, como si ella, sin darse cuenta, le hubiese obligado a enfrentarse finalmente a la realidad de la guerra que se avecinaba.

—Empezaré por la mañana —concluyó Hester sin más.

—Que Dios la bendiga. Buenas noches, señora.

El que Hester se sumara a los esfuerzos de las numerosas mujeres que trataban de reunir alguna ayuda para los médicos militares que asistían a cada regimiento y transportar provisiones hasta el frente, el cual iba a fijarse a unos cuarenta y cinco kilómetros de distancia fue tan poco complicado como Monk había predicho. Tras preguntar aquí y allá, interrumpida con frecuencia por una abrumadora sensación de urgencia ante lo que sabía que se avecinaba mucho mejor que aquellas optimistas, bienintencionadas e inocentes mujeres, por fin coincidió en un patio con Merrit Alberton. Estaban cargando piezas de tela en una carreta que serviría para llevar a los heridos hasta el lugar más próximo donde pudieran establecer un hospital de campaña. La suciedad y el calor eran agotadores. El aire era irrespirable: obstruía los pulmones como si estuvieran en un clima tórrido.

Pasó un rato antes de que Merrit la reconociera. Al principio era sólo un par de brazos más, otra mujer con el pelo recogido, la blusa arremangada y las faldas con manchas de tierra de las calles sin pavimentar.

—¡Señora Monk! ¡Se ha quedado para ayudarnos! —Su expresión se dulcificó—. No sabe lo mucho que me alegro. —Se apartó los cabellos de los ojos con una mano polvorienta—. Me han dicho que posee una experiencia que nos va venir de perlas. Se lo agradecemos.

Cogió un fardo de provisiones (vendas, tablillas, unas cuantas botellitas de licores) que le alcanzaba Hester.

—Vamos a necesitar mucho más que eso —dijo Hester, evitando la verdad por un momento, aunque quizá de lo que hablaba era de una realidad bastante más importante. No estaban ni remotamente preparados. Nunca habían visto la guerra, sólo la habían soñado, pensado en términos grandilocuentes, en causas por las que luchar sin tener la mínima idea de cuál sería el precio a pagar—. Necesitaremos mucho más vino, vinagre, hilas, coñac, más tela para hacer compresas para cortar hemorragias.

—¿Vino? —preguntó Merrit con recelo.

—Como reconstituyente.

—Tenemos bastante para eso.

—Quizá para cien hombres. Pero puede que haya mil hombres malheridos..., o más.

Merrit tomó aire para responder, pero tal vez recordó parte de la conversación que había mantenido en el comedor de su casa en Londres. Con una mueca reconoció que Hester sabía la enormidad que se les venía encima. No tenía sentido decir que aquello era distinto de Crimea. Algunas cosas siempre eran iguales.

Hester no podía demorar su misión por más tiempo. De repente se encontraron a solas cuando las demás mujeres se fueron a comenzar otra tarea.

—Existe otra razón por la que quería hablar con usted —anunció, detestando lo que estaba a punto de hacer, el dolor que iba a causar y la opinión que debería formarse.

No había ni un asomo de premonición en el rostro de Merrit, perlado de gotas de sudor y con una mancha de polvo en la mejilla.

El tiempo apremiaba. La guerra eclipsaba cualquier asesinato y pronto lo barrería todo, pero para cada persona afligida por la muerte de un ser querido, la pérdida era irreparable.

—Mataron a su padre la noche en que usted abandonó su hogar —dijo Hester en voz baja. No había modo de amortiguar el golpe o hacerlo menos contundente, y tampoco se lo podía permitir. Ella, Monk y Trace decidirían qué hacer en función de lo que Hester opinara acerca de la complicidad de Merrit en el crimen.

Merrit permaneció inmóvil, como si no hubiese comprendido sus palabras, con cara de perplejidad.

—Lo siento —dijo Hester despacio—. Lo asesinaron en el patio de su almacén, en Tooley Street.

—¿Asesinado? —Merrit se esforzaba por dar sentido a lo incomprensible—. ¿Qué quiere decir?

Hester la miraba fijamente, atenta a las emociones de su rostro, a cada rastro de dolor, confusión y pesar. Era una impertinencia de lo más grosero pero si querían cumplir con lo prometido a Judith Alberton, no tenía otra alternativa.

—Lo ataron y le pegaron un tiro —repuso con toda

claridad—. Igual que a los dos vigilantes, y alguien se llevó el cargamento de armas y munición; fue un robo.

Merrit quedó estupefacta, como si una amiga le hubiese asestado un golpe muy fuerte dejándola sin aliento. Le temblaron las rodillas y se desplomó sobre la rueda del carromato que tenía detrás, sin dejar de mirar horrorizada a Hester con los ojos como platos.

Hester no debía mostrarse compasiva, por el momento.

—¿Quién..., quién lo hizo? —preguntó Merrit con voz ronca—. ¿Philo Trace? ¡Porque papá finalmente vendió las armas a Lyman! —Dejó escapar un largo gemido, presa del sufrimiento y la ira, apretando los puños con fuerza.

A Hester le costó trabajo no inclinarse hacia ella. Habría jurado a cualquiera, a Monk o a Judith, que Merrit creía en lo que estaba diciendo, pero debía corroborarlo, pues no volvería a presentarse una ocasión como aquélla.

—Encontraron el reloj de Lyman Breeland en el patio —prosiguió—. El mismo que le había regalado y que usted juró no perder de vista jamás.

Merrit se llevó la mano al bolsillo superior, pero fue un gesto instintivo, pues un instante después recordó.

—Me cambié de vestido —dijo en un susurro—. Me lo quité...

—El reloj apareció en el barro del patio —repitió Hester—, y nadie pagó por las armas, sino que las robaron.

—¡No! ¡Eso es imposible! —Merrit se puso de pie de un salto, tambaleándose un poco—. Tuvo que hacerlo Philo Trace..., y no sé qué sería del dinero. ¡Pero Lyman compró las armas! ¡Yo estaba presente! ¡Él nunca... nunca robaría! Y..., y pensar que podría asesinar... es monstruoso... ¡No puede ser cierto y no lo es!

Su convencimiento no era una cuestión de fe, resplandecía en su rostro: había rabia en ella, y dolor, pero nada que se asemejara a la culpa.

Hester le creyó. No había opinión que formarse ni pruebas que sopesar en un sentido u otro. Breeland debió de coger el reloj y lo dejó en el patio, sin querer o queriendo. Pero ¿por qué?

Se oyó un ruido de cascos y un instante después una voz en grito.

—¡Deprisa! ¡Esas carretas, en marcha! ¡Han confirmado que la batalla será mañana en Manassas! ¡Tenemos que llegar allí antes del alba!

Hester reaccionó sin detenerse un instante a pensar. Sólo había una cosa que hacer, ahora. Breeland, Merrit, el asunto del secuestro y el del asesinato debían esperar. Había hombres que al día siguiente resultarían heridos y la marea de la guerra anegaba todo lo demás. El horror se apoderó de ella, familiar como una vieja pesadilla, y contestó como siempre lo había hecho.

—¡Ya vamos!

5

Hester y Merrit abandonaron Washington y emprendieron el viaje hacia Bull Run. Lo apremiante de la guerra tomaba la delantera a cualquier tragedia personal y tal vez Merrit encontrara más fácil, al menos durante unas horas, pensar en la escasa pero práctica ayuda que iba a prestar a los montones de hombres que resultarían heridos en lugar de ocupar la mente con lo acontecido en el patio del almacén en Londres.

Avanzaron tan deprisa como pudieron por las calles, y luego de atravesar los extraños terrenos baldíos en los que un día se extendería la ciudad, cruzaron el río por el puente de Long Bridge hasta los campamentos de Alexandria, ahora casi desiertos. Los hombres que allí había eran los heridos de anteriores escaramuzas en el sur y el oeste y los numerosos enfermos de tifoidea y disentería que asolaban a todos los grupos de personas que, como aquellos, no disponían de las mínimas condiciones de salubridad. Allí era aún peor de lo que hubiese sido en un clima más fresco o entre hombres con instrucción militar, pues en gran parte eran reclutas novatos sin ningún conocimiento sobre cómo tomar las más elementales medidas contra la enfermedad, los piojos o el envenenamiento por ingestión de comida o agua contaminados. Cada hombre era responsable de cocinar sus propios alimentos, los cuales les eran entregados a granel. La mayoría de ellos no sabían racionarlos para hacerlos durar y apenas tenían nociones de cocina.

Hester atravesó el lugar procurando no detenerse y reconocerlo todo. Había mucho sufrimiento innecesario, y su fetidez la perseguía mientras traqueteaban por los baches del camino sofocadas de calor, atragantándose con el polvo que levantaban los vehículos de delante. Oía gemidos de dolor y montó en cólera ante aquella agonía que imaginaba con la misma viveza que si Scutari y sus moribundos hubiesen sido cosa del día anterior. Tenía el corazón en un puño, todos los músculos agarrotados, el cuerpo le dolía de tanta tensión, trataba de apartar aquellas imágenes de su mente pero no lo conseguía.

Merrit guardaba silencio sentada a su lado. Fueran cuales fuesen sus pensamientos, no los expresó con palabras. Estaba pálida y mantenía la vista fija en el camino, aunque era Hester quien conducía la carreta. Quizá pensara en el campo de batalla al que se dirigían, preguntándose con miedo qué encontrarían en él, si llevaban suficientes provisiones para desempeñar su labor, si su coraje, su capacidad de aguante y sus conocimientos serían los adecuados. O tal vez recordara la furiosa despedida de su padre y las cosas que le había dicho y que ahora ya no podría retirar. Era demasiado tarde para decir que lo sentía, que en realidad no hablaba en serio o siquiera que a pesar de sus diferencias lo amaba y que su amor pesaba mucho más; era de por vida, parte de su ser. O quizá pensara en su madre y en la aflicción que debía consumirla en ese momento.

O probablemente se preguntara qué había ocurrido en el patio del almacén y cuál había sido la participación de Lyman Breeland en los acontecimientos. Eso suponiendo que no lo supiera ya. Y Hester no concebía esa posibilidad.

A mediodía el calor era casi insoportable. Estaban a más de treinta grados a la sombra. Condujeron todo el día bajo el sol resplandeciente, deteniéndose sólo cuando era necesario para que descansara el caballo, permitiendo que el animal se refrescara a la sombra de los árboles del borde del camino y tomara un poco de agua. Tenían que vigilar con suma atención que no bebiera en demasía, como tampoco ellas. Apenas hablaron, salvo de las otras carretas que se dirigían al mismo lugar que ellas o para preguntarse cuánto trecho faltaba para llegar y dónde acamparían por fin.

En una ocasión pareció que Merrit se disponía a sacar de nuevo el tema de la honorabilidad de Breeland. Estaba de pie en un prado de hierba marchita, pegando manotazos a unas irritantes moscas negras que no paraban de molestarlas. Pero en el último momento cambió de parecer y aludió al resultado de las consecuencias de la batalla.

—Me figuro que vencerá la Unión... —dijo—. ¿Qué ocurre con los heridos del bando perdedor?

No era el momento ni el lugar de andarse con eufemismos. La verdad se haría evidente en cuestión de horas. Estar preparado para hacerle frente reduciría al menos la parálisis de la conmoción, cuando no el horror.

—Depende de lo rápido que avance el frente —respondió Hester—. Con la caballería se mueve deprisa y los deja atrás. Se ayudan entre sí como buenamente pueden. Con la infantería va todo lo rápido que un hombre es capaz de correr. Todo el mundo hace lo posible por desandar lo andado, llevar a los compañeros más gravemente heridos, encontrar carros, carretas o lo que sea para transportar a quienes no pueden caminar.

Merrit tragó saliva. Otros carromatos pasaban por el camino dejando remolinos de polvo tras de sí.

—¿Y los muertos? —preguntó.

El recuerdo inundó a Hester con tanta fuerza que por un momento se le nubló la vista y una oleada de pena y náusea se apoderó de ella. Estaba de vuelta en Crimea, dando traspiés por el valle sembrado de muertos y moribundos tras la masacre de la Brigada Ligera, la tierra pisoteada y empapada en sangre, su olor preñando el aire, obstruyéndole la nariz y la garganta, rodeada por lamentos de agonía. Se sintió impotente ante tamaña enormidad. Al borde de la desesperación, volvió a notar las lágrimas resbalando por su rostro.

—¡Señora Monk! —El grito de Merrit la devolvió al polvo y el sudor del momento, a Virginia y a la batalla que aún estaba al caer.

—Sí... Lo siento.

—¿Qué pasa con los muertos? —A Merrit le tembló la voz, como si su corazón ya conociera la respuesta.

—A veces los entierran —contestó Hester con voz ronca—. Se hace cuando se puede, porque los vivos siempre son lo más importante.

Merrit se volvió y fue en busca del caballo. No había más preguntas cuyas respuestas desease conocer, excepto las simples y prácticas como la de cómo se ponían los arreos a un caballo, operación que desconocía por completo.

Al anochecer llegaron a la pequeña aldea de Centreville. Ésta consistía en una iglesia de piedra, un hotel y un puñado de casas diseminadas a unos nueve o diez kilómetros del arroyo Bull Run y la colina de Henry.

Hester estaba agotada y era más que consciente de su propia suciedad, y le constaba que Merrit debía sentirse igual, sólo que estaría mucho menos acostumbrada que ella. Ahora bien, la muchacha contaba con el entusiasmo por la causa de la Unión como acicate y si en algún momento se había inquietado por Lyman Breeland, no lo dejó traslucir en la parsimonia con la que saludó a las demás mujeres que habían acudido para compartir el trabajo y ofrecer también su ayuda, o a los pocos hombres del ejército destacados a los servicios sanitarios.

Ya habían convertido la iglesia en un hospital, así como otros edificios, y atendido a los primeros heridos de refriegas anteriores. Los últimos que estaban en condiciones de ser trasladados eran ubicados en carromatos y transportados a FairFox Station, a quince kilómetros de distancia, y desde allí a Alexandria.

Una mujer alta y delgada de cabello oscuro parecía la responsable. Hubo un momento en el que ella y Hester se encontraron cara a cara tras haber dado órdenes contradictorias para el almacenamiento de las provisiones.

—¿Quién es usted, si puede saberse? —preguntó la mujer con brusquedad.

—Hester Monk. Fui enfermera en Crimea con Florence Nightingale. Pensé que podría ayudar...

El enojo se esfumó del rostro de la mujer, que dijo sin más:

—Gracias. Los hombres del general MacDowell han estado patrullando el frente todo el día. Creo que lo más probable es que ataquen al amanecer. Todavía no pueden estar todos aquí, pero lo estarán para entonces, o poco después.

—Eso si es que atacan en cuanto empiece a clarear —puntualizó Hester en voz baja—. Más vale que descansemos un poco y que recobremos fuerzas para hacer lo que sea necesario entonces.

—¿Acaso piensa... —La mujer se interrumpió. Su rostro se pintó un instante de descarnado terror al caer en la cuenta de que sólo faltaban unas horas para que aquello fuese real. Enseguida recobró el coraje y la determinación. Sólo había un ligero temblor en su voz cuando prosiguió—: No podemos descansar hasta estar seguras de haber hecho cuanto podamos. Nuestros hombres estarán marchando toda la noche. ¿Cómo van a confiar en nosotras si nos encuentran dormidas?

—Montemos turnos de guardia —dijo Hester simplemente—. El idealismo y la moral son muy necesarios, pero es el sentido común lo que nos mantendrá en activo. Mañana necesitaremos todas nuestras fuerzas, créame. Tendremos que seguir trabajando mucho una vez la batalla se haya ganado o perdido. Para nosotras eso es sólo el principio. Hasta la batalla más larga es muy corta, comparada con sus secuelas.

La mujer titubeó.

Merrit entró en la habitación con la cara pálida y el cabello desordenado; se lo había recogido en la nuca con un trozo de tela. Se la veía aturdida por el cansancio.

—Es preciso que descansemos —insistió Hester—. Las personas cansadas cometen errores y un error nuestro puede costar la vida a un soldado. ¿Cuál es su nombre?

—Emma.

—Ahora no podemos hacer nada más. Tenemos hilas, escayola, vendas, coñac, cantimploras de agua e instrumental. Ahora lo que necesitamos es fuerza para usarlos y un pulso bien firme.

Emma se dio por vencida y con fatigado agradecimiento comieron un poco, bebieron de las cantimploras y se tumbaron para reposar lo poco que quedaba de noche. Hester se tendió al lado de Merrit y advirtió que ésta no dormía. Al cabo de un rato la oyó llorar en silencio. No la tocó. Merrit tenía que llorar y debía hacerlo en privado. Hester esperó que si había alguien más despierto y la oía lo atribuyera al miedo y la dejara superarlo sin pasar la vergüenza de llamar la atención.

También llegó a oídos de Monk y Trace que la batalla empezaría el domingo 21 de julio y que los últimos voluntarios y suministros habían salido hacia Centreville y otras poblaciones pequeñas cercanas a Manassas Junction, dispuestos a hacer lo posible para ayudar.

Estaban en la calle justo enfrente del hotel Willard. La gente gritaba. Un hombre salió corriendo del vestíbulo agitando su sombrero en alto. Dos mujeres se abrazaron entre sollozos.

—¡Maldita sea! —exclamó Trace con vehemencia—. Ahora no tendremos ocasión de atrapar a Breeland antes de los enfrentamientos. Será endemoniadamente difícil de encontrar. Puede que caiga herido y lo trasladen a un hospital de campaña, o incluso que lo evacuen y vuelva aquí.

—En ningún momento hemos tenido ocasión de atraparlo antes de la batalla —dijo Monk, mostrándose realista—. El caos es nuestro aliado, no nuestro enemigo. Y si resulta herido no tendremos más remedio que dejarlo atrás. Si muere, poco importa. Salvo que será más difícil mancillar el nombre de un hombre que murió luchando por sus creencias, fueran éstas las que fuesen.

Trace lo miró fijamente.

—Su pragmatismo resulta casi insultante. Nuestra nación está a punto de hacerse pedazos y usted sigue tan frío como uno de sus veranos ingleses.

Monk esbozó una sonrisa y repuso:

—¡Mejor eso que asfixiarse! Es más fácil reponerse de un resfriado que de la malaria.

Trace suspiró y le devolvió la sonrisa aunque con expresión compungida, como si estuviera a punto de llorar.

Un hombre pasó galopando a toda velocidad, gritando algo ininteligible y levantando una nube de polvo.

Monk se puso tenso.

—Nuestra mejor baza para atrapar a Breeland sería dar con él en el campo de batalla y apresarlo por la fuerza, como si fuésemos confederados capturando a un oficial de la Unión. Nadie verá nada raro en ello y con el baile de disfraces que son los uniformes, ¡tampoco habrá modo de que nadie sepa quién es quién! Después de lo visto, podrían sumarse al conflicto soldados de la antigua Grecia y Roma sin causar ningún revuelo. ¡Ya hay escoceses con faldas y zuavos franceses de todos los colores del arco iris, por no mencionar los fajines con los que se envuelven la cintura y todo eso que llevan en la cabeza, desde un turbante a un fez!

—Estaba previsto que fueran de gris —dijo Trace negando con la cabeza—, y los de la Unión de azul. ¡Dios! ¡Qué desorden! Dispararemos a amigos y enemigos por igual.

Monk deseó ardientemente poder brindarle algún consuelo. Si se hubiese tratado de Inglaterra luchando consigo misma no habría sabido cómo soportarlo. No había nada bueno o esperanzador que decir, nada que aligerara la terrible verdad. Intentarlo sería demostrar que no la comprendía o, peor aún, que no le importaba.

Se hicieron con dos caballos, pues ya no había ningún carro ni carreta para alquilar, y cabalgaron toda la noche hacia Manassas, deteniéndose sólo un rato para descansar. Sabedores de lo que les aguardaba más adelante, les costó trabajo conciliar el sueño.

A primera hora de la mañana del domingo, justo antes del alba, adelantaron a varias columnas de infantería que marchaban a paso ligero y otras a la carrera. Monk se horrorizó al ver los cuerpos sudorosos avanzando a trompicones, algunos con el rostro demacrado, jadeando para respirar aquel aire ya caliente que se pegaba a la garganta con toda su miríada de mosquillas.

Incluso había hombres que se desprendían de sus mantas y morrales dejándolos desparramados por los márgenes del camino. Más tarde, cuando el cielo palidecía por el este y se aproximaron al arroyo conocido como Bull Run, encontraron hombres exhaustos que tras dejarse caer permanecían tendidos sin más, tratando de recobrar fuerzas antes de que los llamaran para cargar las armas y atacar al enemigo. Muchos de ellos se habían quitado las botas y los calcetines dejando al descubierto los pies llagados y ensangrentados. Monk había oído por lo menos a un oficial dando órdenes para que sus hombres aminoraran el paso pero la columna era empujada sin tregua por los que venían detrás y la única alternativa era seguir avanzando. Comprendió que el desastre se cernía sobre ellos de forma tan implacable como el calor del día que despuntaba.

Monk dio un respingo al oír las detonaciones de un cañón que efectuó tres disparos y calculó que se encontraba en el mismo lado del río que él y que apuntaba hacia el otro, cerca de un hermoso puente de piedra con dos arcos que albergaba el portazgo para cruzar el Bull Run. Era la señal para iniciar la batalla.

Miró a Trace, que estaba a su lado, dejado caer en la silla con las piernas cubiertas de polvo y los ijares del caballo sudorosos. Aquélla iba a ser la primera batalla campal entre la Unión y la Confederación; la suerte estaba echada para siempre, se habían acabado las escaramuzas: la guerra era irrevocable.

Monk escrutó el semblante de Trace y no detectó ira, ni odio, ni excitación, sino un íntimo agotamiento de las emociones y la sensación de haber fracasado de un modo u otro a la hora de intentar captar el elemento clave que habría evitado la contienda; ahora era demasiado tarde.

Una vez más Monk trató de imaginar cómo se habría sentido si aquello hubiese sido Inglaterra, si aquellas onduladas colinas y valles salpicados de bosquecillos y pequeñas poblaciones hubieran sido las lomas más antiguas y verdes que tan bien conocía. Era Northumberland lo que veía en su mente, la vasta extensión del páramo cubierto de brezo en verano, las nubes empujadas por el viento, las granjas apiñadas en los prados, los muros de piedra dividiendo los campos, puentes de piedra como el que cruzaba el arroyo que tenían debajo, la larga línea de la costa y el agua brillante al fondo.

Si hubiese sido su propia tierra la que se encontraba en guerra consigo misma el dolor habría resultado tan profundo que la herida jamás habría cicatrizado.

Detrás de ellos había más hombres alineándose para entrar en formación, listos para atacar. Había ambulancias improvisadas en carros y carretas. Habían dejado atrás las tiendas de tejado apuntado que harían las veces de hospital de campaña, donde vieron a hombres y mujeres pálidos afanándose en los preparativos para recibir a los heridos. Para Monk todo el conjunto presentaba un aire de farsa. ¿Era posible que aquellas decenas de miles de hombres realmente aguardaran el momento de masacrarse mutuamente, cuando se trataba de hombres con la misma sangre y el mismo idioma que habían creado un país en tierra ignota, fundado en ideales compartidos?

La tensión iba en aumento. Los hombres estaban en marcha, tal como lo habían estado desde que a las dos de la mañana sonara el toque de diana, pero en la oscuridad muy pocos habían sido capaces de pertrecharse debidamente con sus armas y equipo, y menos aún de entrar en formación con un mínimo orden.

Hester aguardaba atormentada por la incertidumbre mientras oía disparos y cañonazos a lo lejos. Merrit miraba cada dos por tres hacia la puerta de la iglesia donde esperaban a los primeros heridos. Dieron las nueve. Trajeron a algunos hombres, medio en volandas, medio a rastras. El oficial médico extrajo una bala del hombro de un hombre y otra de la pierna de un compañero suyo. De vez en cuando llegaban noticias del frente.

—¡No conseguimos tomar el puente Stone! —informó jadeando un hombre herido; se agarraba con fuerza un brazo y la sangre le manaba entre los dedos—. Los rebeldes han agrupado allí una fuerza colosal.

Hester le echó unos veinte años. Presentaba el rostro ceniciento por el agotamiento y ojos como platos con la mirada fija. El médico estaba atendiendo a otro soldado.

—Venga conmigo, vamos a vendarle eso —dijo con dulzura, tomándolo del otro brazo y guiándolo hasta una silla donde le sería más fácil trabajar—. Tráigame agua —ordenó a Merrit por encima del hombro—. Y también un poco para que él beba.

—¡Son miles! —prosiguió el herido, mirando fijamente a Hester—. Nuestros muchachos caen como moscas... El suelo está cubierto de muertos. El aire huele a sangre. He pisado... —No pudo terminar.

Hester sabía muy bien a qué se refería. Ella había caminado por campos de batalla donde los cuerpos desmembrados yacían congelados en un último horror, seres humanos desgarrados y reventados. Había deseado no volver a verlo nunca más, ni permitir que aquello entrara en su mente. Se volvió para que el muchacho no viera su rostro y se encontró con que las manos le temblaban mientras le cortaba la manga y descubría la carne herida. Sangraba abundantemente, aunque al parecer el hueso estaba intacto y por fortuna la hemorragia no procedía de una arteria, pues de lo contrario no seguiría aún con vida y menos aún habría sido capaz de llegar por su propio pie hasta la iglesia. Lo principal era mantener limpia la herida y extraer la bala. Había visto la gangrena demasiadas veces. Era peor que la muerte, una necrosis en vida, y su olor no podía olvidarse.

—Se curará.

Quiso decirlo con firmeza, inspirarle confianza, disipar sus temores, pero le salió una voz temblorosa, como si ella misma estuviera aterrada. Sus manos trabajaban automáticamente. Habían hecho lo mismo infinidad de veces en el pasado: explorar con delicadeza con las pinzas, procurando no hacer daño y sabiendo que dolía horrores, hurgar en busca del pequeño trozo de metal causante de los destrozos en los tejidos vivos, asegurándose en la medida de lo posible de haberlo extraído todo. Algunos se fragmentaban, dejando esquirlas venenosas. Tenía que proceder deprisa debido al dolor, pues una conmoción lo podía matar, y también para evitar que perdiera demasiada sangre. Pero tanto o más importante era estar segura de no dejar nada dentro.

Y mientras trabajaba, su mente quedó atrapada en una maraña de recuerdos de pesadilla hasta el punto de oír corretear las ratas a su alrededor, oír sus cuerpos gordos caer con un sonido sordo de las paredes, sus chillidos. Olía el hedor de los excrementos humanos, notaba su textura bajo los pies al pisar las tablas del suelo cubiertas de las heces de hombres demasiado débiles para moverse, consumidos por la inanición, la disentería o el cólera. Veía sus ojos hundidos en el rostro; sabían que estaban muriendo. Oía sus voces cuando hablaban de lo que amaban, cuando trataban de decirse unos a otros que valía la pena esforzarse por seguir con vida, al bromear sobre un mañana que sabían que nunca llegaría, al negar una rabia que tenían sobrados motivos y todo el derecho de sentir tras haber sido traicionados por la ignorancia y la estupidez.

Conservaba recuerdos de individuos concretos: un teniente rubio que había perdido una pierna y murió de gangrena, un muchacho galés muy amante de su casa y su perro, de los que hablaba sin parar hasta que los demás le pedían que se callara y le tomaban el pelo. Murió de cólera.

Había más, una infinidad de hombres que habían perecido de una manera u otra. La mayoría unos valientes que habían sabido ocultar su horror y su miedo. Algunos, avergonzados, se sumían de pena en el silencio; para otros era lo natural. Todos ellos le habían dado mucha lástima.

Pensaba que el presente, su amor hacia Monk, todas las causas e ideales por los que había que luchar ahora, los enigmas, las personas que llenaban su vida, sellaría el pasado mediante el olvido.

Pero el polvo, la sangre, el olor a lona, a vino y a vinagre, el contacto con el dolor se lo habían devuelto con una viveza que la dejaba temblorosa, apabullada, más empapada de horror que a los que les venía de nuevo, como Merrit, quien apenas se figuraba lo que estaba por pasar. Hester sentía el sudor resbalar por su cuerpo y enfriarse, pese a aquel calor sofocante.

Estaba aterrorizada. No sabría sobrellevarlo, otra vez no. ¡Había tenido bastante con su parte y había visto más de la cuenta!

Encontró la bala y la extrajo; salió seguida de un chorro de sangre. Se quedó paralizada un instante. ¡No soportaría ver morir a otra persona! Aquélla no era su guerra. Era una estupidez monumental, una terrible locura surgida de las tinieblas del infierno. Había que ponerle fin. Tendría que salir corriendo, ahora mismo, y gritarles hasta que depusieran las armas y vieran la humanidad de todos sus rostros, en cada uno la identidad, no la diferencia, hasta que vieran su propio reflejo en los ojos del enemigo y se reconocieran en él.

Mientras pensaba esto, con dedos hábiles cosió la herida, aplicó gasas y vendas, comprobó que el apósito no apretara demasiado y pidió vino para mezclar con agua. Se oyó a sí misma consolando al joven soldado, dándole instrucciones sobre los cuidados que requería la herida e instándole a que no olvidara pedir que le hicieran otra cura en cuanto llegara a Alexandria o a donde fuese que lo enviaran.

El muchacho le contestó con voz más firme, más fuerte. Hester lo observó mientras se ponía de pie, se marchaba tambaleándose y se volvía para sonreír antes de salir de la tienda.

Trajeron a más heridos. Ayudó a transportarlos, enrolló vendajes, sostuvo instrumentos y botellas, acarreó cosas, levantó los ánimos de los heridos hablando con ellos, disipando sus miedos y aliviando su dolor.

Llegaron más novedades procedentes del campo de batalla. En buena medida significaban poco para Hester y Merrit, pues ninguna de ellas conocía la región, pero si eran buenas o malas resultaba fácil de ver en la expresión de quienes las traían.

Poco después de las once entró el médico, muy pálido, con la guerrera cubierta de sangre. Se detuvo bruscamente al ver a Hester.

—¿Qué demonios está haciendo? —inquirió con voz rayana a la histeria.

Ella se levantó apartándose del hombre cuya herida acababa de vendar. Se volvió hacia el médico y vio miedo en sus ojos. No tendría más de treinta años y Hester comprendió que en toda su vida nada lo había preparado para aquello.

—Soy enfermera —respondió con firmeza—. Sé muy bien lo que es la guerra.

—¿Ha curado heridas... de bala? —preguntó el médico.

—Sí.

—Han llegado más tropas rebeldes a la colina de Matthews —añadió él, observándola—. No tardarán en traer a muchos más heridos. Tenemos que sacarlos de aquí.

Hester asintió con la cabeza.

El médico no sabía qué decir. Estaba zozobrando en medio de unas circunstancias que superaban sus aptitudes e imaginación. Agradecía cualquier clase de ayuda, aunque procediera de una mujer. Ni siquiera la puso en duda.

Una hora más tarde un hombre con un brazo destrozado les contó sonriendo a pesar del dolor que Sherman había cruzado el Bull Run y que los rebeldes se estaban retirando hacia la loma de la colina de Henry. Se oyeron vítores, mayormente mascullados entre dientes por los demás heridos.

Hester dirigió la mirada hacia Merrit, cuyo vestido estaba arrugado y manchado de sangre, y la vio sonreír. Los ojos de la muchacha brillaron un instante antes de seguir pasando vendas al médico, quien no se había dado un respiro para celebrar la noticia.

Durante la hora siguiente el número de heridos fue disminuyendo.

El médico se relajó un poco y se sentó a descansar un rato. Bebió agua y se pasó la mano por la frente. Dedicó una atribulada sonrisa a Merrit, quien había estado trabajando codo con codo con él.

—Parece que nos va bastante bien —dijo, procurando mostrarse animado—. Los haremos retroceder. Se enterarán de lo que es una batalla. Igual se lo piensan mejor, ¿eh?

Merrit se apartó el pelo de la frente y recompuso como pudo el peinado con unas horquillas.

—Aun así, el precio es muy alto.

Hester seguía oyendo disparos de cañones y fusiles a lo lejos. Le vinieron ganas de vomitar. Quería escapar, encontrar algún modo de rehusar a creer, a sentir, a participar en todo aquello. Comprendió con suma claridad por qué las personas se volvían locas. A veces era la única manera de sobrevivir a lo insoportable cuando todas las demás salidas estaban bloqueadas. Cuando el cuerpo no puede evitar su presencia y no cabe atenuar las emociones, la mente sencillamente se niega a aceptar la realidad.

Dio unos pasos antes de hablar. Si aguardaba demasiado quizá no fuese capaz de hacerlo.

—¿Qué? —dijo el médico en tono de incredulidad, volviéndose hacia ella.

Se oyó a sí misma contestar con voz apagada, como si hablara otra persona, incorpórea.

—Todavía están luchando. ¿No oye los disparos?

—Sí..., me parece que están más lejos... —respondió—. Nuestros muchachos lo están haciendo bien..., apenas hay heridos y los que tenemos son leves.

—Eso significa que no han traído a los heridos —corrigió Hester—, o que hay muchos muertos. La batalla es demasiado intensa para que nadie pueda ocuparse de ellos. Debemos ir y hacer cuanto podamos.

No había duda de que era miedo lo que veía en sus ojos, quizá no a resultar herido o morir, sino, lo que era más probable, al dolor de los demás y a su incapacidad para socorrerlos. Conocía de sobra aquella sensación; le hacía un nudo en el estómago y se sentía mareada y débil. Lo único que podría ser peor sería el infierno de vivir con la conciencia de haber fracasado. Lo había visto en hombres que se consideraban cobardes, con razón o sin ella.

Se volvió hacia la puerta.

—Tenemos que llevar agua, vendas, instrumental, todo lo que podamos. —No trató de convencerlo. No había tiempo para muchas explicaciones. Ella iba a ir. Él podía seguirla o no.

Fuera encontró a un soldado que montaba a una ambulancia con salpicaduras de sangre.

—¿Hacia dónde se dirige? —preguntó.

—A la iglesia de Sudley —contestó el soldado—. Está a unos doce kilómetros... cerca de donde está ahora el frente.

—¡Espere! —ordenó Hester—. ¡Vamos con usted!

Y volvió adentro corriendo en busca de Merrit. El médico seguía atareado tratando de evacuar a los últimos heridos.

Merrit fue con ella, llevando tantas cantimploras como podía. Montaron con dificultad a bordo de la ambulancia y emprendieron la marcha de doce kilómetros hasta Sudley.

El calor era como un horno; el resplandor del sol lastimaba los ojos. Las nubes de polvo y pólvora indicaban el lugar donde los enfrentamientos eran más intensos, en una colina del otro lado del río, cuyo curso marcaban muy bien los árboles alineados en las riberas.

Tardaron más de una hora y Hester se apeó cuando aún faltaba un kilómetro y medio para llegar al hospital, llevando consigo media docena de cantimploras, dispuesta a atender a los hombres que seguían tendidos en el lugar donde habían caído.

Pasó junto a carros y carretas destrozados y vio algunos caballos heridos, aunque la caballería era poco numerosa. Había armas hechas añicos tiradas entre la hierba. Vio un fusil que evidentemente había explotado; su dueño yacía muerto a un par de metros, con la cara ennegrecida. A su lado, en el suelo oscuro de sangre, había otros heridos.

Maldijo la ignorancia e incompetencia que había enviado a aquellos muchachos a luchar con armas tan viejas y de mala factura que masacraban a sus usuarios. La ironía del asunto le llenó los ojos de lágrimas de impotencia. ¿Realmente estaba segura de que hubiese sido mejor que dispararan correctamente, matando a quien se pusiera a tiro? Las armas se creaban para matar, para mutilar, lisiar, desfigurar, hacer daño e infundir temor. Servían para eso.

Más adelante, el fuego cruzado iba en aumento. El fragor de los obuses y cañonazos retumbaba en el aire. Veía claramente las líneas de hombres, azules y grises, contra la hierba agostada, medio ocultas por el polvo y el humo. Los estandartes se elevaban por encima de ellos, colgando lánguidamente en el aire caliente. Debían de ser más de las tres. La iglesia de Sudley quedaba a unos cientos de metros.

Siguió avanzando entre carros destrozados, armas y cadáveres. El suelo estaba rojo de sangre. Un hombre yacía recostado, medio apoyado contra un cajón de municiones, con el abdomen reventado y los intestinos desparramados sobre los muslos desgarrados y ensangrentados. Por increíble que fuera, tenía los ojos abiertos; estaba vivo.

Aquello era lo que más detestaba; peor aún que los muertos eran quienes agonizaban presas del horror, viendo cómo se desangraban, sabiendo, impotentes, que se estaban muriendo. Quiso seguir adelante, fingir que no lo había visto, borrarlo de la memoria. Pero, naturalmente, le resultó imposible. Habría sido más fácil pegarle un tiro en la cabeza y acabar con el dolor.

Se agachó delante de él.

—No puede hacer nada por mí, señora —dijo con la boca seca—. Está lleno de compañeros más allá...

—Usted primero —contestó Hester con dulzura. Entonces bajó la vista hacia la espantosa herida que se agarraba con las manos como si realmente sirviera de algo.

¿Podría ella? Parecía que sólo se había desgarrado la carne; los órganos se dirían intactos. La mugre y la sangre le impedían verlos bien.

Dejó las cantimploras a un lado y sacó un rollo de venda. Mojó una compresa con agua y un poco de vino y empezó a separarle las manos y a limpiar la suciedad de los pálidos intestinos. Procuraba separarlos mentalmente del hombre que la estaba observando, fijarse sólo en los detalles, en los diminutos granos de tierra y arena, en los coágulos de sangre, en dejarlo todo bien limpio y tratar de acomodarlo en el lugar que debía ocupar en la cavidad del cuerpo.

Durante ese rato dejó de sentir incluso el calor que le abrasaba la piel, el sudor que le empapaba el rostro, las axilas y el escote. Iba tan deprisa como podía; no había tiempo que perder. Había que trasladarlo desde allí hasta la iglesia de Sudley y luego a Fairfax o Alexandria. Rechazó de plano el fracaso, que pudiera morir allí a pleno sol y entre el ruido del tiroteo antes de haber terminado la cura. Se negó a pensar en los otros hombres que había a un tiro de piedra y que sufrían tanto o más, que quizás hasta morían mientras ella estaba allí arrodillada, simplemente porque no había nadie para atenderlos. Sólo podía hacer una cosa a la vez si pretendía hacerla lo bastante bien como para que diera sus frutos.

Casi había terminado. Sólo un momento más.

A lo lejos, los disparos iban en aumento. Advirtió que había gente que pasaba corriendo por su lado, voces, gritos y las sacudidas de un carro por las roderas secas del suelo.

Levantó la vista hacia el rostro del hombre, aterrorizada al pensar que ya estuviera muerto y que hubiese trabajado ciegamente, negándose a ver la verdad. El sudor se le enfrió en la piel un instante. Le estaba devolviendo la mirada. Tenía los ojos hundidos en las cuencas por la conmoción y se le había secado el sudor de las mejillas pero no había duda de que estaba vivo.

Hester le sonrió y cubrió la espantosa herida con un apósito limpio. No tenía nada con qué suturarla. Cogió la cantimplora que había estado usando, mojó un trozo de tela y se lo puso en los labios. Poco después le lavó la cara con cuidado. No iba a servir de nada, salvo para consolarlo y quizás otorgarle una cierta dignidad, un hilo de esperanza, el reconocimiento de que seguía allí y que sus sentimientos como individuo importaban.

—Ahora necesitamos a alguien para trasladarle —dijo Hester—. Se pondrá bien. Un médico le coserá y vendará la herida. Lo único que tiene que hacer es conservarla limpia... en todo momento.

—Sí, señora... —Su voz apenas era perceptible; tenía la boca seca—. Gracias por... —Se quedó sin habla pero lo que quería decir estaba claro en sus ojos, aunque Hester no lo necesitaba. La recompensa estaba en el propio trabajo y en la esperanza. Había un poco menos de horror y, si tenía suerte, otra vida salvada.

Se levantó con dificultad, pues se le habían agarrotado los músculos, y se sintió un tanto mareada por el calor. Buscó en las inmediaciones a alguien que pudiera ayudarla. Había un soldado con un brazo roto, otro con el pecho salpicado de sangre pero que al parecer aún podía caminar. Al cabo de un momento vio a Merrit, procedente de la iglesia de Sudley, sucia, con manchas de sangre, tambaleándose bajo un cargamento de cantimploras. Se detenía de vez en cuando para asistir a los heridos o mirar con mayor detenimiento a algún caído y comprobar si estaba muerto o si aún podía hacer algo por él.

Hester indicó al hombre que no se moviera bajo ninguna circunstancia y recogiéndose la falda echó a correr dando traspiés por el accidentado terreno hacia Merrit, a quien llamó a gritos.

Merrit se volvió, con el rostro transido de miedo y cansancio, y, al reconocer a Hester, se echó a correr hacia ella a su vez, saltando entre las matas de hierba.

Hester le refirió brevemente el caso del hombre con la herida en el abdomen y la necesidad de hallar algún medio de transporte para llevarlo, junto con los demás heridos que pudieran, hasta la iglesia.

—Sí —dijo Merrit, tragando saliva—. Sí... Voy... —Se interrumpió. Sus ojos delataban el pánico que sentía. Las palabras valientes ahora resultaban absurdas, irrelevancias pertenecientes a otra vida. Nada podía haberla preparado para enfrentarse a aquella realidad. Hester vio que quería decirle eso, negar las cosas que había dicho antes. Necesitaba que Hester supiera lo que sentía, que reconocía lo distinto que era todo.

Hester le sonrió, atribulada. No había tiempo que

perder explicándose cómo se sentían. Los heridos eran lo primero y nada iba a ocupar un segundo o tercer lugar.

—Vaya a buscar ayuda —repitió Hester.

Merrit dejó caer casi todas las cantimploras, se puso derecha y se volvió para obedecer, tropezó, recobró el equilibrio y se fue a la carrera.

Hester recogió las cantimploras y se encaminó hacia la batalla, asistiendo a otros heridos, rodeada por un número cada vez mayor de muertos. Al otro lado del Bull Run los disparos no cesaban y el aire era una densa nube de polvo y humo. Hacía un calor abrasador que secaba la boca y quemaba la piel.

Finalmente se dirigió hacia la iglesia. El pequeño edificio rodeado de granjas se hallaba a un kilómetro escaso del Bull Run y se había convertido en el principal centro de acogida de heridos de la Unión.

Habían sacado al exterior los bancos de la nave de la iglesia. Muchos hombres se recostaban en ellos en posturas extrañas, tendidos bajo los árboles y los refugios provisionales. Otros estaban a cielo abierto, expuestos al resplandor del sol. Algunos no presentaban heridas pero padecían las consecuencias del calor y la deshidratación.

Por todas partes había hombres gimiendo y pidiendo ayuda a gritos. Los que tenían heridas más leves trataban de ayudar a dos o tres camilleros que se esforzaban por poner un poco de orden en el caos.

Cuando Hester se acercaba a la puerta, el médico, con la frente escarlata, salió y arrojó un brazo al montón de miembros amputados y trozos de carne que había junto a la pared y, sin siquiera reparar en ella, se volvió y entró de nuevo.

Una ambulancia con más heridos llegó traqueteando por las desigualdades del terreno.

Hester abrió la puerta de madera. Dentro habían cubierto el suelo de la iglesia con mantas sobrantes y unos montones de heno procedente de un campo vecino ofrecían improvisados colchones donde los hombres se tendían a reposar. Había varios cubos de agua, en algunos fresca, en otros roja de sangre.

El centro de la habitación lo ocupaba la mesa de operaciones, con los instrumentos dispuestos sobre una tabla apoyada en dos sillas. Los charcos de sangre hacían resbaladizo el suelo y los que se secaban se iban oscureciendo. El olor se pegaba a la garganta, y con aquel calor resultaba asfixiante.

Hizo acopio de valor y comenzó a trabajar.

A lo largo de la bochornosa tarde la batalla prosiguió en los altos de la colina de Henry. Al principio, Monk y Trace tuvieron la impresión de que las compañías de la Unión tomarían la colina. Sería un golpe aplastante para la Confederación. Quizás incluso bastara para poner fin al conflicto armado. Entonces retomarían la vía diplomática y hasta cabía que convinieran en que semejante derramamiento de sangre constituía un precio demasiado alto para forzar la unión de un pueblo que estaba dispuesto a morir antes de aceptarla.

Sin embargo, a última hora de la tarde las tropas confederadas recibieron refuerzos y la colina continuó resistiendo los embates de MacDowell. El edificio de Henry House parecía inalcanzable. Agachado tras unos matorrales en la ladera de la colina de Matthews y mirando a través del río que le habían dicho que se llamaba Young's Branch, Monk alcanzaba ver al ejército confederado defendiendo la cima de la colina. Los hombres de la Unión la habían atacado una y otra vez, con las banderas en alto entre remolinos de polvo y humo en medio de la arboleda, siendo rechazados a cada ocasión.

Había soldados muy cerca, a menos de veinte metros. El estruendo de los cañones era ensordecedor. Se oía el incesante traqueteo de los mosquetes y de vez en cuando el silbido de una bala y el chorro de polvo al chocar contra el suelo. Una había rozado el brazo de Monk, desgarrando la camisa haciendo manar sangre escarlata. El escozor de la herida le sorprendió si bien no era nada comparada con la agonía de otros.

—¡Voy a encontrar a ese cabrón! —gritó Trace por encima del ruido—. Me importa un comino el resultado de esta batalla, no se saldrá con la suya... —Se encogió de hombros torciendo el gesto—. ¡A no ser que haya muerto! Si es así, el diablo me habrá vencido, pero si Dios está de mi parte, daré antes con él.

Hizo visera con la mano y clavó los ojos en la colina de Henry, más allá del Young's Branch. Las líneas de la Unión se extendían hasta el risco Chinn por la derecha y la colina de Henry por la izquierda.

El viento cambió de dirección, enviando el humo a través del campo de batalla. Una bala de cañón pasó aullando junto a ellos y atravesó los árboles como una guadaña, rompiendo varias ramas que quedaron colgando.

Monk se preguntó por un momento por qué Trace no se sumaba a la batalla. ¿Por qué estaba tan decidido, por encima de todo, a perseguir a Breeland? Se mostraba obsesivo al respecto, poco ecuánime. Monk no luchaba. Aquélla no era su guerra. No sentía preferencia por ninguno de los bandos. La cuestión de la esclavitud no ocupaba mucho sus pensamientos, pues estaba contra ella de manera irrevocable, pero entendía el punto de vista de la Confederación cuando sus partidarios sostenían que la opresión económica del Norte en realidad no era mejor para los pobres. Cambiar instituciones profundamente arraigadas podía ser un proceso muy lento pero la violencia nunca sería la respuesta adecuada.

Tampoco acababa de entender aquella pasión por la unión por encima de todo. Para él, eso era pura polémica intelectual. Lo que le dolía era la realidad de aquellos hombres mutilados, tullidos, desangrados hasta la muerte en aquellas lomas polvorientas. No percibía diferencia alguna entre unionistas y confederados; todos eran igualmente carne y hueso, pasión, ilusiones y temores. Por primera vez comprendió parte de lo que Hester debía sentir cuando trabajaba indistintamente con amigos y enemigos, viendo sólo a la persona.

Casi no se atrevía a pensar en Hester. Echó un vistazo a los heridos y muertos que tenía alrededor y no supo por dónde empezar para ayudarlos. Se sintió mareado ante tanto horror. Le temblaban las manos; faltó poco para que las piernas le fallaran. La abominación de que era testigo le horrorizaba. ¿Cómo se mantenía a flote, cómo soportaba todo aquel dolor, la espantosa mutilación de cuerpos? Poseía una fuerza para él imposible de imaginar.

Philo Trace oteaba la colina de enfrente, intentando quizá reconocer un uniforme o el estandarte de un regimiento para averiguar dónde encontraría a Breeland.

—¿Va a adentrarse ahí para ir en su busca? —gritó Monk.

—Sí —contestó Trace sin volverse, entrecerrando los ojos contra el sol—. Cualquier sudista puede luchar por la Confederación y nuestro derecho a decidir nuestro propio destino. En cambio, yo soy el único que puede llevar a Breeland de vuelta a Inglaterra y que todo el mundo sepa cómo es... de lo que es capaz un comprador de armamento de la Unión para conseguir armas.

Monk permaneció en silencio. Lo comprendía y le daba miedo. Sabía de sobra lo que eran el crimen y la pobreza, el odio entre individuos y la injusticia. Aquello era de proporciones descomunales, una locura nacional de la que no había escapatoria, pues carecía de un meollo racional donde hallar la solución o siquiera una tregua.

En lo alto de la colina de Henry los hombres mataban y morían sin que ningún bando diera muestras de ganar.

Trace emprendió el descenso de la cuesta hacia el risco Chinn. Monk dio media vuelta.

El suelo estaba sembrado de hombres heridos cubiertos de sangre y polvo con los miembros torcidos, tendidos junto a otros muertos. Carros volcados, madera astillada, cañones de fusiles rotos apuntando hacia el cielo, ruedas inclinadas en ángulos absurdos.

Monk hizo lo posible por ayudar, pero no sabía cómo, le faltaban conocimientos. No tenía ni idea de cómo recolocar un hueso, cómo detener una hemorragia, quién podía ser trasladado y quién no. El calor quemaba en la piel y obstruía la garganta, el sudor picaba en los ojos y la tela húmeda le rozaba el rasguño de bala del brazo. El sol resplandecía despiadado. Había moscas por todas partes.

Una y otra vez bajó a trompicones hasta la orilla del río y llenó cantimploras, llevándolas de vuelta en medio de una lluvia de disparos, para dar de beber a los heridos.

Llevó a los hombres que sabía que podía mover a hospitales de campaña, donde hacían lo posible para detener las hemorragias, vendar las heridas y entablillar los huesos rotos allí mismo, sobre la hierba de la colina.

Encontró a Merrit hacia las cuatro y media, acarreando agua también, deteniéndose donde hubiere un herido capaz aún de beber.

Llevaba la falda desgarrada y se la veía exhausta, casi sonámbula. Tenía el rostro ceniciento y los ojos llenos de horror. Monk no tuvo muy claro que lo hubiera reconocido.

Juntos ayudaron a montar en un carro a un hombre con la pierna rota, a otro con la mano aplastada, a otros dos con heridas en el pecho que sangraban profusamente y Monk se puso a tirar del carro por el suelo accidentado, haciéndose daño en los hombros, con los músculos doloridos. El rasguño de bala del brazo había dejado de sangrar.

No había caballos sueltos que no hubiesen resultado heridos. El sufrimiento de los animales le resultaba más aborrecible que el de los hombres. No habían elegido combatir. Eran criaturas que no participaban de la guerra. Aunque se guardó mucho de decirlo. Quizá la mitad de los hombres que luchaban tampoco lo hicieran por voluntad propia sino más bien respondiendo a una decisión que era fruto del miedo o del idealismo de terceros.

Arrastró el carro hasta que estuvo a unos veinte metros del hospital de campaña de la iglesia de Sudley. No podía ir más lejos. Él y Merrit ayudaron a los hombres a apearse y éstos, apoyándose unos en otros, recorrieron tambaleándose el breve trecho final.

Los disparos sonaban cada vez más cerca, como si los rebeldes hubiesen tomado la colina de Henry y avanzaran cuesta abajo hacia ellos.

Dentro de la iglesia vio a Hester. Reconoció la silueta de sus hombros al instante, rectos, un poco estrechos, el algodón del vestido arrugándose al moverse aprisa y con destreza. Llevaba el pelo recogido atrás, con las horquillas sueltas, y un mechón le caía por la espalda. La falda estaba mugrienta e incluso por detrás presentaba manchas y salpicaduras de sangre.

El corazón le dio un vuelco. Lágrimas de orgullo asomaron a sus ojos y le invadió una admiración tan grande que durante unos segundos sólo la veía a ella; el resto de la sala era una nube oscura en la periferia de su visión, como si no hubiese otras personas, hombres heridos, un soldado de pie, uniformes azules y grises, otra mujer de rodillas.

Hester tenía un serrucho en la mano con el que cortaba el antebrazo de un hombre con ademanes rápidos, sin titubeos, sin tiempo para sopesar y juzgar. Obviamente no era la primera vez que hundía una cuchilla en la carne humana. Había sangre por todas partes, en los apósitos y vendas del suelo, en charcos y salpicaduras, tiñendo de escarlata las manos de Hester y formando una mancha oscura en las perneras del uniforme del hombre, que tenía la cara gris, como si ya estuviera muerto.

Hester siguió trabajando. El brazo inútil, o lo que quedaba de él, cayó al suelo y ella empezó a restañar la herida, tapándola con un trozo de piel que cubrió con un apósito, apretando con fuerza para comprimir los vasos sanguíneos. En todo ese rato no dijo palabra. Monk observaba su rostro en tensión, el sudor que le resbalaba por la frente y se acumulaba en el labio. Con el dorso de la muñeca se apartó el cabello de la cara.

Una vez cortada la hemorragia, cogió un trozo de tela, lo mojó en vino y lo acercó a la boca del hombre con suma delicadeza.

Sus párpados palpitaron.

Le dio un poco más de vino.

El hombre abrió los ojos, se volvió para verle el rostro y perdió otra vez el conocimiento.

Monk no sabía si el hombre viviría o no. Tampoco sabía si Hester lo sabía. Indagó en su expresión y no supo a qué atenerse. Estaba tremendamente agotada, no sólo físicamente sino también espiritualmente. Apenas era consciente de que hubiese alguien más allí, y mucho menos había reparado en la presencia de Monk, quien se sentía apabullado al constatar que jamás había visto una mujer tan hermosa. Su físico le era absolutamente familiar. Conocía cada parte de ella, la había abrazado, tocado, pero su alma era algo aparte, asombroso e inexplorado, algo que le inspiraba un respeto reverencial. Y le daba miedo, pues conocía las regiones oscuras de su propio ser y consideraba que nunca sería merecedor de lo que veía en ella. Sabía también que nunca alcanzaría a medir o llegar al fondo de su anhelo de ser igualmente amado por ella, que haría honor a esa ansia sin ninguna reserva.

Hester se volvió y lo vio; la magia del momento se

rompió. Se miraron a los ojos hasta hallar mutua comprensión y un inmenso alivio. Ella pronunció su nombre, sonriendo, y siguió con sus quehaceres.

Monk hizo lo que pudo para ayudar, cada vez más consciente de que carecía de preparación; ni siquiera sabía los nombres de los instrumentos que ella necesitaba o de los distintos tipos de vendas, y la sangre y el dolor le horrorizaban. ¿Cómo había alguien capaz de dedicarse a aquello día tras día, durante semanas... años... sin perder la cordura?

Salió otra vez, de vuelta al frente, y su miedo se acrecentó al comprobar que éste se había acercado. Eran más de las cinco de la tarde y las fuerzas de la Unión no habían tomado la colina de Henry, sino más bien lo contrario; los rebeldes descendían por ella en tropel y el encarnizado enfrentamiento iba retrocediendo hacia donde se encontraba él. Las nubes de polvo le impedían ver con detalle.

Entró de nuevo en la iglesia.

—¡La batalla viene hacia aquí! —exclamó con acritud—. Hay que sacar a estos hombres.

El médico estaba allí, con el rostro ceniciento, moviéndose como en un sueño.

—No se deje dominar por el pánico —dijo enojado—. Parece más cerca de lo que está.

—¡Salga a verlo con sus propios ojos! —repuso Monk, oyendo cómo levantaba la voz, perdiendo el control de sí mismo—. ¡Los rebeldes vienen hacia aquí! ¡Las tropas de la Unión se baten en retirada!

—¡No sea ridículo! —le gritó el médico—. ¡Si va a ponerse histérico más vale que salga de aquí! ¡Es una orden, señor! ¡Quítese de en medio!

Monk volvió a salir, temblando de ira y vergüenza. ¿Se estaba dejando llevar por el pánico delante de Hester, quien mantenía la calma en aquel infierno de horror?

Debía tranquilizarse. Le temblaban las piernas. Sudaba a mares. Hacía un calor infernal. Era como un horno.

¡No, no era pánico! Entre las tropas de la Unión reinaba el caos total, los soldados corrían hacia él, tirando al suelo armas y cartucheras, desprendiéndose de cuanto entorpeciera su huida. Un terror ciego impulsaba sus piernas.

Monk dio media vuelta y entró hecho una furia en la iglesia.

—¡Se baten en retirada! —chilló—. Todos van hacia la carretera de Washington. ¡Cojan a los heridos y salgan de aquí! ¡Todo el que pueda caminar, que camine!

Hester se volvió y le dirigió una mirada firme, inquisitiva. Le bastó un instante para creerle.

—¡Fuera! —ordenó—. ¡Merrit, no se separe de mí! —Sus ojos seguían clavados en los de Monk. No había olvidado a qué habían venido.

Se oyó una descarga cerrada de disparos muy cerca.

Como si eso fuese el acicate que necesitaba, el médico por fin se movió. Apartó a Hester para pasar y fue corriendo a la puerta. Los demás lo siguieron pisándole los talones.

Al salir, se pararon en seco. Un pequeño destacamento de caballería rebelde estaba a unos veinte metros y seguía acercándose aprisa.

Una bala pasó silbando junto a Hester e impactó en la pared de la iglesia, haciendo saltar astillas. Una le arañó la mano y dio un grito ahogado sin querer, llevándosela a los labios para cortar la sangre.

Los rebeldes se detuvieron y el médico dio un paso adelante para hablar con el oficial.

—Esto es un hospital de campaña —dijo con voz temblorosa—. ¿Pueden darnos protección mientras evacuamos a nuestros heridos?

El oficial negó con la cabeza.

—Arréglense como puedan, no estoy en condiciones de prometer nada. —Lo miró de arriba abajo—. Y usted se viene con nosotros... de regreso a Manassas Junction.

El médico suplicó, pero los rebeldes no admitieron discusión y diez minutos después se habían marchado, llevándose al médico con ellos y dejando a Monk, Hester, Merrit y dos camilleros para socorrer a los heridos.

Estaban metiendo a los hombres en los carros y se disponían a emprender el camino de regreso a Centreville y Washington cuando llegó un oficial de caballería de la Unión, con el brazo en cabestrillo y la guerrera sucia de sangre.

—¡Tendrán que ir hacia el oeste! —gritó—. No se puede pasar por el portazgo y el puente que cruza el Bull Run está bloqueado. Hay un carro volcado y toda la zona está plagada de civiles, gentes de Washington que han venido a presenciar la batalla con sus canastas de pícnic y todo. Ahora no saben qué hacer, no pueden pasar vehículos... ni siquiera las ambulancias. —Hizo un ademán con el brazo sano—. Tienen que ir en esa dirección.

Hizo volver grupas al caballo y se fue, ganando velocidad y desapareciendo entre el humo y el polvo.

—¿De verdad ha perdido la Unión? —preguntó Hester, abatida.

Monk estaba a su lado. Podía contestarle en voz lo bastante baja para que ni siquiera Merrit le oyera pese a la momentánea tregua.

—Esta batalla sí, por lo visto. No sé qué estará pasando a lo largo del camino.

No lograba dar crédito a lo que había dicho el soldado de caballería. ¿Quién en su sano juicio contemplaría semejante espectáculo por voluntad propia?

Sin embargo, la conmoción que esperaba ver en el rostro de Hester no se produjo. La miró a los ojos, desconcertado. ¿Por qué no estaba horrorizada?

Ella le leyó el pensamiento.

—En Crimea sucedía lo mismo —dijo con expresión de pena—. No sé a qué se debe..., quizás a un fallo de la imaginación. Hay personas incapaces de sentir el dolor del prójimo. Si no lo sienten en sus propias carnes, no es real.

A continuación reanudó la tarea, recogiendo los pocos bienes más importantes y pasando cantimploras de agua a quien pudiera cargar con ellas.

Los disparos seguían acercándose, aunque eran más esporádicos.

Merrit estaba paralizada por la consternación. A lo lejos se oían los extraños alaridos de los rebeldes que el viento traía.

—¿Dónde está Trace? —preguntó Hester con apremio.

Monk tomó la decisión al instante, mientras hablaba.

—Ha ido al frente. Está empeñado en encontrar a Breeland, pase lo que pase. Tendremos que ir hacia el sur si pretendemos marcharnos de aquí. Será difícil pero creo que tratar de abrirnos paso en este caos y llevarnos a Breeland entre sus paisanos resultará como quien dice imposible.

A Hester se le quebró la voz.

—¿Ir... hacia allí? —protestó mirando hacia donde tronaban los cañones. Pero Monk advirtió en su rostro que pese a todo comprendía los motivos que ocultaban sus palabras—. ¿Seremos capaces de encontrar a Trace?

Por un instante Monk pensó en mentir. ¿Tenía la responsabilidad de consolarla, de mostrar fuerza y esperanza, a pesar de la verdad? Nunca había encajado en su estilo el decirse palabras amables. De hecho, durante los dos primeros años de relación habían sido tan abrupta y despiadadamente sinceros como habían podido. No hacerlo ahora equivaldría a negar algo que ambos valoraban mucho, una terrible condescendencia, como si casándose con él hubiese perdido el derecho a su amistad.

—No tengo ni idea —dijo con una sonrisa más desesperada que insincera.

Por toda respuesta obtuvo un destello de humor y miedo en sus ojos.

Monk se volvió, con absoluta certeza de que Hester le seguiría y que llevaría a Merrit con ella, a rastras si era preciso, aunque seguramente la chica iría de buen grado dado que iban en busca de Breeland.

La batalla se había convertido en una auténtica desbandada, los hombres huían del frente hacia el portazgo para regresar a Washington.

—¡Espera! —exclamó Hester, y Monk torció el gesto al notar su mano en el brazo.

Hester miraba la herida.

—No es nada —dijo él—. Sólo un rasguño.

Hester cerró los ojos con fuerza un instante.

—William... ¿Cómo han permitido que ocurriera esto? Pensaba que nosotros éramos los únicos tan... ¡tan estúpidamente arrogantes!

—Pues parece que no es así... Pobres diablos —contestó. Ahora ella ya no tiraba de él; fue él quien se volvió para reanudar la marcha, tomándola de la mano y medio arrastrándola hasta que dejó de mirarle la manga y prestó atención a otras cosas.

Los tres avanzaban contra la marea humana, hacia las tropas confederadas que continuaban su avance, buscando sin cesar la chaqueta y los pantalones claros de Philo Trace entre los uniformes grises y azules ahora cubiertos de sangre y tierra, apenas distinguibles en medio de las nubes de polvo que levantaban.

Monk gritó dos veces el nombre del regimiento de Breeland a las tropas en fuga de la Unión. La primera vez no le hicieron ningún caso; la segunda, un hombre gesticuló frenéticamente con el brazo y ellos siguieron la que a su juicio era la dirección indicada.

Había cuerpos desparramados por todas partes; para la mayoría era ya demasiado tarde y la única asistencia que cabía darles era un entierro digno. De pronto oyeron a un hombre chillar. Hester se paró en seco y por poco hace caer a Monk.

El hombre yacía con ambas piernas destrozadas, incapaz de moverse por sí mismo.

Hester lo miró fijamente. Monk advirtió que estaba horrorizada y que al mismo tiempo trataba de decidir si podía hacer algo para ayudarlo o si de todos modos iba a morir.

Monk ansiaba seguir adelante, sin echar al dolor, a la sangre que manaba y a la desesperación pintada en el rostro del hombre un solo vistazo. No obstante, mientras todo su ser rechazaba aquella situación, sabía que habría perdido algo irrevocablemente hermoso si Hester hubiese estado dispuesta a marcharse. No la habría amado menos por ello, pero su ardiente admiración habría menguado.

Las lágrimas surcaban el semblante pálido y agotado de Merrit. Había entrado en aquel reino de pesadilla donde hasta los movimientos a duras penas parecían reales.

Hester se agachó junto al hombre y empezó a hablarle con voz serena y firme mientras con las manos procuraba apartar la tela desgarrada de las heridas para ver qué le había sucedido al hueso.

Monk fue a buscar armas de las que habían arrojado los hombres en su huida. Encontró dos, rompió las culatas astilladas y regresó con los cañones metálicos para dárselos a Hester.

—Bueno, por fin servirán para algo —dijo con amargura, y con un trozo de tela que arrancó de sus faldas vendó las heridas y ató los cañones bien prietos a modo de tablillas.

Monk cogió al hombre en sus brazos y acercó con cuidado a sus labios la única cantimplora que llevaban consigo, para que bebiera.

—Gracias —susurró el hombre con voz ronca—. Gracias.

—No podemos trasladarle —se disculpó Hester.

—Ya lo sé, señora...

Era demasiado tarde para pensar siquiera en ello. Los soldados confederados habían caído sobre ellos y los apuntaban con sus largos mosquetes; al cabo los bajaron al comprobar que no iban armados.

Los soldados se llevaron al hombre herido y no supieron qué fue de él. Era prisionero de guerra pero seguía con vida.

—¿Y ustedes quiénes son? —inquirió un oficial confederado.

Monk respondió la verdad, haciendo caso omiso de Merrit.

—Hemos venido a arrestar a un oficial de la Unión para llevarlo de vuelta a Inglaterra y juzgarlo por asesinato.

Merrit prorrumpió en negativas, mas las lágrimas ahogaron sus palabras, y además no tenía salida. No podía regresar a través de la confusión del ejército unionista en retirada. No sabía qué encontraría en Washington. Nadie lo sabía. Su única lealtad era para con Breeland, quien se encontraba en algún lugar más adelante, y, pese a sus motivos, Monk estaba haciendo cuanto podía para dar con él.

El oficial confederado meditó por un instante, se volvió y preguntó algo a un hombre que había unos metros más allá, para luego volverse hacia Monk abriendo mucho los ojos.

—Muchas ganas deben tenerle para venir aquí en este momento... ¿O es que no sabían nada acerca de esto?

—Lo sabíamos —respondió Monk con gravedad—.

Es un comprador de armas del ejército del Norte que estaba negociando un lote de seis mil rifles de primera clase y medio millón de cartuchos. El tratante y sus hombres fueron asesinados y el cargamento robado para el Norte en lugar de serlo para el Sur. Imagino que a usted tampoco le caería muy bien.

El oficial lo miró fijamente, con horror en su rostro cansado, manchado de pólvora y sangre.

—¡Dios bendito! —dijo entre dientes, con la mirada perdida en la carnicería del campo—. Espero que lo encuentren y que, cuando lo hagan, lo cuelguen bien alto. Prueben por allí.

Señaló con un brazo que hasta entonces Monk no había advertido que llevaba vendado y sangraba profusamente. En la mano del otro brazo sostenía el rifle.

Le dieron las gracias y avanzaron en la dirección indicada a través del polvo y el humo. Monk iba delante, Hester un metro tras él cogiendo a Merrit de la mano, medio tirando de ella por si la estupefacción del horror la llevaba a detenerse y la perdían.

Encontraron primero a Trace. Fue más fácil reconocerlo gracias a la camisa blanca y los pantalones claros, distintos de todos los uniformes. Empuñaba una pistola, y Monk también había cogido una de uno de los muertos.

Había menos ruido allí, en la ribera del otro lado del Bull Run, y el suelo estaba sembrado de cadáveres. Seguía haciendo calor y el aire era irrespirable. Monk oía el zumbido de las moscas y olía una mezcla de polvo, cordita y sangre.

Media hora después hallaron a Breeland aturdido, sujetándose un brazo torcido como si se le hubiese dislocado el hombro. Aún no estaba dispuesto a creer que la batalla hubiese terminado y que sus hombres se hubiesen batido en retirada. Procuraba auxiliar a los heridos, apabullado por no saber cómo hacerlo. Estaba rodeado de tropas confederadas pero no daba muestras de darse cuenta de ello. La mayoría pasaba por su lado sin hacerle caso; quizá lo confundían con un médico de campaña. No iba armado, y por lo tanto no suponía una amenaza.

Trace se puso firmes y apuntó con la pistola al pecho de Breeland.

—¡Lyman!

Merrit dio un tirón. Hester la cogía de la mano y el ímpetu de su movimiento por poco les hace perder el equilibrio a las dos, dejando a Merrit de rodillas.

—¡En pie! —ordenó Trace, implacable—. Se pondrá bien. —Hizo un ademán hacia el hombre tendido en el suelo y luego señaló bruscamente a Hester—. Ella cortará la hemorragia. Luego usted se vendrá con nosotros.

—¿Trace? —Breeland se quedó perplejo al verle. Aún no había reparado en la presencia de Merrit.

Trace parecía a punto de perder el dominio de sí mismo; tenía el rostro manchado de polvo y sangre, y gotas de sudor corrían por sus mejillas.

—¿Acaso pensaba que le dejaría escapar sin más? —inquirió con voz aguda—. Después de todo esto... ¿pensaba que alguno de nosotros permitiría que se saliera con la suya? ¿Es ésta su gran causa?

Parecía al borde de la histeria y la mano que empuñaba el arma temblaba. Por un terrible instante Monk temió que fuera a disparar a Breeland allí mismo.

Breeland estaba desconcertado. Miró el arma en la mano de Trace y luego levantó la vista hacia su rostro.

—¿Qué me está diciendo? —preguntó.

Merrit giró sobre sus talones y miró a Hester, desafiante en cada ángulo de su cuerpo, pidiendo una justificación.

Monk mantuvo su arma firme, apuntando a Breeland.

—¡De pie! —ordenó—. ¡Ya mismo! Deje que Hester atienda al soldado.

Breeland obedeció despacio, sosteniéndose con gesto automático el brazo herido. No intentó hacerse con un arma. Aún parecía sumido en la más absoluta confusión. Monk no estaba seguro de si se debía a sus preguntas o, más probablemente, a lo que para él inconcebible había ocurrido: la Unión había perdido la batalla; peor aún, mucho peor, les había entrado el pánico y habían huido. No le cabía en la cabeza semejante posibilidad. Los hombres de la gran causa no podían hacer algo así.

—Hallamos el cuerpo de Daniel Alberton y también los de los vigilantes —dijo Monk apretando los dientes, recordando lo que había visto, aunque ahora quedara eclipsado por la matanza que los rodeaba. Con todo, seguía habiendo un abismo moral entre el asesinato y la guerra, aunque no hubiese ninguna diferencia física. Los hombres que cometían el primero no eran de la misma clase que los que se veían atrapados en la segunda, pese a que el hecho de matar fuese el mismo.

Breeland los miró con ceño y por fin se fijó en Merrit, sintiéndose avergonzado además de confuso.

—Asesinaron a papá —explicó la muchacha, a la que le costó pronunciar tan terribles palabras. Estaba demasiado consumida por las emociones como para llorar—. Piensan que lo hiciste tú porque encontraron tu reloj en el patio del almacén. Les he dicho que tú no fuiste, pero no me creen.

Breeland no daba crédito a lo que oía. Los miró uno a uno como si esperara que al menos uno de ellos lo negase. Nadie habló; nadie pestañeó.

—¿Por eso han venido? —inquirió con voz entrecortada—. ¿Han hecho todo el viaje hasta aquí —extendió el brazo sano— sólo porque piensan que asesiné a Alberton?

—¿Qué esperaba que hiciéramos? —preguntó Trace con amargura—. ¿Achacarlo a los gajes de la guerra y olvidarlo? —Se pasó el dorso de la mano por la cara, enjugándose el sudor de los ojos—. Hay tres hombres muertos, por no mencionar las seis mil armas robadas. Puede que para su preciosa Unión sus actos estén justificados... pero no lo están para nadie más.

Breeland negó con la cabeza.

—¡Yo no maté a Alberton! Adquirí las armas en buena lid y pagué su precio.

Inexplicablemente, no fue la mentira lo que enfureció a Monk; fue el hecho de que Breeland aún no hubiese tocado a Merrit ni le hubiese ofrecido su compasión. Su padre había muerto y sólo le preocupaba que lo consideraran culpable del crimen.

—Volvemos a Inglaterra —anunció—. Y usted vendrá con nosotros para ser juzgado.

—¡No puedo! ¡Me necesitan aquí!

Breeland se enfadó como si le estuvieran diciendo tonterías.

—Puede volver a Inglaterra con nosotros y ser juzgado, o puedo ejecutarlo aquí ahora mismo —dijo Trace con voz desapasionada—. Y nos llevaremos Merrit para que se enfrente al juicio sola. Así podrá decir a Inglaterra lo nobles que son los soldados de la Unión... que disparan en la nuca a ingleses desarmados y dejan que sus hijas carguen con las culpas.

—¡Eso es mentira!

Breeland por fin dio un paso al frente, con expresión de furia.

Trace no dejó de apuntarle con el arma.

—Pues venga y demuéstrelo. No me importa que no crea que le dispararé.

No fue preciso que añadiera el resto; el rostro le brillaba de ira y ni siquiera Breeland, en su indignada consternación, podía malinterpretarlo. Retrocedió un poco y se volvió de cara al riachuelo, en dirección al camino de Washington.

—No se saldrá con la suya —dijo con una sonrisa apenas perceptible.

—Nadie va a volver por ahí. —El desdén de Trace fue como un azote—. Sus buenos conciudadanos de la Unión han salido en tropel para pasar una deliciosa tarde de domingo contemplando la batalla y ahora los caminos están bloqueados. Vamos a ir hacia el sur, a través de las líneas confederadas hasta Richmond, y luego a Charleston. Allí nadie va a ayudarle. Es más, si alguien se entera de lo que ha hecho, tendrá suerte de llegar sano y salvo hasta el mar. Si realmente piensa que puede demostrar su inocencia ante un tribunal británico, tendrá la sensatez de acompañarnos sin oponer resistencia ni contar nada a nadie. Los norteños no gozan de mucha simpatía ahora mismo en la Confederación.

Breeland echó un último y ansioso vistazo a lo que quedaba de sus hombres, a las nubes de polvo que mostraban su ruta de retirada, y su renuencia se vino abajo. Suspiró profundamente y comenzó a seguir a Monk. Hester y Merrit caminaban juntas, un poco separadas de él, dándose apoyo mutuo. Trace cerraba la marcha sin dejar de empuñar el arma.

6

Les llevó toda aquella tarde y el día siguiente llegar hasta Richmond. Cubrieron parte del trayecto en distintos trenes y parte viajando en carros, en medio de los heridos que regresaban del frente. No obstante, a diferencia de las tropas de la Unión, los sudistas se mostraban eufóricos por la victoria y abundaban quienes aludían a ella como el final de la guerra. Tal vez ahora los norteños los dejarían en paz, permitiéndoles vivir como una nación aparte según era su deseo. Hester percibió en sus rostros cierta perplejidad sobre por qué había sido necesaria la lucha de todos modos. Algunos intercambiaban bromas, era una suerte de alivio haberse visto empujados a tomar la medida final y haber dado la talla.

Breeland, cuyo hombro magullado y dislocado volvía a estar en su sitio, llevaba el brazo en cabestrillo. Sin duda le había dolido, pero no se trataba de una herida que requiriera más tratamiento. Los otros cortes que presentaba eran superficiales. La sangre que manchaba sus ropas procedía en su mayor parte de cuando había tratado de socorrer a los heridos. Monk buscó una chaqueta limpia para sí, no tanto por tener un aspecto pulcro como por no delatar su lealtad para con la Unión. Como todos ellos, estaba agotado, y quizá más abatido que el resto. No podía ser de otro modo.

Hester lo miró de reojo varias veces mientras avanzaban hacia el sur. El sol resaltaba las minúsculas arrugas de su piel, cubiertas de tierra incrustada y más profundas a causa del cansancio. Sus músculos parecían tensos, como si, caso de tocarle, fuera a encontrarlos duros. Las manos se aferraban a las piernas, unas manos sorprendentemente grandes, muy fuertes. Hester percibió su enfado, mas ningún miedo. Sus pensamientos estaban muy lejos. En su fuero interno luchaba contra algo y los demás quedaban completamente al margen.

Observó a Merrit, quien apenas prestaba atención al hermoso paisaje que atravesaban, con sus añosos árboles y pequeñas comunidades rurales. Vieron a unos pocos hombres trabajando en los campos, todos ellos blancos. Merrit sólo pensaba en Breeland. No interrumpió sus pensamientos pero ahora le observaba con una tensa inquietud que la hacía palidecer. Hester sabía que, a pesar de su propio horror y agotamiento, la chica intentaba ponerse en el lugar de su amado, hacerse una idea de la confusión y la vergüenza debidas al resultado de la batalla. Su adorada Unión no sólo había perdido sino que lo había hecho de manera deshonrosa. Sin duda vería amenazadas sus creencias. ¿Qué se le podía decir a un hombre que padecía semejante sufrimiento? Demostrando su buen juicio, se guardó mucho de decir nada.

Hester también observó a Philo Trace. Calculó que era por lo menos diez años mayor que Breeland y, bajo el crudo resplandor del sol, cansado y todavía sucio de polvo y humo, las arrugas de su rostro eran más profundas que las de Breeland, y más numerosas en torno a la boca y los ojos. El suyo era un rostro más expresivo, más marcado por el carácter, por las alegrías y los pesares. No presentaba la tersura ni el férreo dominio que caracterizaban a su adversario. Era un semblante reservado mas sin un ápice de timidez.

Había algo en los rasgos de Breeland que la asustaba. No era tanto una presencia como una ausencia, algo humano y vulnerable que no alcanzaba ver en él. ¿Sería eso lo que Merrit admiraba? ¿O simplemente no estaba ahí porque aún era muy joven? El tiempo y la experiencia dejarían su huella en el futuro.

¿O acaso Hester se imaginaba todo aquello porque sabía que había matado a Daniel Alberton para hacerse con las armas con la misma sangre fría que si hubiese sido...? Estuvo a punto de pensar «un animal», pero era incapaz de matar a un animal sin sentir horror.

Viajaban sin pronunciar más palabras que las necesarias. No tenían nada que decirse; nadie parecía deseoso de salvar el abismo que los separaba. Con Monk no hacía falta hablar. Hester sabía que sentían lo mismo, y la ausencia de conversación entre ellos era cordial.

Al acercarse a Richmond atravesaron grandes plantaciones, y fue allí donde vieron hombres negros cultivando los campos, con las espaldas dobladas, trabajando en equipos como animales pacientes. Los hombres blancos supervisaban la labor, caminando de un lado a otro, vigilantes. En una ocasión Hester vio a un capataz levantar un látigo que descargó contra la espalda de un negro con un chasquido seco. El peón se tambaleó, pero no emitió grito alguno.

Hester se sintió enfermar. Era un hecho insignificante que con seguridad se repetía decenas de veces al día en un sitio u otro, pero era un signo de algo profundamente ajeno a cuanto ella aceptaba. De repente aquélla era una tierra distinta. Se encontraba entre gentes cuyo estilo de vida jamás podría tolerar. Se sorprendió observando a Philo Trace con otros ojos. Le había caído bien. Era amable, tenía sentido del humor, imaginación, amor por la belleza y un espíritu generoso. ¿Cómo podía luchar con tanto encono para mantener la cultura que hacía aquello?

Advirtió que se ruborizaba por el modo en que lo miraba.

—Hay cuatro millones de esclavos en el Sur —dijo

Trace en voz baja—. Si se rebelan se convertirá en un matadero.

Breeland se volvió y lo miró con desdén. No se tomó la molestia de hablar. La expresión de Merrit era un calco de la suya.

A Trace se le encendieron aún más las mejillas.

—América es un país rico —prosiguió con firmeza, negándose a ser silenciado—. Están floreciendo ciudades por todas partes, sobre todo en el Norte. Hay industria y prosperidad...

—¡Nada de eso es para la gente de color! —espetó Merrit.

Trace no la miró.

Una breve sonrisa desdeñosa asomó a los labios de la muchacha.

—Exportamos toda clase de cosas —continuó Trace—. Bienes manufacturados en el Norte donde los industriales se enriquecen...

—¡Sin mano de obra esclava! —lo interrumpió Breeland por fin—. ¡Sacamos provecho de lo que hacemos con nuestras manos!

—Con el algodón —puntualizó Trace con calma—. Más de la mitad de las exportaciones de nuestra nación son de algodón. ¿Lo sabían? Algodón cultivado en el Sur... y eso sin mencionar el azúcar, el arroz y el tabaco. ¿Quién piensa que planta, cuida y cosecha el tabaco de sus cigarros, Breeland?

Breeland tomó aire como si fuera a hablar, pero volvió a soltarlo y permaneció callado.

Trace apartó la vista hacia el hermoso paisaje campestre. Había pesar y culpa en su rostro, un amor por algo que era hermoso y terrible, y que temía perder. Quizá ya lo daba por perdido, si no para todos, al menos para él.

Fueron en tren, primero desde Richmond pasando por Weldon y Goldsboro hasta el puerto costero de Wilmington en Carolina del Norte. Desde allí volvieron a ir tierra adentro hasta Florence y finalmente hasta Charleston, en Carolina del Sur, donde sólo tres meses atrás se había efectuado el primer disparo de la guerra dando lugar al bombardeo de Fort Sumter.

Monk y Hester se quedaron con Breeland y Merrit mientras Trace fue a gestionar los pasajes para Inglaterra. El viaje hacia el sur había sido tenso y agotador. Breeland no había intentado escapar, ni Merrit había tratado de ayudarle, pero tanto Hester como Monk eran muy conscientes de que sólo una estrecha vigilancia podía asegurarles que eso no sucediera. Tuvieron que establecer turnos de guardia, siempre con una pistola cargada a mano.

En una ocasión Breeland miró a Hester con ojos llenos de desdén, hasta que estudió su semblante más detenidamente y el desprecio fue remplazado por el reconocimiento de que ella había visto más muerte que él. Ya no tuvo tan claro que no fuese capaz de disparar..., quizá no para matar, pero sin duda para hacerle mucho daño y tal vez lisiarlo. Después de eso no hizo el menor intento de escapar a su vigilancia.

En Charleston estaba en boca de todos el bloqueo que Lincoln había declarado a lo largo de toda la costa del Sur, desde Virginia hasta Tejas. Se especulaba sobre si tendría éxito y se rumoreaba que había tráfico de armas a través de las Bahamas y otras islas neutrales.

Pero al segundo día Trace regresó anunciando que había encontrado billetes y que zarparían con la marea de la tarde siguiente.

El viaje de regreso a través del Atlántico sólo duró trece días, ya que tuvieron viento a favor casi todo el camino. En todos los aspectos físicos, era un placer pasear por cubierta bajo el sol y el cielo azul, rodeados por doquier del vivo azul del mar hasta el horizonte infinito. Merrit apenas guardaba semejanza alguna con la muchacha que había sido antes de la batalla perdida. Conservaba la determinación y la pasión pero su alegría había sido destruida, al menos temporalmente. El heroísmo de la realidad no había tenido nada que ver con el de sus sueños. Si además había descubierto la vulnerabilidad de Breeland, o incluso un defecto, era demasiado leal como para traicionarlo siquiera en un cruce de miradas.

Emocionalmente, no obstante, la procesión iba por dentro.

Una vez recobrado del agotamiento físico, y cuando el dolor de su hombro hubo remitido notablemente, Breeland solicitó hablar con Monk. Habían distribuido los camarotes de modo que Trace pudiera mantener una vigilancia razonable sobre Breeland. No era necesario más, puesto que la huida era a todas luces imposible. Breeland se negó a decir nada a menos que Monk le viera a solas.

De entrada Monk se habría negado, pero le picó la curiosidad y al mismo tiempo le conmovió la urgencia de Breeland, como si lo que éste deseaba comunicarle no fuese meramente la previsible justificación de sus actos o el ofrecimiento de algún trato a cambio de su libertad.

Se reunieron en cubierta, un poco apartados de los demás pasajeros, que eran mucho menos numerosos que en el viaje de ida. No había emigrantes que regresaran, nadie que volviera del nuevo mundo al viejo con la esperanza de mejores oportunidades y más libertad. Al parecer nadie lo deseaba o, de ser así, eran incapaces de huir de la guerra.

—¿Qué quiere de mí? —preguntó Monk, más bien de mala gana, mirando fijamente a Breeland, que se apoyaba en la barandilla observando el agua azul que se arremolinaba contra el casco e iban dejando atrás.

Breeland no se movió ni se volvió hacia él.

—La señora Monk le explicó a Merrit que mi reloj apareció en el patio del almacén donde mataron a Daniel Alberton —dijo.

—Así es —repuso Monk—. Lo encontré yo mismo.

—Se lo regalé a Merrit, como recuerdo.

—Muy amable de su parte —observó Monk con sarcasmo.

—No tanto —repuso Breeland quitándole importancia—. Era un buen reloj; me lo regaló mi abuelo para celebrar mi graduación. Tenía la intención de casarme con Merrit... Entonces pensaba que sería libre de hacerlo.

—Me refería a que era muy amable de su parte mencionar ese hecho, ahora que hallaron el reloj en el lugar donde asesinaron a su padre —corrigió Monk.

Breeland se volvió despacio, con expresión dura y expresión de desprecio en los ojos grises.

—Es inconcebible que se imagine que pudo asesinar a su padre, de un disparo, según parece. Es una infamia. Ni siquiera Philo Trace se rebajaría a insinuar algo semejante.

—No, no es eso lo que creo —dijo Monk—. Pienso que lo hizo usted, con ella presente, bien como cómplice, bien como rehén. —Sonrió forzadamente—. Aunque también consideré la posibilidad de que lo hiciera usted solo y que arrojara el reloj allí a propósito, sabiendo que obraba en poder de ella, para evitar que fuéramos tras ustedes.

Breeland se quedó perplejo.

—¡Pensó que haría eso! Por el amor de Dios... —Se interrumpió de golpe, negando con la cabeza, con los ojos muy abiertos—. No tiene ni idea..., ¿verdad? Su mente, sus aspiraciones son tan... tan bajas, sólo se le ocurren abominaciones. No tiene ninguna noción de la nobleza que hay en la lucha por la libertad de los demás. Le compadezco.

A Monk le sorprendió no enfadarse más, pero el rostro de Breeland reflejaba una fría pasión demasiado ajena a él como para suscitar semejante respuesta emocional.

—Tenemos ideas distintas sobre lo que es la nobleza —respondió con bastante calma—. No advertí nada admirable en los tres cuerpos muertos que hallé en el patio del almacén, atados de pies y manos y con un disparo en la nuca. ¿Qué libertad estaban limitando, aparte de la suya para robar las armas que no estaban dispuestos a venderle?

—Yo no maté a Alberton —dijo Breeland, ceñudo—. No volví a verle después de marcharme la tarde en que usted estaba allí. —Se mostró desconcertado—. Esa misma noche me envió un mensaje diciendo que había cambiando de parecer y que finalmente estaba dispuesto a venderme las armas, por el precio total, y que había dispuesto que su agente, Shearer, me las entregara en la estación de ferrocarril. No debía decírselo a nadie, pues creía que Trace se enojaría si lo averiguaba y que podía reaccionar con violencia. —Torció los labios en un gesto despectivo—. Por desgracia, tenía razón. Sólo que él no podía contar con que usted fuese tan tonto como para creer a Trace... salvo que Trace ha estado prodigando muchas atenciones a la señora Alberton, quien no es difícil de halagar. ¿O es que tampoco se había dado cuenta de eso? Tal vez, como tantos otros ingleses, tenga usted demasiados intereses creados en la continuidad de la esclavitud como para desear que la Confederación pierda la guerra.

El tono de su voz era insultante.

Esta vez Monk sí que se enojó, y de forma asombrosa. En la insinuación de que Judith Alberton, en el mejor de los casos, había hecho la vista gorda ante el asesinato de su marido había algo que le hizo montar en cólera. El comentario acerca de la esclavitud tal vez estuviera bien fundamentado, mas no revestía la menor importancia. Despreciaba la esclavitud tanto o más que Breeland. Sus músculos se tensaron, deseosos de pegar a Breeland con todas sus fuerzas. Le costó un gran esfuerzo limitarse a usar las palabras como arma.

—No tengo ningún interés en la esclavitud —dijo con frialdad—. Puede que no se haya dado cuenta, pero en Inglaterra nos deshicimos de ella hace mucho tiempo, varias generaciones antes de que a ustedes se les ocurriera abolirla. Aunque es cierto que compramos algodón cosechado por esclavos..., a ustedes, para ser exactos. Por valor de millones de dólares. Y también tabaco. ¿No deberíamos haberlo hecho?

—Ésa no es... —balbuceó Breeland, rojo como un tomate.

—¿La cuestión? —lo interrumpió Monk, enarcando las cejas—. No, no lo es. La cuestión es que Alberton se negó a venderle las armas que usted quería, de modo que lo asesinó y se las robó. Para qué, o la nobleza de la causa, es irrelevante. —No supo reprimir una expresión de sorna—. ¡Qué valiente!

La ira y la humillación encendieron el rostro de Breeland.

—¡Yo no maté a Alberton! —masculló Breeland, dejando de apoyarse en la barandilla para volverse hacia Monk—. No tenía ninguna necesidad, aunque usted me crea capaz de hacerlo. Me vendió esas armas. Pregúnteselo a Shearer. ¿Por qué no lo hace?

¿Acaso era concebible? Por primera vez Monk consideró seriamente la posibilidad de que Breeland no fuese culpable.

Breeland advirtió la vacilación de su mirada.

—No es tan buen policía como parece, ¿verdad? —dijo con desdén.

El comentario picó a Monk, pues se dio cuenta de que había permitido que le leyera el pensamiento.

—¿Así, pues, que Merrit entregó el reloj a Trace, quien fue a asesinar a Alberton minutos después de que alguien se llevara las armas del almacén, y Trace dejó el reloj allí? —dijo con fingido asombro—. ¿Y, desgraciadamente, este tal Shearer, a quien ni Alberton ni Casbolt conocen, llevó las armas hasta usted, se metió en el bolsillo el dinero que usted pagó y desapareció? Su motivo quedaría bastante claro: el dinero. Pero ¿por qué iba Merrit a hacer algo así? Porque lo hizo, ¿verdad? No tiene ni idea de dónde estuvo mientras usted llevaba a cabo sus esquivas actividades comerciales con el evanescente señor Shearer.

Breeland no tenía respuestas, y la confusión que se reflejó en su rostro le traicionó. Volvió a apartar la vista hacia el agua azul.

—No... estuvo conmigo todo el rato; pero puede jurarle que compré las armas en buena lid a Shearer y que nunca fui a ningún sitio cerca de Tooley Street. ¡Pregúntele!

Por supuesto, Monk la interrogó, aunque estaba casi seguro de lo que ella diría. Nada de lo ocurrido en Washington o en el campo de batalla, o en el viaje a través del Sur hasta el barco, había alterado su devoción por Breeland ni la inmensa compasión que le inspiraba la derrota de su ejército. Le observaba sumido en la amargura de ese conocimiento y las ansias de ayudarle eran patentes en su rostro. No cabía que él dudara de ella.

Lo que Breeland sintiese por ella era más difícil de descifrar. Aunque se mostraba amable con la muchacha, la herida a su orgullo aún era demasiado viva para que nadie la pudiera tocar, y tal vez menos que nadie la mujer a quien amaba, a quien con tanto entusiasmo había hablado de la grandeza de la causa y de la victoria que alcanzarían. No sería el primer hombre ni el último en alardear de su valentía o su honor, pero parecía resultarle más difícil que a la mayoría encajar un revés, grande o pequeño. No había ninguna flexibilidad en él, era incapaz de burlarse de sí mismo o de apartarse, siquiera un instante, de la pasión que lo consumía.

Monk no estaba seguro de si admiraba a Breeland o no. Quizá sólo fuesen los hombres como él quienes lograban grandes cambios en el gobierno de las naciones. Tal vez fuese el precio de tan enormes triunfos.

Hester no abrigaba la menor duda al respecto. Pensaba que su egoísmo era innato, y así lo manifestó.

—Quizá Merrit lo comprenda —insinuó Monk, paseando junto a ella por cubierta mientras el sol poniente se derramaba sobre las agitadas aguas, pintando de fuego su profundo azul—. Las palabras y los gestos no siempre son necesarios.

—¡No digas tonterías! —Ella desechó ese razonamiento con la vista vuelta hacia el mar, achicando los ojos para protegerlos de la luz—. Claro que no lo son. Pero una mirada es... una caricia, algo. Ella ahora sufre por ambos, compartiendo su dolor y amándole desesperadamente. Ahora bien, ¿qué pasa con su propio pesar? ¡Es su padre quien ha muerto, no el de él! Merrit no es un soldado, William, como tampoco tú. —Sus ojos eran muy dulces, buscaban en los de él la herida que curar—. Igual él no tiene pesadillas sobre el frente, sobre la iglesia de Sudley y los hombres a quienes no pudo socorrer... pero ella sí. —Apretó los labios, presa del dolor—. Y yo también. Tal vez tenga que ser así pero necesitamos que alguien nos sostenga.

—Tal vez ya le ha dicho cuanto podía decirle —contestó Monk, acercándose a Hester y rodeándola con el brazo.

Ella abrió los ojos como platos, furiosa.

—Cuando por fin se dé cuenta de que él no va a darle nada de sí mismo, se va a morir de soledad... Siempre antepondrá su amor hacia la Unión porque le resulta más fácil. Eso no exige nada a cambio.

—¡Lo exige todo! —protestó Monk—. ¡Su tiempo, su carrera, hasta su vida!

Hester le miró fijamente.

—Pero no su risa, o su paciencia, o la generosidad de olvidarse de sí mismo por un rato —replicó—. O pensar en algo que no le interese especialmente. Esa clase de entrega nunca le pedirá que escuche en lugar de hablar, que cambie de parecer contra su voluntad, caminar un poco más despacio o reconsiderar algunas de sus opiniones, permitir que otro sea el héroe sin hacer grandes aspavientos.

Monk entendió lo que su esposa le quería decir.

—Siempre hará las cosas a su manera —concluyó Hester bajando la voz. Fue como una condenación.

—¿Estás segura de que mató a Alberton? —preguntó Monk.

Transcurrieron unos cuantos minutos antes de que respondiera. Oscurecía, y el color que salpicaba las aguas fue perdiendo intensidad. La profundidad del cielo era una sombra añil ilimitada, tan hermosa que su brevedad le dolía en el alma. Poco importaba que fuera a haber otro ocaso a la noche siguiente, y a la siguiente, y a la otra; ninguno de ellos sería lo bastante largo. Y pronto los estaría viendo no a través del océano sino por encima de los tejados de la ciudad.

—No lo sé —respondió por fin—. No veo otra respuesta que tenga sentido... pero no estoy segura.

El barco atracó en Bristol y Monk desembarcó el primero, dejando a los demás a cargo de Trace. Fue derecho a la comisaría de policía más cercana donde explicó quién era y cuál su relación con Lanyon a propósito de los asesinatos de Tooley Street, crímenes de los que la prensa había informado de sobra. Anunció que traía consigo a Lyman Breeland, así como a Merrit Alberton, y que se proponía llevarlos a Londres en tren.

Como era de esperar, la policía quedó muy impresionada y se ofreció a enviar un agente para ayudarles y asegurarse de que los prisioneros no escaparan durante el viaje. Monk reparó en el uso del plural con una punzada de aflicción, aunque sin sorprenderse.

—Gracias —aceptó. No lo hacía de buen grado lo de incluir a otra persona, pues así perdía parte de autonomía, pero iba a necesitar ayuda oficial y sería del género idiota arriesgarse a perder todo lo que habían logrado por una cuestión de orgullo y por el derecho a tomar decisiones que con toda probabilidad al final no supondrían la más mínima diferencia.

El viaje transcurrió sin incidentes. La policía de Bristol había telegrafiado a Londres y Lanyon los aguardaba en la estación del ferrocarril. Al ver la multitud reunida, Monk se alegró de contar con él. Sin ayuda habría resultado complicado evitar que Breeland escapara. Si él mismo o Trace hubiesen tenido que empuñar la pistola muy bien podrían haber terminado reducidos por algún viajero lo bastante valiente como para intentarlo y lo bastante inocente para pensar que Breeland era víctima de un secuestro.

Monk prefirió no confiar en que el hecho de tener a Merrit fuera a disuadir a Breeland; poco le costaría justificar sus actos alegando que la causa de la Unión revestía mucha más importancia que la vida de una mujer, fuera ésta quien fuese. Incluso cabía la posibilidad de que llegara a convencerse de que entregarla a la justicia constitutía un sacrificio tan suyo como de cualquier otro. O bien habría optado por suponer que no la acusarían de nada y mucho menos la encontrarían culpable.

¿Acaso sería así porque en verdad era inocente?

¿O se trataba de un precio justo dado que ella también era culpable?

En ese momento no importaba, pues Lanyon se encontraba allí con dos agentes que se hicieron cargo de Breeland y le pusieron las esposas.

—Usted también, miss Alberton —dijo Lanyon con gravedad, el rostro demudado por una expresión de desconcierto y pesar.

A Merrit se le hundieron los hombros. Monk se dio cuenta de que desde hacía un tiempo sus emociones se centraban en Breeland, permitiéndose olvidar el peligro que ella misma corría. Ahora lo tenía enfrente, con toda la contundencia de la realidad.

Breeland se agitó como si, de haber estado libre, hubiese querido tocarla, tranquilizarla de un modo u otro. Pero ya llevaba puestas las esposas.

Fue Hester quien abrazó a la muchacha.

—Haremos cuanto esté en nuestra mano para que tenga la mejor asistencia posible —dijo—. Lo primero será ir a ver a su madre e informarle de que está usted sana y salva. Ahora mismo ni siquiera sabe eso.

Merrit cerró los ojos, pero eso no impidió que le saltaran las lágrimas. Tan cerca de casa era más difícil encontrar el coraje, más agudo el dolor. Hasta entonces todos sus pensamientos habían sido para Breeland. Quizá ni siquiera se había detenido a pensar en su madre. Mas con todas aquellas voces inglesas alrededor, la visión y los olores de la patria, la aventura terminaba de golpe y comenzaba el prolongado y silencioso proceso de pagarla.

Intentó hablar, dar las gracias a Hester, pero no podía hacerlo sin perder el dominio de sí. Decidió guardar silencio.

Por encima del hombro de Lanyon, Monk vio que unas personas se estaban apiñando y los miraban con curiosidad, malencaradas, al acecho, dispuestas a mostrarse furiosas.

Lanyon vio sus miradas y adoptó un aire contrito.

—Más vale que nos vayamos —dijo con apremio—

antes que descubran quiénes son. El caso ha suscitado mucho resentimiento.

—¿Resentimiento? —preguntó Hester, quien de primeras no captó de qué tenía miedo Lanyon.

Lanyon bajó la voz, con el entrecejo fruncido.

—Es por lo que ha aparecido en los periódicos, señora. Han escrito ríos de tinta sobre la muerte del señor Alberton y los extranjeros que vienen aquí y seducen a chicas jóvenes para que cometan asesinatos y otras cosas por el estilo. En mi opinión deberíamos salir de aquí cuanto antes.

Se guardó mucho de volver la vista atrás mientras hablaba, pero Monk advirtió que el grupo de curiosos iba en aumento y que su aspecto era cada vez más siniestro. Un par de individuos los estaban mirando ya sin ningún recato. Daban la impresión de estar acercándose.

—¡Eso es atroz! —exclamó Hester, enfadado, y se le encendieron las mejillas—. ¡Todavía no hay nadie acusado, y mucho menos juzgado!

—No podemos luchar desde aquí —apuntó Monk con aspereza, consciente de que aquella situación podía degenerar en violencia. Tenía miedo por Hester. La indignación podía llevarla a no velar por su propia seguridad y la muchedumbre no haría distinción alguna entre su víctima y quienes se propusieran protegerla.

—Andando, deprisa —ordenó Lanyon, mirando a Breeland—. Y olvide las fantasías de armar un disturbio confiando en salirse con la suya. ¡No será así! Lo único que conseguirá será que le den una paliza de la que tampoco se librará miss Alberton.

Breeland titubeó por un momento, como si en efecto estuviera sopesando semejante plan, luego miró a Merrit, cuyos ojos reflejaban el sufrimiento que lo embargaba, y abandonó la idea. Como si se rindiera, inclinó ligeramente la cabeza y caminó obedientemente entre Lanyon y el agente.

Merrit los siguió unos pocos pasos atrás, acompañada del segundo agente, dejando a Monk, Hester y Philo en el andén.

—Debemos ir a ver a la señora Alberton —dijo Trace con ansiedad—. Estará trastornada por la preocupación. Ojalá hubiese algo que nos permitiera absolver a Merrit de este crimen. Digo yo que podremos evitar que la acusen. —Aunque sus palabras fueron afirmativas, el tono de interrogación las desmintieron. Miró a Monk como si esperara que éste le brindara una ayuda que no alcanzaba a concebir—. Seguro que nadie pensará que realmente... —Dejó la frase sin terminar. Se volvió hacia Hester como para agregar algo más, pero entonces vio la expresión de su rostro.

Todos sabían que Merrit estaba enamorada de Breeland y que le sería leal. Eso solo bastaba para impedir que lo abandonara a su suerte, fuera cual fuese la verdad del asesinato. Vería el disculparse a sí misma como una traición, cosa que para ella constituía un pecado de mayor maldad incluso que el crimen en sí. Quizá, demasiado tarde, acabaría por lamentarlo, pero en el futuro inmediato no iba a separarse de Breeland ni su destino del suyo.

—Vamos a ir ahora mismo —convino Monk.

Estaban cansados después del largo viaje en tren bajo el sofocante calor de principios de agosto. Hester era muy consciente de llevar manchas de tizne procedente de la locomotora y de que al menos un palmo de los bajos de su traje de viaje estaba sucio de polvo y arrugado, pero no puso reparos. Además, eran casi las siete de la tarde, una hora nada apropiada para visitar a nadie sin previo aviso. Aquello también resultaba irrelevante. Sin pensarlo dos veces apilaron las maletas en la carretilla del mozo de equipajes y se encaminaron a la salida, dispuestos a tomar el primer coche de punto que encontraran libre para dirigirse a Tavistock Square.

Judith Alberton los recibió sin siquiera fingir formalidad. Inconscientemente, fue Philo Trace quien atrajo su atención en primer lugar.

—Tenemos a Merrit —respondió él, dulcificando la mirada cuando sus ojos se encontraron con los suyos—. Está muy cansada y profundamente afligida por todo lo sucedido, pero ilesa, y se encuentra bastante bien.

Judith sintió un gran alivio, aunque también cierta reserva.

Como si le leyera el pensamiento, Trace dijo:

—No se ha casado con Breeland y no estaba enterada de la muerte de su padre... aunque dudo que se haya figurado que ella tuviera algo que ver.

—No..., claro que no. —Sostuvo su mirada con firmeza, como para poner énfasis en sus palabras. Aguardaba algo más, algo que aún no le habían dicho. Recobró la compostura y cayó en la cuenta de que todavía no había saludado a Monk y Hester. Se ruborizó ligeramente y se volvió hacia ellos—. No sé cómo expresar lo agradecida que les estoy por la valentía y destreza que les ha permitido devolverme a mi hija. Confieso que en su momento me pareció una tarea imposible. Yo... espero que no hayan resultado heridos. No puedo creer que no hayan pasado apuros. Ojalá... supiera cómo recompensarles con algo más que palabras o dinero, pues lo que han hecho supera con creces ambas cosas.

—Hasta ahora hemos tenido éxito —dijo Monk—. Eso solo ya constituye una recompensa considerable. No quisiera parecer descortés, pero le ruego que acepte que lo hicimos porque también lo considerábamos importante; no debe echarse encima una carga adicional de gratitud.

Hester se sorprendió sonriendo henchida de orgullo. Era un discurso generoso y le constaba que había sido espontáneo. Levantó una mano que apoyó en el brazo de Monk, evitando su mirada, y se arrimó un poco más a él. Notó, con el rabillo del ojo, que su proximidad lo hizo ruborizarse.

Judith Alberton también sonreía, aunque el miedo aún no había abandonado sus ojos. Sin duda sabía mucho mejor que ellos lo que habían publicado los periódicos.

—Gracias. Por favor, pasen y siéntense. ¿Tienen apetito? ¿Han descansado desde su llegada?

Aceptaron agradecidos, sin contarle con detalle los rigores del viaje. Al rato de empezar una cena deliciosa, llegó Robert Casbolt, quien entró directamente en el comedor sin aguardar a que el lacayo lo anunciara. Echó un vistazo a los comensales reunidos en torno a la mesa para terminar deteniéndose en Judith.

Ella no se mostró sorprendida, como si soliera presentarse de semejante manera.

Hester vio un destello de enojo cruzar el semblante de Trace, que disimuló de inmediato, y creyó comprender el motivo.

Si Casbolt también se percató, no dio muestras de ello.

—Está sana y salva —dijo Judith en respuesta a su tácita pregunta.

—¿Dónde se encuentra? —preguntó él, sin poder ocultar un mal presentimiento.

Judith apretó los labios.

—La policía la ha arrestado —respondió—, y, por supuesto, también a Breeland.

—¡Tienen a Breeland! —Se quedó pasmado. Por primera vez miró directamente a Monk, aunque siguió haciendo caso omiso de Trace—. ¿Le ha hecho volver? ¡Le presento mis respetos! ¿Cómo lo convenció?

—A punta de pistola —dijo Monk con sequedad.

Casbolt no intentó disimular su admiración.

—¡Me parece extraordinario, la verdad! Me disculpo por haberle subestimado. Debo admitir que abrigaba serias dudas sobre el éxito de su misión. —Se mostró anonadado. Apartó una de las sillas desocupadas y se sentó—. Por favor, cuénteme qué ocurrió. Me muero de ganas de saberlo todo.

No pidió permiso a Judith, quizá dando por supuesto que ella estaría tanto o más interesada que él.

Monk comenzó a contar sus aventuras, condensando el relato en la medida de lo posible, aunque cada dos por tres Casbolt y Judith le interrumpían para pedir más detalles, deshacerse en alabanzas o alarmarse ante los peligros corridos. Judith quedó muy afligida por la situación del pueblo americano atrapado en una guerra tan terrible. Al parecer los periódicos ya habían publicado algunas crónicas, vívidas aunque incompletas, sobre la batalla de Bull Run. Aseguraban que la matanza había sido espantosa.

Monk se refirió a ella tan poco como se lo permitió la coherencia de su relato. Judith se iba poniendo tensa por momentos. Su expresión se suavizó un poco cuando Monk habló de Merrit ayudando a preparar las ambulancias para los heridos.

—Tuvo que ser algo... de un horror indescriptible —musitó con voz ronca.

—Sí...

No se ofreció a abundar más sobre el tema y, observando su rostro, el brillo de la piel tersa y quemada de sus mejillas, Hester comprendió que no era que quisiera ahorrar un disgusto a Judith, sino que era su propio dolor el que no quería revivir. Ella había sido testigo de cómo el horror lo abrumaba, cómo la impotencia para hacer algo frente a tamaña barbaridad le había robado la fe en sí mismo. Lo había experimentado en carne propia la primera vez que vio una batalla y para ella ya no era una sensación tan devastadora, pues al menos poseía algunos conocimientos de medicina y una función que desempeñar en aquel escenario. Era capaz de ensimismarse en el individuo a quien podía socorrer, cuando no salvar. No siempre era el éxito lo que lo hacía soportable, sino la capacidad de intentarlo.

Todo aquello había visto en él, pero la herida aún seguía abierta, demasiado sensible para que ella, menos que nadie, la tocara. Hay heridas que deben curarse solas o nunca llegan a cicatrizar.

—¿Breeland no fue al frente, después de todo? —preguntó Casbolt con incredulidad.

—Sí. Allí fue donde lo encontramos.

—¿Y se marchó con ustedes? —Casbolt frunció el entrecejo, desconcertado—. ¿Por qué? No tenía motivo, ¿o me equivoco? Me resisto a creer que sus paisanos estuvieran dispuestos a entregarlo a la justicia inglesa.

—La Unión perdió —contestó Monk, sin dar más explicaciones. No explicó nada de la mortandad, del pánico, como si los hombres a quienes defendía de aquella vergüenza fueran personas a las que conocía. No miró a Trace ni a Hester, ni les dio tiempo a interrumpirlo—. Fuimos hacia el sur cruzando las líneas confederadas hasta Richmond y luego Charleston. Nadie nos puso obstáculos.

Judith abrió los ojos con admiración. Incluso en aquellas trágicas circunstancias, Hester no podía dejar de pensar lo hermosa que era aquella mujer. No le sorprendía que Philo Trace se sintiera atraído por Judith. Le habría resultado mucho más difícil de comprender que no fuese así.

—Pero la policía ha arrestado a Merrit —dijo Judith dirigiéndose a Casbolt—. Encontraron el reloj de Breeland en el patio del almacén.

—Ya lo sé —repuso él—. Yo estaba presente cuando Monk lo recogió. —Parecía desconcertado.

—Breeland se lo había regalado a Merrit como recuerdo —dijo Judith, bajando la voz—. Yo lo sabía pero esperaba que la policía no estuviera al corriente. Sin embargo, Dorotea Parfitt lo contó..., y aunque lo hizo con toda inocencia, me figuro, ya no puede retirar lo dicho. Merrit se lo había mostrado, presumiendo un poco, como haría cualquier chica. —Perdió la compostura y tuvo que esforzarse para recobrarla.

Casbolt le pasó un brazo por los hombros, atrayéndola un poco hacia sí. Su rostro reflejaba dolor, y sus emociones quedaron por un instante desnudas en toda su intensidad.

—Breeland es despreciable —dijo en voz baja—. Seguro que lo recuperó y lo dejó caer allí él mismo, bien de manera fortuita, bien con la intención de intentar evitar que le diéramos caza por miedo a perjudicarla a ella. Sea como fuere, Judith, te juro que iremos a por él. Conseguiremos los mejores letrados del momento, un abogado laureado por la Reina para defender a Merrit si no hay modo de ahorrarle ese trance. —Se volvió hacia Monk—. ¿Es concebible que Breeland la exonere? ¿Siente alguna clase de amor hacia ella, es mínimamente honorable? Al fin y al cabo, es un hombre adulto y ella poco más que una niña a quien jamás en la vida se le habría ocurrido robar armamento para ninguna causa.

Hester supo lo que iba a decir Monk antes de que abriera la boca. Incluso miró de soslayo a Trace y vio la misma sombra en su rostro.

—No —contestó Monk sin rodeos—. Niega haber matado al señor Alberton y robado cosa alguna. —Hizo caso omiso de la incredulidad de sus interlocutores y prosiguió—. Dice que el señor Alberton cambió de parecer en cuanto a venderle las armas y que le envió un mensaje a tal efecto. Afirma que las compró ateniéndose a la legalidad y que pagó el precio acordado a un hombre llamado Shearer.

—¿Qué? —Casbolt levantó la cabeza de golpe.

Judith miró a Monk con expresión de incredulidad.

—Y asegura que no sabe quién asesinó a los hombres en el patio del almacén —agregó Monk—, aunque insinúa que pudo haberlo hecho Trace, como venganza por no haber conseguido quedarse con las armas.

—¡Qué ridiculez! —Casbolt no logró guardar silencio por más tiempo—. Eso es totalmente absurdo. Nadie se lo va a creer. —Se volvió hacia Judith—. ¿Has recibido algún dinero?

—No —contestó ella con firmeza.

—Por cierto, ¿quién es Shearer? ¿Dónde está? —preguntó Monk.

—No sé quién es —respondió Judith—. Nadie ha pagado ningún dinero por las armas, salvo, que yo sepa, el dinero que pagó el señor Trace al principio.

Casbolt se volvió hacia Philo Trace.

—Usted pagó un depósito por la primera mitad del importe total, ¿no es así?

—Sabe muy bien que sí, señor.

—¿Ha recibido parte de esa suma como reembolso porque finalmente no iba a efectuar la adquisición?

—No, ni un penique. —Trace parecía incómodo por Judith pese a que de ninguna de las maneras fuese culpa suya.

Casbolt miró a Monk.

—Esto debería contestar a sus preguntas, si es que aún se las formula. No sé qué le habrá hecho a Merrit para convencerla de su inocencia, o para coaccionarla a fin de que lo protegiera jurando en falso, pero sólo tiene dieciséis años. Sin duda es demasiado joven para tomar en serio su palabra en lo que concierne a un hombre que a todas luces la tiene obsesionada. —Se mordió el labio inferior y adoptó una expresión de pesadumbre—. ¿Piensa que puede haberla amenazado?

Una vez más, Monk contestó con franqueza.

—No. En mi opinión, ella cree que es inocente. No sé por qué. Puede que tan sólo se deba a que es incapaz de pensar que es culpable. Pocas cosas hay más amargas que la desilusión, y somos capaces de obligarnos a creer lo que haga falta, por más ridículo que sea, al menos durante un tiempo. Lo llamamos lealtad, o fe, o como quiera que se llame la virtud que nos parezca más elevada y que cubra esa necesidad.

Casbolt se volvió hacia Judith antes de bajar la vista a la lustrosa superficie de la mesa con sus flores y su cubertería de plata.

—No parece que haya modo de protegerla de la pena. Lo máximo que podemos hacer por ella es librarla de verse implicada en la culpa de Breeland ante la ley. Esa historia sobre nuestro agente Shearer es absurda. Obviamente, Breeland organizó el robo de las armas, tanto si estuvo allí como si no. Debemos distanciar a Merrit de eso. —Miró nuevamente a Judith, suavizando la expresión de su rostro, y bajando la voz añadió—: ¿Avisarás a Pilbeam para que se ocupe de todo? Si lo prefieres, puedo encargarme yo mismo y asegurarme que a Merrit la representa el mejor abogado que haya. No es necesario que tú hagas nada.

Judith le miró con dulzura.

—Gracias, Robert —dijo enseguida, incorporándose y tomándole la mano—. No sé cómo habría soportado estas últimas semanas tan terribles sin tu amabilidad. No has escatimado ningún esfuerzo y me consta que debes estar tan afligido como yo. Daniel fue tu amigo durante más años de los que fue mi esposo. Te estaría casi tan agradecido como yo por tu incansable atención.

Casbolt se sonrojó con una extraña timidez, revelando una vulnerabilidad que sobresaltó a Monk.

—Creo que Merrit no va a consentir que la representen por separado de Breeland —dijo Hester en tono apremiante—. Y sin duda no permitirá que él se sacrifique por ella de ninguna de las maneras. Está más que dispuesta a considerar el sufrimiento a su lado como la medida de su amor, sin que importe lo inocente que de hecho ella sea.

—Pero eso es —comenzó Casbolt; pero al ver la expresión de su rostro se calló. Quizá conocía a Merrit lo suficiente para darse cuenta de la verdad que encerraban las palabras de Hester.

Se volvió hacia Monk. Sin embargo, fue Hester quien habló.

—Conocemos bastante bien a sir Oliver Rathbone. Es el mejor abogado de Londres. Si alguien puede defenderla es él.

Judith la miró con una luz de esperanza en los ojos.

—¿Lo haría? Es probable que ella no esté dispuesta a ayudarse a sí misma. ¿No rehusará..., dadas las circunstancias? —Se mordió el labio inferior—. Le pagaré el precio que sea, si de eso se trata. Por favor, señora Monk, si hay algo que usted pueda hacer para convencerle... Venderé la casa, las joyas que poseo, todo, para salvar a mi hija.

—No habrá necesidad de eso —la tranquilizó Hester en voz baja—. No será el dinero lo que le importe, aunque le transmitiré su preocupación. La cuestión será hallar el modo de separar a Merrit de la culpa de Breeland.

—¡Que los juzguen por separado! —Casbolt no supo reprimir la interrupción; tenía todo el cuerpo en tensión, los ojos hundidos—. Está clarísimo que es injusto acusarlos como si fuesen una única mente con una única responsabilidad. ¡Seguro que un abogado competente sabrá convencer de eso a un jurado! —exclamó con un dejo de desesperación, un tono agudo rayano en el pánico.

—¡Por supuesto! —intervino Monk, sin darle pie a decir más para evitar que Judith percibiera su miedo—. Le referiremos todas las circunstancias y, si está dispuesto a aceptar el caso, él vendrá a verles para hacer todos los planes necesarios.

—¡Gracias! —Judith sintió un inmenso alivio, y acto seguido una súbita vergüenza—. Ya han hecho mucho por mí. Deben de estar agotados, y llevo la mitad de la tarde aquí sentada hablando de mis problemas y contando con su ayuda, cuando sin duda estarán agotados por la falta de sueño y lo que más pueden desear en este mundo es llegar a su casa y acostarse en su cama. Lo siento.

—No tiene por qué. —Hester le tendió la mano desde el otro lado de la mesa—. Hemos tomado cariño a Merrit y estamos casi tan enfadados como usted por la injusticia que se perpetraría si Breeland no pagara el precio de su crimen. Aunque no nos lo hubiese pedido, no habríamos querido dejar la tarea a medio terminar.

Judith permaneció en silencio. Estaba demasiado emocionada como para mantener el dominio de sí misma.

—Gracias —dijo Casbolt en nombre de ella—. Bendito el día en que nuestros caminos se cruzaron. Sin ustedes esto habría sido una tragedia absoluta. —Se volvió hacia Trace—. Y he sido muy negligente al no reconocer también su participación, señor. Sus conocimientos y su voluntad de dedicar tiempo y arriesgar su propia integridad en busca de la justicia y, en cuanto a Merrit, su más que considerable clemencia, le distinguen como un auténtico caballero. También estamos en deuda con usted.

—Nunca hay deudas entre amigos —respondió Trace. Se lo dijo a Casbolt, aunque Monk tuvo bastante claro que sus palabras iban dirigidas a Judith.

No era una tarea que a Monk le apeteciera mucho. Había esperado en parte que Judith Alberton tuviese un abogado en quien confiara lo bastante para no buscar a otro, aunque en su fuero interno siempre había contado con la posibilidad de que finalmente hubiese que recurrir a Rathbone. Se trataba de un caso desesperado.

Aun así, mientras él y Hester por fin iban camino de casa, experimentó una sensación de agobio ante la perspectiva de tener que ir a Vere Street al día siguiente para hablar con Oliver Rathbone y, peor aún, pedirle un favor.

Hacía tiempo que se conocían y su relación era más bien tensa. Rathbone era por nacimiento completamente distinto de Monk: privilegiado, de posición acomodada, con una educación excelente, parte de la clase dirigente, todo un caballero. Monk era hijo de un pescador de Northumberland, había alcanzado su posición gracias a sus propios esfuerzos, aprovechando cualquier ocasión para instruirse, mejorando su persona con imaginación y trabajo duro. Podía pasar por un caballero ante un ojo poco avizor. Poseía la misma refinada elegancia que Rathbone, aunque a costa de un gran esfuerzo. Había aprendido a comportarse imitando a quienes admiraba, pero a veces cometía errores, de los que luego se avergonzaba.

Rathbone jamás hacía gala de su superioridad; hacerlo hubiese estado de más. Monk no había aprendido eso hasta cumplidos ya los cuarenta.

Naturalmente, todo ello daba lugar a una permanente fricción entre dos hombres provistos de igual inteligencia y ambición, con la misma rapidez de pensamiento y fluidez verbal e idéntica pasión por la justicia. La clave del asunto, lo que ninguno de ambos se podía quitar de la cabeza, era que habían amado a la misma mujer. Y ella había elegido a Monk.

Ahora Monk tenía que acudir a él y pedirle ayuda, proponerle un caso que sin duda resultaría complicado, cargado de emotividad y que, muy posiblemente, no alcanzaría una conclusión satisfactoria. Ahora bien, no dejaba de ser un cumplido que él viera en Rathbone al único hombre capaz y dispuesto a lanzarse a semejante empresa.

Hester insistió en acompañarle.

Se presentaron sin cita previa y el pasante, deshaciéndose en disculpas, les dijo que sir Oliver estaba en los tribunales. No obstante, si el asunto era tan urgente como aseguraban, y habida cuenta de la larga relación que los unía, podía enviar recado al Old Bailey* avisando a sir Oliver para ver si podía atenderlos durante el receso del almuerzo.

Cosa que sucedió. Los tres se sentaron juntos en una taberna abarrotada de gente, inclinados sobre una mesa, hablando tan bajo como podían, pero no demasiado para hacerse oír entre el murmullo de voces, pues todos los parroquianos trataban de hacer lo mismo.

Rathbone saludó a Hester y luego escuchó atentamente a Monk mientras éste le refería la historia concentrándose en exponer el caso de manera sucinta. Monk se sorprendió de lo incómodo que se sentía.

—Me imagino que estará al corriente de los asesinatos que se cometieron en el almacén de Tooley Street —preguntó.

—Sí —respondió Rathbone con cautela—. Toda Inglaterra lo está. Un crimen horrible. En un diario de esta mañana he leído que Lyman Breeland había sido traído de vuelta a Inglaterra para ser juzgado, y la hija de Alberton también. Tonterías, seguramente. —Jugueteó con las verduras que tenía en el plato—. Habrán visto a alguien que se les parece. ¿Cómo iba a ocurrírsele abandonar su causa y su país cuando más le necesitan y regresar aquí para acabar, casi con toda seguridad, en la horca? Comprendo que quepa pensar que el presidente Lincoln desee llegar a un acuerdo, en términos diplomáticos, dada la importancia de Breeland para la causa de la Unión, mas no veo el modo de hacer que eso sea aceptado por la opinión pública de aquí, y no digamos ya por la ley. —Frunció el entrecejo—. ¿Por qué? Supongo que estará involucrado en el asunto, de lo contrario no lo habría sacado a colación.

* El principal tribunal de Inglaterra, con asiento en Londres.

—Le trajimos nosotros —repuso Monk, observando el alargado rostro de Rathbone, de pómulos altos y labios finos. Observó en él una expresión de sorpresa—. A punta de pistola —agregó—. Aunque no está tan mal dispuesto como cabría esperar.

—¿De veras? —Rathbone enarcó las cejas.

—Afirma que es inocente y que no sabía nada de la muerte de Alberton. —Hizo caso omiso de la expresión de Rathbone—. Yo tampoco lo creo, pero no es inconcebible. Sostiene que Alberton cambió de parecer en cuanto a lo de venderle las armas y que le envió una nota haciéndoselo saber. El portero del domicilio de Breeland le entregó un mensaje esa noche y acto seguido Breeland hizo el equipaje y se marchó acompañado de Merrit Alberton.

—Pudo ser cualquier cosa —señaló Rathbone—, pero continúe.

—Dice que un hombre llamado Shearer, agente de Alberton, efectuó la entrega de la remesa de armas y munición...

—¿Qué cantidad? —preguntó Rathbone.

—Seis mil rifles y más de medio millón de cartuchos —contestó Monk.

Rathbone abrió los ojos como platos.

—Menudo cargamento. Eso no lo llevas por ahí en una carretilla. ¿Tiene idea de cuánto abulta? ¿Un carromato, dos, tres?

—Lo menos tres carromatos grandes —respondió Monk—. Dice que Shearer los llevó a la estación de ferrocarril, donde le pagó el precio total, y que Shearer siguió su camino. Breeland no vio a Alberton en toda la operación y afirma no haberle hecho ningún daño.

—¿Y qué dice Merrit Alberton?

Rathbone miró a Hester.

—Lo mismo —contestó ella—. Dice que fueron en tren hasta Liverpool desde donde siguieron viaje por mar, haciendo escala en Queenstown, Irlanda, hasta Nueva York, y de allí en tren hasta Washington. Nosotros hicimos lo mismo. Su descripción es muy exacta.

Rathbone le dio las gracias. Era imposible afirmar si había percibido los sentimientos de Hester reflejados en su semblante.

—Creía que la policía había seguido el rastro de las armas hasta una gabarra que fue río abajo —dijo meditabundo—. ¿Lo entendí mal?

—No. Así fue. Y yo fui con ellos —afirmó Monk—. Seguimos la pista de la barcaza hasta Greenwich, donde suponemos que se encontró con un barco de altura en el que cargaron las armas.

—¿Significa eso que ambos mienten?

—No hay alternativa. A menos que exista otra explicación que no se nos haya ocurrido.

—¿Y qué es lo que quieren de mí?

A pesar de su mirada de tristeza, sonreía, tal vez en recuerdo de otras batallas que habían librado juntos, de los éxitos y fracasos que habían hecho mella en ellos.

Hester respiró hondo y dejó que fuese Monk quien contestara.

—Que defienda a Merrit Alberton. Jura que no asesinó a su padre y me parece que la creo.

Hester se inclinó hacia delante en actitud de apremio.

—En cualquier caso, sólo tiene dieciséis años y está completamente bajo la influencia de Breeland. Cree apasionadamente en su causa y piensa que es un héroe, con todos los ideales de nobleza y valentía que cualquier muchacha tendría.

Rathbone la miró boquiabierto.

—¿La Unión de los Estados Americanos? ¿Por qué, si puede saberse? ¿Qué importancia puede tener eso para una chica inglesa?

—¡No, no es la Unión, es la lucha contra la esclavitud!

Su intensa urgencia, su absoluta aversión a todos los males del dominio, la crueldad y la denegación le encendieron el semblante. Si Merrit Alberton había sentido siquiera una parte de lo que ella sentía, sería dolorosamente fácil creer que seguiría hasta los confines del mundo a un hombre cuya cruzada era la libertad, sin detenerse a pensar en el coste.

Rathbone suspiró. Monk supo exactamente, en un momento de profunda comprensión mutua, lo que pensaba el letrado; y sus sospechas se corroboraron cuando éste dijo:

—Eso podría muy bien suscitar la compasión de un jurado británico, quien tendrá tan poco apego a la esclavitud como un unionista, pero no justificará nada a los ojos de la ley. ¿Está casada con ese Breeland?

—No.

Rathbone volvió a suspirar.

—Bueno, supongo que eso ya es algo. ¿Y dice que tiene dieciséis años?

—Sí; pero de todas formas no va a declarar contra él.

—Lo suponía. Y si lo hiciera, tampoco nos ayudaría demasiado. La lealtad es una cualidad muy atractiva; la deslealtad no, aunque esté justificada. La verdad, Monk, a veces pienso que dedica su tiempo a buscarme los casos más complicados y que no cejará hasta hallar uno que me confunda del todo. Esta vez se ha superado a sí mismo. Apenas sé por dónde empezar. —Sin embargo, la expresión de su rostro indicaba que las ideas ya se le agolpaban en la cabeza.

Monk empezó a sentirse más animado. Si Rathbone lo veía como un reto personal, lo asumiría. Por nada del mundo se batiría en retirada ante Hester. Una chispa de humor, mofa y conocimiento de sí mismo brillaba en sus ojos, como si viera los pensamientos de Monk tan bien como los suyos y los aceptara de buen grado. Si hubo un momento de dolor, o de soledad, fue disimulado al instante.

Empezó a interrogarlos sobre cuantos detalles se le ocurrían: preguntas sobre Casbolt, Judith Alberton, Philo Trace y el relato completo de su viaje a América y todo lo que habían hecho allí. Se interesó en particular por el viaje de Monk y Lanyon siguiendo el curso del Támesis.

Se mostró abatido, y por un instante perdió la compostura cuando Monk le refirió el hallazgo del cuerpo de Alberton en el patio y le explicó que a punto había estado de pisar el reloj.

Monk apenas contó nada sobre la batalla de Bull Run. Le faltaban palabras para describir tanto horror. Las pocas que encontró fueron afectadas y rebuscadas, la emoción demasiado profunda para ser compartida en aquella bulliciosa, agradable y placentera taberna. Y tampoco se sentía preparado para revivirla. Estaba demasiado íntimamente ligada a su amor hacia Hester, así como a una extraña y aguda sensación de su propia incapacidad para llegar a ser digno de la belleza que había visto en su mujer. Por lo demás, aquello sería lo último que compartiría con Rathbone. Hacerlo sería el colmo de la crueldad.

Así pues, abrevió hasta llegar al encuentro con Breeland y a cómo él y Trace le vigilaron todo el camino hasta Richmond, y luego Charleston, y de regreso a la patria.

—Entendido —dijo Rathbone cuando Monk hubo acabado, con alguna que otra intervención de Hester—. Pues digan a la señora Alberton que iré a visitarla y que tenga a bien indicarme quién es su abogado para las instrucciones. Me aguarda una batalla de órdago.

Monk estuvo a punto de darle las gracias mas no lo

hizo. Rathbone no había aceptado por él... quizá por Hester... por el reto posiblemente, por la justicia, pero nunca por Monk, en todo caso para demostrarse a sí mismo que estaba a la altura del desafío.

—¡Bien! —exclamó en cambio—. ¡Muy bien!

7

Rathbone regresó a toda prisa a la sala del tribunal. Su subalterno podía llevar el caso perfectamente, pues era bastante rutinario: una mera cuestión de presentar pruebas, en su mayor parte irrefutables. Si le dejó hacer se debió también a que durante toda la tarde no fue el asunto de la Corona contra Wollcroft lo que ocupó su mente, sino cómo iba a manejar el caso de la Corona contra Breeland y Alberton que de forma tan precipitada acaba de aceptar.

No sólo estaba incómodo con el caso en sí, sino también con las razones que le habían llevado a aceptarlo. Había leído algo al respecto en los periódicos, aunque sin mayor interés ya que le pareció que estaba muy claro, si bien al igual que la mayoría de redactores lo lamentaba profundamente por Judith Alberton. La compasión era un sentimiento noble pero no constituía un buen fundamento para enfrentarse a un tribunal. Los miembros del jurado tal vez se dejaran influir por los sentimientos; los jueces, no. Y la opinión pública trataba con mucha dureza a Merrit Alberton. Al parecer había conspirado con un extranjero para asesinar a su propio padre. Tal acto suponía una afrenta contra la dignidad humana, contra la lealtad familiar, la obediencia, la propiedad y el patriotismo. Si todas las hijas fueran libres de desobedecer a su padre de un modo tan violento y atroz, la sociedad en su conjunto se vería amenazada.

Rathbone se encontró con que tales supuestos lo

irritaban y que su respeto por el orden establecido, aunque profundamente arraigado en su vida, al menos de forma superficial, empezaba a trastabillar un poco. Despreciaba los prejuicios, la tradición inamovible de las mentalidades rígidas, fruto del mero hábito.

En parte también había aceptado el caso porque le gustaban los desafíos. Era emocionante intentar superarse, aunque supusiera un peligro. ¿Y si no estaba a la altura de las circunstancias? ¿Y si no conseguía que se hiciera justicia y un hombre o una mujer inocentes terminaban ahorcados por no haber sido lo bastante hábil, valiente, imaginativo, elocuente o persuasivo? ¿Y si ponía a un hombre culpable en libertad? Tal vez volvería a matar y en el mejor de los casos sacaría provecho de su crimen y demostraría a los demás que la ley era incapaz de proteger a sus víctimas.

Ahora bien, le constaba que aun sin esos alicientes habría aceptado porque Hester estaba implicada. Ella no lo había mencionado, pero Rathbone había visto en su rostro que le preocupaba Merrit, que incluso había encontrado algo de sí misma en la muchacha, recordándole cómo era a los dieciséis años: díscola, idealista, demasiado enamorada para pensar mal del hombre a quien tanto había conferido, demasiado apegada a su sueño como para negarlo, costara lo que costase.

¿Había sido así Hester? Deseó haberla conocido entonces. Qué ridículo ese dolor tan agudo, cuando ya llevaba medio año casada con Monk. De hecho, resultaba más lacerante ahora de lo que había sido cuando aún era soltera y Rathbone podía pedirle que se casara con él, sólo que entonces no se dio cuenta de lo mucho que lo deseaba.

Una vez concluida la vista, satisfactoriamente y más de una hora antes de lo que esperaba, aceptó la gratitud de su cliente y salió al bullicio y el calor de la calle en agosto. Hizo señas al primer coche de punto que vio libre y dio al conductor la dirección de su padre en Primrose Hill. Se puso cómodo para el largo trayecto y deliberadamente dejó la mente ociosa. No tenía ganas de pensar en Monk ni el nuevo caso. Sobre todo no tenía ganas de pensar en Hester.

Tras una cena muy agradable consistente en pan recién hecho, paté de Bruselas y buen vino tinto, seguidos de una tarta caliente de hojaldre con ciruelas y crema de leche, se arrellanó en su sillón favorito y se entretuvo contemplando a través de las cristaleras abiertas el césped que se extendía hasta el seto de madreselva que lindaba con la huerta de frutales. Sólo se oía el canto de los pájaros y los ruiditos que hacía Henry Rathbone al rascar con una navaja la cazoleta de su pipa aunque con ello no consiguiera nada. Lo hacía por pura costumbre, sin prestar atención a la tarea, igual como las raras veces en las que efectivamente fumaba la pipa. La llenó, apretó el tabaco, la encendió y, como siempre, dejó que se apagara.

—¿Y bien? —dijo al cabo.

Oliver levantó la vista.

—¿Cómo dices?

—¿Piensas contármelo o tendré que adivinarlo?

Resultaba grato y al mismo tiempo inquietante que a uno lo conocieran tan bien. No cabían evasivas, ninguna escapatoria, aunque tampoco la tentación de huir.

—¿Leíste algo sobre los asesinatos perpetrados en un almacén de Tooley Street? —preguntó Oliver.

Henry golpeó la pipa contra la chimenea.

—Sí —respondió, mirando con inquietud a Oliver—. Creo que los atribuyeron a un comprador de armamento americano. ¿No es así?

—Casi seguro —contestó Oliver, un tanto atribulado—. Monk acaba de traerle de vuelta para que sea juzgado.

—¿Y qué quiere de ti? Porque algo querrá. ¿Me equivoco?

—En absoluto.

De vez en cuando, con su padre, trataba de escapar por la tangente. Jamás le daba resultado, pues incluso cuando conseguía engañarle se sentía tan culpable que acababa admitiendo la verdad para luego sentirse ridículo. Henry Rathbone era honesto y transparente. Eso a veces constituía un defecto; de hecho, con bastante frecuencia, cuando se trataba de negociar o imponer autoridad. Nunca habría sido un buen abogado. No tenía la más remota idea de cómo interpretar un papel o abogar a favor de algo en lo que no creía.

Sin embargo, poseía una gran habilidad para captar los hechos, una lógica implacable y una imaginación portentosa.

Ahora aguardaba a que Oliver le diese una explicación. Fuera, los estorninos se arremolinaban en el cielo, negros contra el desvaído dorado del sol. En algún lugar próximo acababan de segar el césped y el olor a hierba recién cortada impregnaba el aire.

—También ha traído a la hija —comenzó a explicar Oliver—. Aunque parezca increíble, tanto ella como Breeland aseguran que no son culpables de la muerte de Alberton ni del robo de las armas. —Advirtió que su padre lo miraba incrédulo—. No, yo tampoco lo creo —agregó de inmediato—, pero no es sólo que lo nieguen sino que tienen su versión de los hechos. Breeland dice que Alberton cambió de parecer y tuvo que actuar en secreto debido a Philo Trace, el comprador sudista, a quien había dado su palabra recibiendo a cambio un anticipo por la mitad del precio convenido.

Henry apretó los labios en señal de disgusto.

—¿Y Alberton era la clase de hombre que hace eso? —preguntó.

—Según lo que he leído no, aunque no le conocí

personalmente —repuso Oliver—. Aparte de ser fraudulento, echaría a perder su reputación. Y para acabar de arreglarlo, según Monk, Trace no recuperó su dinero. —Titubeó—. Al menos eso dice. Y los gestores del patrimonio de Alberton no tienen constancia de haber recibido el dinero de Breeland.

Henry se llevó la pipa a la boca. Encendió una cerilla y el penetrante olor del fósforo impregnó el aire momentáneamente. La acercó al tabaco e inhaló. La pipa se encendió, soltó una nubecilla de humo y se apagó otra vez. Henry siguió dando chupadas como si tal cosa.

—La explicación que parece más razonable es que Breeland miente —prosiguió Oliver—. Quizá será preciso que revise los negocios de Alberton, y lo que pueda del señor Trace, para evitarme sorpresas desagradables.

Henry asintió lentamente en silencio con la cabeza. Oliver seguía inclinado hacia delante, con los codos apoyados en las rodillas. Se encontraban el uno frente al otro junto a la chimenea, como si estuviese encendida, aunque la víspera de verano era lo bastante templada para que agradecieran tener las cristaleras abiertas. No era más que un confortable hábito adquirido tras años de hablar de toda clase de cosas. Oliver lo hizo por primera vez a los once años; entonces la cuestión a debatir habían sido los verbos irregulares del latín y la búsqueda de una lógica oculta en su excentricidad. No llegaron a ninguna conclusión pero la sensación de camaradería, de haber alcanzado cierta calidad de adulto, le proporcionó una inmensa satisfacción.

—La policía siguió el rastro de las armas hasta el río, donde las embarcaron en una gabarra que bajó hasta Bugsby's Marshes —continuó—. Sin embargo, Breeland sostiene que le fueron entregadas en la estación de ferrocarril y que las llevó en tren hasta Liverpool. Merrit Alberton jura lo mismo.

—Tampoco es que eso tenga mucho sentido —dijo

Henry, pensativo—. ¿Hasta qué punto es competente la policía? Con frecuencia me lo pregunto.

—Monk asegura que el hombre que está al frente de la investigación es excelente. Y, aparte de eso, el propio Monk le acompañó. Dice exactamente lo mismo. Las armas fueron del almacén hasta el río, por donde bajaron hasta Bugsby's Marshes. Desde allí sería pan comido pasarlas a un buque de altura capaz de cruzar el Atlántico. El propio Breeland no discute que se las llevó y que llegaron a América sin ningún percance. Es de suponer que se emplearon en la batalla de Manassas.

Henry no dijo nada, absorto en sus pensamientos.

—Hester cree que la chica es inocente —dijo Oliver, y acto seguido deseó no haberlo hecho. Se había delatado en demasía. No era que Henry no estuviera al corriente de sus sentimientos. Hester le había visitado con bastante frecuencia. Había estado sentada en aquella sala, observando la luz desvanecerse en el cielo y los últimos rayos de sol dorar las puntas de los álamos, con la brisa del atardecer haciendo brillar las hojas. Le había caído bien Henry, y allí se sintió como en casa, reconfortada no sólo por la belleza del lugar, con la madreselva y los manzanos, sino también por una paz interior—. ¡No es que eso sea un motivo, por supuesto! —añadió, y mientras veía que Henry ponía ojos como platos, notó que se sonrojaba. Era exactamente el motivo. Negándolo no había hecho más que resaltarlo.

—Me da la impresión de que aún te quedan muchas cosas por saber —señaló Henry, sosteniendo la pipa para examinarla, un tanto compungido—. La muchacha puede haber sido utilizada sin que se diera ni cuenta.

—Cabe la posibilidad —convino Oliver—. Tengo que contestarme un montón de preguntas si pretendo ir a juicio con alguna oportunidad de quedar bien, ya que no de ganar.

Henry miró fijamente a Oliver.

—¿Has aceptado el caso, entonces?

—Pues... sí.

Henry soltó un gruñido.

—Te has precipitado un poco, me parece. Aunque a fin de cuentas eres bastante más impulsivo de lo que crees. —Sonrió, borrando toda ofensa de sus palabras. Sentía un afecto inmenso hacia su hijo, cosa que Oliver no había dudado una sola vez en la vida.

—Tendré que ir a ver a la señora Alberton, claro —señaló—. Aún cabe la posibilidad de que no quiera contratarme.

Henry no se tomó la molestia de responder a aquello. Las aptitudes profesionales de su hijo le merecían una opinión tan elevada como a todos los demás.

—¿Qué piensa Monk? —inquirió en cambio.

—No se lo he preguntado —contestó Oliver de manera un tanto cortante.

—Es curioso que no te lo haya dicho —señaló Henry, contemplando la pipa—. No suele mostrarse muy discreto con sus opiniones. O bien está siendo taimado, o no sabe nada.

—Sabré mejor a qué atenerme cuando haya visto a Merrit Alberton y escuchado lo que tenga que decir —prosiguió Oliver, dirigiéndose más a sí mismo que a su padre—. Sólo así estaré en condiciones de hacerme una idea de su carácter. Y, naturalmente, tanto si le represento como si no, tendré que hablar con Breeland.

—¿Piensas representarle?

—Preferiría no hacerlo, aunque si sabe lo que le concierne hará cuanto esté en su mano para asegurarse de que los acusan y defienden juntos.

—¿Qué pasaría si estuviera dispuesto a defender a la chica aun a costa de su propia vida? —preguntó Henry en voz baja—. Si la ama, podría hacerlo. ¿Se lo permitirías?

Oliver meditó por espacio de unos minutos. ¿Qué

haría si Breeland estuviera dispuesto a cargar con las culpas para así exonerar a Merrit y, sin embargo, él la creía culpable?

—Más vale que reflexiones —le advirtió Henry—. Si están enamorados de verdad, puede que ambos traten de cargar con la culpa por el otro y complicar mucho tu tarea, representes a quien representes. No lo habías pensado, ¿eh? —observó con sorpresa.

—No —admitió Oliver—. No es que Monk dijera nada, más bien fue una omisión suya, pero me llevé la impresión de que Breeland no iba a sacrificarse por nadie. Ahora bien, es preciso que sepa mucho más de lo que ahora sé, de lo contrario corro el riesgo de verme atrapado en un callejón sin salida.

—Exacto —convino Henry—. Para empezar, ¿podría ser cierta la historia de Breeland, por más inverosímil que parezca?

—¿Te refieres a lo del agente, Shearer? No lo sé. Desde luego no tengo ningún motivo para creerla del todo imposible. Habrá que pedir a Monk que averigüe si existe esa persona y, en caso afirmativo, cómo es. ¿Podría haber asesinado a Alberton para quedarse con el dinero de Breeland? —Continuó, pensando en voz alta—. Sería el enfoque más evidente de defensa, y probablemente sea lo que Breeland dirá. Si uso eso, tanto si es para Breeland como sólo para Merrit, debo estar seguro de que no puede refutarse.

Henry lo observó en silencio. Oliver se dio cuenta de que no tendría más remedio que trabajar estrechamente con Monk y que se había resistido a pensarlo hasta entonces. Quería aceptar el caso pero habría preferido con mucho ser independiente, presentarse ante Monk y Hester con la defensa resuelta en lugar de solicitar su colaboración.

—¿Es posible que Breeland sea culpable y que la hija no lo supiera? —insinuó Henry—. Si estaba al corriente, a menos que se la llevaran a América por la fuerza, es como mínimo cómplice y encubridora.

—No lo sé a ciencia cierta —repuso Oliver de inmediato—, pero por lo que Monk me ha contado, no podía desconocer la verdad. Ella y Breeland pasaron juntos la noche en que Alberton fue asesinado, y lo que está claro es que no fue a América bajo coacción. —Titubeó—. Y un reloj que Breeland le había regalado como recuerdo apareció en el patio del almacén.

Henry no hizo ningún comentario, pero su expresión fue elocuente.

Fuera, las sombras se alargaban por el césped y empezaba a refrescar. La luna en cuarto creciente brillaba en un cielo cada vez más oscuro. El sol había desaparecido hasta de los álamos.

—Me veo obligado a defender también a Breeland —dijo Oliver, exponiendo lo inevitable—. A no ser que él insista en contratar a alguien de su elección, en cuyo caso me imagino que Merrit Alberton preferirá que la represente la misma persona, haciendo caso omiso de los deseos de su familia.

—¿Y le aceptarías como cliente, creyéndole culpable? —preguntó Henry—. ¿A sabiendas de que su condena sin duda supondrá también la de la chica?

Era un dilema moral que a Oliver le desagradaba. Encontraba los asesinatos más repulsivos de lo habitual porque eran brutales y, hasta donde él sabía, innecesarios. Breeland, o quien quiera que fuese, pudo haber robado las armas sin matar a Alberton y a los vigilantes. Podrían haberlos dejado inconscientes y atados, incapaces de impedir el robo. Para cuando alguien los encontrara, Breeland ya estaría lejos y a salvo. La matanza no servía a ningún fin y su crueldad era gratuita.

Habría preferido defender únicamente a Merrit, aunque sólo fuese para alegar su juventud y cierto grado de coacción o intimidación, y que no había previsto los actos violentos que se iban a producir. Pero tales argumentos no eran verosímiles aplicados a Breeland.

—No lo sé —confesó—. Antes de formular siquiera la línea de defensa que seguiré, tengo que comprender muchas más cosas.

El silencio se prolongó un buen rato. Henry se levantó, fue a cerrar las cristaleras y volvió a su asiento.

—También está el asunto del chantaje —prosiguió Oliver, y para gran sorpresa de Henry contó lo que Monk le había referido sucintamente sobre la razón que había llevado a Alberton a solicitar sus servicios—. Supongo que podría estar relacionado —concluyó con desconfianza.

—Bueno, sin duda es preciso que sepas quién fue el responsable —convino Henry—. Tal vez se vengaron porque no les vendieron las armas.

—¡Pero Breeland mintió acerca de las armas! —Oliver se aferró al único hecho que le parecía ineludible—. Monk siguió su rastro río abajo hasta Bugsby's Marshes, no hasta la estación de ferrocarril y Liverpool. —Miró la chimenea vacía.

—Pero ¿por qué asesinar? —preguntó Henry—. Según lo que has dicho, Breeland no tenía que matar a Alberton para llevarse las armas. Estudia con mucho detenimiento a esa chica, Oliver. Y estudia a la viuda también.

Oliver se quedó pasmado.

—¿Un crimen doméstico?

—O económico —corrigió Henry—. Sea lo que sea, debes entenderlo bien antes de ir a juicio. Me temo que no tienes más alternativa que contratar a Monk para averiguar mucho más antes de comprometerte a nada. Creo que el mejor consejo es que procures postergar la vista tanto como puedas y que averigües mucho más sobre la familia Alberton antes de hablar en su nombre; de lo contrario, no estarás prestando un buen servicio a tu cliente.

Oliver se hundió en el sillón, contento de hallarse sumido en sus pensamientos en aquella sala silenciosa, sin ninguna necesidad de levantarse y encender las lámparas de gas.

Henry siguió dando chupadas a su pipa con expresión meditabunda, aunque le constaba que por aquella velada ya habían agotado el tema del caso Alberton.

Rathbone quedó asombrado con Judith Alberton. Había esperado encontrar una hermosa casa, los muebles cubiertos con telas negras, las cortinas corridas, una corona en la puerta y la paja esparcida por la calle para amortiguar el chacoloteo de los caballos al pasar, los espejos tapados o vueltos de cara a la pared. Había quien incluso detenía los relojes. Todas las viudas guardaban luto, vestidas por completo de negro salvo, tal vez, por un broche o un relicario, con el correspondiente adorno de pelo que tanta aversión le producía.

Ahora bien, el rostro de Judith Alberton era de una belleza tan excepcional y estaba provisto de una fuerza expresiva tan extraordinaria, que lo que llevara puesto devenía irrelevante.

—Gracias por venir tan pronto, sir Oliver —dijo cuando él entró en el salón de recibo a media luz—. Me temo que nos vemos en un aprieto muy serio, tal como el señor Monk supongo que le habrá contado. Necesitamos desesperadamente la asistencia más cualificada que podamos encontrar. ¿Le ha descrito él la situación?

—Me hizo un resumen, señora Alberton —contestó, aceptando el asiento que le ofrecía—, pero necesito entender muchas más cosas si pretendo servirla como es debido. —Evitó emplear la palabra «éxito». No estaba seguro de que fuese posible alcanzarlo. ¿En qué consistiría el éxito? ¿Merrit absuelta y otra persona condenada? ¿Quién? Breeland no; quizá ya no estuviesen enamorados, pero entonces lo estaban. Sobrevivírían o caerían juntos. Tenía que hacérselo ver.

—Por supuesto —convino Judith. Al menos en apariencia mantenía la compostura—. Le diré cuanto sepa. No sé qué podrá serle útil. —Su confusión se hacía patente en su mirada. Apoyaba las manos en el regazo, sobre la tela negra, pero las tenía rígidas, con los nudillos pálidos.

Resultaba sorprendentemente difícil comenzar. Siempre era desagradable inmiscuirse en la aflicción ajena, investigando asuntos susceptibles de revelar aspectos del finado que los demás no conocían y que habrían resultado mucho menos dolorosos de haber permanecido en secreto. Ahora bien, el peligro inminente no daba para tales lujos. La dignidad que Judith mostraba disimulando su profunda pena lo conmovía más de lo que habría conseguido el llanto.

—Señora Alberton, por lo que sé hasta ahora, no parece que haya ninguna manera de defender a su hija sin defender también a Lyman Breeland. —Observó que ella apretaba los labios pero no podía permitirse decirle lo que quería oír en lugar de la verdad—. Ambos han declarado que estuvieron juntos durante toda aquella noche —prosiguió—. El que supiera de antemano cuáles eran las intenciones de él, o que de una forma u otra fuese cómplice por voluntad propia, son cosas que pueden alegarse, aunque deberemos hallar pruebas mejores de las que tenemos por ahora si queremos convencer a un jurado. Nuestra única esperanza es averiguar exactamente lo que ocurrió y luego hacer cuanto esté en nuestra mano para demostrar cualquier cosa que atenúe la gravedad de la culpa. A no ser, por supuesto, que logremos demostrar que el culpable es otra persona —concluyó con muy poca esperanza.

—No sé cuál es la verdad —admitió Judith con franqueza—. Sencillamente, no creo a Merrit capaz de algo así..., al menos intencionadamente. El señor Breeland no me interesa, sir Oliver. Nunca me interesó, pero mi marido no tenía tantos escrúpulos. Si no le vendió las armas fue porque ya había adquirido el compromiso de vendérselas al señor Trace y aceptado un pago por la mitad de la suma.

—¿Está segura de que fue Trace quien pagó ese dinero?

—Pues claro.

—¿Qué me dice del dinero de Breeland?

Judith abrió los ojos como platos.

—¿De Breeland? No hay ningún dinero suyo. Robó las armas. Sin duda ése fue el único motivo para..., para asesinar a mi marido y a los vigilantes, pobres hombres. He hecho cuanto he podido por sus familias pero no hay recompensa que compense la pérdida de un ser querido.

—Cabe suponer que el robo fue su motivo —convino Rathbone—. Aunque, no obstante, pudo haber robado las armas sin matar a nadie. Un golpe en la cabeza los habría dejado sin sentido y callados; sólo tenían que atarlos de forma adecuada para evitar que escaparan y los persiguieran.

Vio que a Judith se le ensombrecía la mirada al darse cuenta de que tal vez la muerte de su marido era innecesaria para cometer el robo, que lo habían matado por odio o crueldad, no en un acto de guerra.

—No se me había ocurrido —respondió en un susurro, bajando la vista como para protegerse de su comprensión.

Rathbone sintió lástima por ella. Con gusto habría dejado de husmear de haber tenido alternativa pero el tiempo y los imperativos de la ley no dejaban sitio a la compasión.

—Señora Alberton, si voy a defender a su hija, estoy obligado a defender a Breeland también, excepto si encuentro el modo de separarlos ante los ojos del público y, por consiguiente, de un jurado. Debo saber la verdad, sea cual sea. Créame, no puedo permitir que me cojan por sorpresa en la sala del tribunal, como tampoco enfrentarme a un adversario que sepa más sobre lo hechos que yo. —Se movió casi imperceptiblemente en el asiento—. El conocimiento es mi única arma, y toda la habilidad del mundo no basta para derrotar a un contrincante cuyo arsenal es con creces superior al mío. La de David y Goliat es una bonita historia, y cabe aplicarla como metáfora a determinadas circunstancias, pero lo que demasiado a menudo se pasa por alto, o incluso se olvida, es que David no se encontraba solo. Yo no tengo la certeza de que Dios esté de mi parte. —Sonrió, pero burlándose de sí mismo.

Judith levantó la vista y le miró a los ojos.

—Estoy plenamente convencida de que Merrit no participó por voluntad propia en el asesinato de su padre —declaró, con voz firme—; pero no creo que Dios intervenga en todas las injusticias de este mundo. De hecho, a todos nos consta que no es así. Dígame lo que necesita de mí, sir Oliver. Daré todo lo que tengo para salvar a mi hija.

Él no dudó que hablaba en serio. Pese a que aún no se había formado una opinión sobre ella, bastaba con ver la urgencia, el coraje y el temor reflejados en su rostro.

—Necesito todos los datos que pueda encontrar —dijo—. Y necesito su consentimiento de que si es necesario, lo cual puede ocurrir, yo represente también a Lyman Breeland, con todas las consecuencias que de ello se deriven.

La miraba atentamente mientras hablaba y observó que parpadeaba al darse cuenta de lo repugnante que le resultaría aliarse con el hombre que creía que había asesinado a su esposo.

—Por favor, piénselo detenidamente antes de contestar, señora Alberton —advirtió—. No sé lo que voy a descubrir cuando empiece a investigar con más atención y meticulosidad. No estoy en condiciones de prometer que sea lo que usted desea saber. Lo único que puedo decirle es que si me contrata para que actúe en su nombre, haré cuanto esté en mi mano para servir a sus intereses. Estoy facultado para guardar en secreto cualquier cosa que usted me confíe, y así lo haré. Pero no puedo mentirle, como tampoco protegerla de la realidad.

—Lo comprendo —dijo Judith. Estaba realmente muy pálida, y tensa, como si en caso de aflojar el control férreo que se imponía a sí misma fuera a desmoronarse por completo—. Haré frente a cualquier cosa que usted descubra. Tengo la certeza de que al final servirá para demostrar que mi hija es inocente de malicia, cuando no de locura. Haga lo que sea preciso, sir Oliver.

—Eso conllevará emplear de nuevo a Monk, para que profundice más en la investigación del caso.

—Cualquier cosa que usted juzgue apropiada —convino Judith—. Si confía en él, yo también. Además, ya ha demostrado de sobra ser más que capaz al traer a Merrit de vuelta. Lo que no consigo imaginar es cómo se las arregló para convencer también a Breeland.

—A punta de pistola, según tengo entendido —dijo Rathbone con aspereza—, pero al parecer fue más porque Breeland quería permanecer con su regimiento que porque tuviera miedo de enfrentarse a un juicio. Sostiene que cuenta con una defensa completa, no sólo contra el asesinato, sino también contra el robo.

Judith permaneció callada. Las emociones se reflejaban en su rostro sin solución de continuidad: miedo, pena, desconcierto, duda.

Rathbone se puso de pie.

—Lo primero que haré será hablar con miss Alberton —informó—. No puedo hacer gran cosa hasta que haya oído lo que tenga que decir.

—¿Volverá para contármelo? —Judith se puso de

pie también. Se movía con una gracia excepcional, lo que le hizo recordar de nuevo a Oliver lo guapa que era.

—La mantendré informada —prometió él. No se trataba exactamente de la respuesta que ella había solicitado, pero era cuanto estaba dispuesto a comprometerse. Se preguntó, mientras el lacayo le acompañaba a la puerta, hasta qué punto lamentaría aquella promesa. No acertaba a figurarse una resolución del asunto que no trajera aparejado un profundo y terrible dolor. Al parecer no había ninguna respuesta que no fuese a agravar la pérdida de Judith Alberton.

No tuvo ninguna dificultad en conseguir una entrevista con Merrit. Aguardó en una pequeña habitación con pocos muebles de la cárcel donde estaba encerrada a la espera del juicio. Las paredes eran de piedra encalada; el suelo de sillares. Los goznes de la puerta de hierro estaban incrustados en la jamba por un lado y el cerrojo hincado por el otro, como si una persona desesperada fuera a lanzarse contra ella en un vano esfuerzo por escapar.

Había una mesa a la que podía sentarse y supuestamente tomar notas, si así lo deseaba, aunque no había tintero. Tendría que apañarse con un lápiz. No había una segunda silla para el acusado.

Cuando Merrit entró se sorprendió otra vez. Había esperado encontrarse con una niña enfadada, asustada y con toda probabilidad poco inclinada a cooperar. En cambio, vio a una muchacha que nunca rivalizaría en belleza con su madre pero que no obstante había heredado parte del encanto y dignidad de su progenitora, pese a estar a todas luces exhausta, llevar el pelo peinado hacia atrás recogido con horquillas y, a juzgar por su aspecto, sin la ayuda de un espejo. Dado que todavía no estaba acusada de ningún crimen, salvo por parte de la opinión pública, seguía vistiendo su propia ropa, un vestido de muselina azul con el cuello blanco que acentuaba la palidez de su piel. Se veía limpio y poco usado. Sin duda su madre se lo había hecho llegar.

—La celadora me ha dicho que usted es sir Oliver y que va a representarme —dijo en voz muy queda—. Me figuro que le habrá contratado mi madre.

No lo formuló como pregunta. Ambos sabían que no había otra explicación.

Rathbone empezó a responder, pero Merrit le interrumpió.

—No tuve participación alguna en el asesinato de mi padre, sir Oliver. —La voz sólo le temblaba levemente—. Y no voy a permitir que me utilice para culpar al señor Breeland. —Levantó una pizca el mentón al pronunciar su nombre, torciendo la comisura de los labios.

—Tal vez lo mejor será que me cuente cuanto sepa, miss Alberton —repuso Rathbone, invitándola a tomar asiento en la única silla de la habitación.

—Sólo si se sobreentiende que no seré manipulada —contestó Merrit. No se movió de donde estaba, aguardando su respuesta antes de comprometerse siquiera a escucharle.

De repente Rathbone cayó en la cuenta de lo joven que era. Su lealtad era ciega, absoluta y quizá lo que más apreciaba de sí misma. Comprendió que se definiera mediante ese valor, la capacidad de amar sin reservas, incluso a tan terrible coste. Era lo propio a los dieciséis años. A duras penas recordaba una pasión tan rotunda. Esperó haber sido alguna vez tan ardoroso, tan poco temeroso del daño que se hiciera a sí mismo, anteponiendo el amor a todo lo demás.

El tiempo y la experiencia habían embotado todo aquello... en demasía. Quizá si no hubiese tenido miedo de amar así no habría perdido a Hester. Pero ese pensamiento carecía de sentido ahora, y era demasiado doloroso para permitírselo, ni siquiera de refilón. Lo que tenía delante era demasiado real, demasiado incondicional.

—No es mi intención intentar manipularla —dijo con una dureza que le sorprendió—. Me gustaría saber la verdad o, al menos, la parte que usted pueda contarme. Por favor, aténgase a los hechos. Dejaremos la deducción y las opiniones para luego. Quizá podría comenzar por el día de la muerte de su padre, a menos que antes, en su opinión, ocurriera algo relevante.

Ella se sentó obedientemente y recobró la compostura, cruzando las manos.

—Tanto el señor Breeland como el señor Trace deseaban adquirir las armas que mi padre tenía en venta. Cada cual, por supuesto, para su propio bando en la guerra civil de América. El señor Trace representaba a la Confederación, los estados esclavistas; el señor Breeland está con la Unión y contra la esclavitud en todas partes.

El dejo de orgullo y enojo de su voz era inconfundible. Rathbone no pudo hacer otra cosa que sentirse identificado con ella, al menos en ese respecto. No la interrumpió.

—Mi padre dijo que ya había prometido vender todo el cargamento de armas, más de seis mil, al señor Trace —continuó Merrit—, y no daba su brazo a torcer por más razones que le diera el señor Breeland, o yo misma, en realidad. Probamos con todos los argumentos contra la esclavitud, el horror y la injusticia, detallamos todas las monstruosidades de la crueldad humana, mas no quiso reconsiderarlo. —Tenía los ojos arrasados en lágrimas, pero parpadeó tratando de contenerlas, enfadada consigo misma por revelar sus sentimientos—. Discutí con él.

Se sorbió la nariz y negó con la cabeza al darse cuenta de la poca elegancia del gesto.

Rathbone le ofreció su pañuelo.

Merrit titubeó, lo tomó, sólo para sonarse, y prosiguió.

—Gracias. Yo estaba muy enfadada. Sobre todo porque siempre había pensado bien de él hasta entonces. Nunca había visto ese lado de su ser que... —Bajó la vista, apartándola de él—. Que no admitía un error cuando lo cometía, dando prioridad a una causa mejor. Le dije algunas cosas que ahora quisiera retirar. No es que no fueran ciertas, pero no soporto pensar que fueron las últimas palabras que me oyó decirle.

Rathbone no quiso darle tiempo de ahondar en esa idea.

—Salió de la habitación. ¿Adónde fue?

—¿Cómo? Ah. Subí a mi cuarto y llené una pequeña maleta con lo imprescindible: mudas, blusas limpias y artículos de tocador, poco más.

—¿Dónde se encontraba el señor Breeland durante la discusión?

—No lo sé. En su domicilio, supongo.

—¿No estaba en casa de sus padres?

—No. No oyó la disputa, si es eso lo que está pensando.

—Se me había ocurrido. Entonces, ¿adónde fue usted?

—Me marché. —Las mejillas de Merrit se ruborizaron delicadamente. Eso hizo que Rathbone tendiera a creer que se daba cuenta de la enormidad del paso que había dado y que era tan consciente como su madre del riesgo que suponía para su reputación. Merrit suspiró profundamente—. Salí por la puerta de servicio, que queda en un lateral de la casa, y anduve por la calle hasta llegar al cruce, donde encontré un coche de punto. Lo tomé y di al conductor la dirección del señor Breeland.

Rathbone no tuvo que preguntarle la dirección. Monk ya se la había dado.

—¿El señor Breeland estaba en casa?

—Sí. Se alegró de verme, y más aún cuando le conté la discusión que había tenido con mi padre. —Merrit se inclinó hacia delante sobre la mesa—. Pero tiene que comprender que él no me alentó de ninguna de las maneras a desobedecer a mis padres y que su conducta fue en todo momento decorosa. ¡Exijo que lo crea sin reservas!

Rathbone no estaba muy seguro de lo que creía, pero habría sido una estupidez decírselo en ese momento. No era la cuestión. No podía permitirse el lujo de inmiscuirse en la moralidad de Breeland salvo por lo que de la misma mostrasen los actos punibles por la ley.

—No lo pongo en duda, miss Alberton. Necesito saber cómo pasaron el resto de esa noche hasta que se marcharon juntos de Londres. Con suma exactitud, si tiene la bondad. No omita nada.

—Usted piensa que Lyman mató a mi padre. —La mirada de Merrit era directa, su voz perfectamente segura—. No lo hizo. Lo que le contó al señor Monk es la pura verdad. Lo sé porque yo estaba con él. Pasamos la velada conversando y haciendo planes sobre lo que yo debería hacer. —Esbozó una sonrisa por primera vez, como si se mofara de otros tiempos más inocentes—. Intentó convencerme de que hiciera las paces con mis padres. Me advirtió que su país estaba en guerra. Me explicó que el honor le exigía incorporarse a su regimiento y combatir. Pero, como comprenderá, yo ya sabía todo eso. Mi único deseo era convertirme en su esposa y esperarle, darle mi apoyo y hacer cuanto pudiera para contribuir en la lucha contra la esclavitud. En ningún momento me pasó por la cabeza que me iba a embarcar en una nueva y placentera vida en otro lugar.

Rathbone le creyó. Su sinceridad era clara como el agua, y le pareció detectar un matiz de desaprobación que ella misma se sorprendía de descubrir. Algo la confundía, pero de momento no sabía de qué se trataba.

—Por favor, prosiga —instó Rathbone—. Cuénteme exactamente qué ocurrió. ¿Perdió de vista al señor Breeland en algún momento?

—No por más de unos instantes —respondió ella—. No salió del apartamento. Era casi medianoche y aún estábamos hablando acerca de lo que yo tenía que hacer. —Una chispa de orgullo y ternura le iluminó brevemente el semblante—. Le preocupaba mi reputación, más que a mí misma. Si me hubiese quedado a dormir en su sala de estar, en América nadie lo hubiese sabido y eso era lo único que me preocupaba. Pero él me quería y la situación le inquietaba.

Rathbone sabía mucho mejor que ella lo deprisa que viajaban los rumores, y esa idea le instó a preguntarse hasta qué punto la preocupación de Breeland por la reputación de la muchacha se debería a cómo le afectaría a él siendo su futuro marido. Pero ese impulso era muy poco caritativo, y no lo mencionó.

Merrit tragó saliva con dificultad. Pese a intentar mantener la calma y a su indiscutible coraje, el esfuerzo le estaba costando lo suyo.

—Poco antes de la medianoche un chico trajo un mensaje para Lyman. Era una nota. La abrió y la leyó de inmediato. Decía que mi padre había cambiado de parecer en cuanto a lo de venderle las armas pero que por razones obvias no podía decirlo en presencia del señor Trace. Le devolvería el dinero más adelante y le explicaría que los argumentos de Lyman referentes a la esclavitud le habían conquistado y que no podía vender las armas a la Confederación sin que le remordiera la conciencia. Lyman tenía que personarse en la estación de ferrocarril de Euston Square, donde le serían entregadas las armas. Liverpool era el mejor puerto para embarcarlas con destino a América.

Mientras hablaba lo miraba de hito en hito, deseando con todas sus fuerzas que la creyera.

Rathbone advirtió que casi con toda certeza se explicaba empleando las mismas palabras que Breeland, pero no la interrumpió.

—Eso fue lo que hizo —continuó ella—. Hicimos el equipaje enseguida, recogiendo las cosas más importantes para él. Apenas disponíamos de tiempo ni para eso. Pero las armas eran lo más valioso de todo. Eran parte de la lucha por la libertad y una causa justa siempre debe tener prioridad sobre las posesiones materiales.

—¿Le ayudó a hacer el equipaje? —preguntó Rathbone.

—Naturalmente. Yo sólo tenía cuatro cosas.

De nuevo un amago de sonrisa iluminó su semblante. Debió de recordar otra vez el precipitado abandono del hogar familiar, en nombre del amor y los principios, con sólo lo que cabía en una bolsa de mano que pudiera acarrear sin más ayuda. Rathbone intentó imaginarse cuántos objetos valiosos reunidos a lo largo de su corta vida había tenido que dejar atrás. Y al parecer lo había hecho sin lamentarlo demasiado. Pensó en lo profundo y generoso que debía ser su amor por Breeland. Le dolió con sorprendente agudeza que quizás él no fuera ni remotamente digno de ese sentimiento. Cuando habló, la voz le salió más enojada de lo que pretendía.

—¿Quién le envió esa nota? Supongo que estaría firmada...

—Pues claro —dijo ella, indignada—. No habría actuado en consecuencia, abandonándolo todo, si no hubiese sabido quién se la enviaba.

—¿Quién era?

Se sonrojó y tuvo un momento de turbación al darse cuenta de cuánto dependía de la verdad de aquella cuestión y que ella, al fin y al cabo, no sabía si era cierta.

—Iba firmada por el señor Shearer —dijo en actitud desafiante—. Por supuesto, a la luz de... los asesinatos... —Tragó saliva. Al parecer era incapaz de pronunciar el nombre de su padre en aquel contexto. Adelantó el mentón—. Pero cuando llegamos a Euston Square las armas estaban allí; ya las habían cargado en un vagón. Lyman no me dejó sola más que por momentos, y eso fue después de la entrega de las armas y de pagar el dinero a Shearer. Tenía una autorización por escrito para cobrar en nombre de mi padre y todo estaba perfectamente en regla. Me puse... me puse muy contenta de que mi padre por fin hubiese visto la justicia de la causa por la que Lyman estaba luchando y de que hubiese cambiado de parecer.

—¿Y no se le ocurrió volver a casa y decírselo?

Merrit le miró con amargura.

—No —contestó en voz muy baja—. Estaba enamorada de Lyman y quería irme a América con él. Aún... Todavía me hacía enfadar el que a mi padre le hubiese costado tanto ver lo que para mí fue obvio desde el principio. La esclavitud es una infamia. Tratar a un ser humano como a una posesión no está bien.

Rathbone no sabía qué pensar. La historia no tenía pies ni cabeza, y sin embargo no pensaba que ella estuviera mintiendo. Creía lo que decía. ¿Acaso Breeland la había embaucado? Si no había asesinado a Alberton con sus propias manos, ¿habría contratado a alguien para que lo hiciera? ¿Tal vez a ese tal Shearer?

—Cuénteme el viaje hasta Liverpool y lo que ocurrió una vez allí —ordenó.

—¿Qué importancia puede tener eso?

Ella lo miró con azoramiento.

—Por favor, haga lo que le pido —insistió Rathbone.

—Muy bien. Lyman me acompañó a un vagón donde me puse razonablemente cómoda y me dijo que le esperara mientras iba a hablar con el vigilante. Regresó al cabo de unos diez minutos, y poco después el tren arrancó.

—¿Quién más iba en ese vagón? —preguntó él.

—¿Y eso qué importa? No conocía a nadie y tampoco hablé con ellos. Un hombre mayor con unas patillas inmensas. Una mujer con un sombrero espantoso, el más feo que haya visto en mi vida, rojo y marrón. ¿Quién se atreve a ponerse algo rojo y marrón? No sé quién más había. No tiene ninguna importancia —insistió Merrit.

—¿Dónde hizo parada el tren? —la presionó él.

Obedientemente, ella describió el viaje con profusión de monótonos detalles.

Rathbone apuntó sus respuestas escribiendo aprisa con una caligrafía prácticamente ilegible.

—¿Y una vez en Liverpool?

Merrit contó las dificultades de Lyman para guardar las armas temporalmente en un almacén y para encontrar sitio en un buque con destino primero a Queenstown, en Irlanda, y luego a Nueva York. A cada nuevo dato que aportaba, las imágenes devenían más reales y más convencido estaba Rathbone de que su relato era fruto de la experiencia más que de la imaginación.

—Gracias —dijo finalmente—. Ha sido usted muy paciente, miss Alberton, y ha contribuido mucho en su defensa.

—¡No permitiré que me defienda a expensas de Lyman! —exclamó Merrit, inclinándose sobre la mesa, con el rostro encendido—. Por favor, compréndalo. Le despediré, haré lo que haga falta, si...

—Lo he entendido cuando me lo ha dicho hace un rato, miss Alberton —dijo él con calma—. No voy a hacer eso; le doy mi palabra. No puedo prometerle lo que hará el tribunal, y jamás he prometido a nadie lo que hará un jurado. Pero en cuanto a mí, puedo contestar sin reservas.

Merrit se dejó caer contra el respaldo.

—Gracias, sir Oliver. En ese caso me alegra mucho que actúe en mi nombre y... y que haga lo que pueda.

Rathbone se dispuso marcharse, sintiendo una punzada de lástima por ella, casi como un espasmo físico. Era muy joven, una niña intentando actuar como una mujer, tratando de conservar una dignidad que estaba a punto de perder. Deseó de todo corazón haber podido consolarla, que su padre o su madre estuvieran allí, incluso que Breeland... maldito fuese. Mas lo único que podía hacer para ayudarla era mostrarse formal, mantener el férreo control en el que ella se apoyaba.

—Vendré para contarle mis progresos —dijo en tono cauto—. Si no tiene noticias de mí durante unos días será porque estaré trabajando para usted. Buenos días, miss Alberton.

Se volvió un poco demasiado deprisa, pues no quería ver cómo le saltaban las lágrimas.

Rathbone fue a ver a Lyman Breeland empujado por la curiosidad además del deber pero aun así no era una tarea que esperase resultara fácil ni placentera.

Le hicieron pasar a una habitación muy parecida a la de la sección de mujeres de la prisión, con las mismas paredes de piedra encalada, una mesa sencilla y dos sillas de madera.

En varios aspectos Breeland era exactamente como Rathbone había esperado: alto, delgado, un cuerpo recio acostumbrado al ejercicio. Saltaba a la vista que era un hombre de acción. «Militar» era la primera palabra que a uno le venía a la cabeza debido a su porte erguido y a un cierto aire de orgullo del que hacía gala incluso en tan apabullantes circunstancias. Iba vestido con una camisa lisa y unos pantalones que le quedaban cortos. Seguramente era ropa prestada. Habría abandonado el campo de batalla de Manassas con el uniforme sucio y manchado de sangre.

Sin embargo, el rostro de Breeland sorprendió a Rathbone. Sin darse cuenta, éste se había formado una idea preconcebida y esperaba encontrarse con un hombre apasionado, con un rostro fascinante en el que uno vería fervor, lealtad y una determinación capaz de vencer todos los obstáculos, encajar cualquier revés, soportar el pesar. Quizás inconscientemente había imaginado a alguien como Monk.

En cambio, vio a un hombre apuesto pero inalcanzable de un modo completamente distinto. Su rostro era amable, de rasgos perfectamente regulares, aunque había algo en él que lo hacía distante. Tal vez aún no tuviera suficientes arrugas, como si todas las emociones quedaran dentro, reprimidas.

—¿Cómo se encuentra usted, señor Breeland? —comenzó—. Me llamo Oliver Rathbone. La señora Alberton me ha contratado para defender a su hija y, tal como sin duda comprende, es preciso que su defensa y la de usted las lleve la misma persona o dos personas que actúen como una.

—Por supuesto —convino Breeland—. Ninguno de nosotros es culpable, y a la hora en que se cometía el crimen estábamos juntos. Supongo que ya le habrán informado de eso.

—He hablado con miss Alberton. No obstante, me gustaría oírlo de sus labios; en su propio nombre si desea que lo represente, y en el de ella si prefiere contratar a otro abogado.

Breeland no sonrió.

—Me han dicho que usted es el mejor —dijo—, y me parece coherente que una sola persona nos represente a los dos. Dado que al parecer usted está dispuesto a hacerlo, acepto. Cuento con recursos suficientes para satisfacer sus honorarios.

Era una manera curiosamente descortés de plantearlo, como si Rathbone estuviera a la caza de clientes, aunque éste comprendió los sentimientos de Breeland. Le habían llevado a la fuerza a un país extranjero para ser juzgado por un crimen por el que sería ahorcado si le declaraban culpable. Iban a defenderle desconocidos en quienes se vería obligado a confiar sin opción a constatar por sí mismo su valía. Cualquier hombre con dos dedos de frente habría estado a la defensiva, asustado y furioso.

Rathbone decidió no tratar de ganarse su confianza, al menos de momento. Primero, con bastante formalidad, establecería los hechos.

—Bien —dijo gentilmente—. Qué le parece si nos sentamos y comenzamos a discutir los detalles de la estrategia a seguir.

Breeland se sentó. Se movía con soltura, casi con garbo, si bien aún tenía resentido el hombro.

Rathbone tomó asiento frente a él.

—Para empezar, explíqueme cómo conoció usted a Daniel Alberton, por favor.

—Supe de él por la industria armamentística —contestó Breeland—. Su nombre goza de prestigio y confianza y además podía suministrar las mejores armas y hacerlo deprisa. Fui a verle con la intención de adquirir mosquetes de primera clase y munición para la Unión. Le expliqué la causa por la que luchábamos. No esperaba que comprendiera que la Unión en sí tiene un valor inmenso. Me constaba que a un inglés le costaría captar el daño que supondría la secesión, pero pensé que cualquier nación civilizada estaría en contra de la esclavización de una raza por otra.

Su tono de desdén resultaba hiriente. Sólo llevaban unos minutos hablando y sin duda Breeland era consciente de que su vida corría peligro, pero aun así había encontrado una oportunidad para poner de manifiesto su pasión por la causa de la Unión.

A Rathbone le causó un extraño malestar.

Breeland continuó describiendo sus intentos por cerrar el trato con Alberton y su fracaso. Alberton había dado su palabra a Philo Trace y aceptado su dinero, considerando por consiguiente que estaba obligado a cumplir. Breeland reconoció a regañadientes su admiración ante esa postura pero siguió creyendo que la justicia de la causa de la Unión debía bastar para invalidar el sentido del compromiso de cualquier hombre.

La respuesta de Rathbone fue instantánea, irreflexiva.

—¿Acaso un grupo puede reivindicar honor colectivo pasando por alto el de los individuos que lo componen?

—Por supuesto —respondió Breeland, con una mirada directa, casi contenciosa—. El grupo siempre está por encima del individuo. Eso es la sociedad, eso es la civilización. Me sorprende que lo pregunte. ¿O es que me está poniendo a prueba?

Rathbone estuvo a punto de negarlo, pero se dio cuenta de que en cierto sentido sí lo estaba poniendo a prueba, aunque no del modo en que Breeland creía.

—¿Cuál es la diferencia entre eso y decir que el fin justifica los medios? —preguntó el abogado.

Breeland le sostuvo la mirada, sin pestañear.

—Nuestra causa es justa —respondió subiendo el tono de voz—, nadie en su sano juicio lo puede dudar, pero yo no maté a Daniel Alberton por eso, ni a ninguna otra persona, salvo en el frente, cara a cara, como lo hacen los soldados.

Rathbone no contestó.

—Dígame qué sucedió la noche en que usted discutió con Alberton y luego miss Alberton abandonó su hogar y fue a su casa.

—Usted ha hablado con ella. ¿No se lo ha contado?

—Me gustaría oír su versión, señor Breeland. Por favor, tenga la bondad de complacerme. —Rathbone estaba enfadado aunque no sabía por qué.

—Como usted guste. Nada de lo que diga va a contradecirla, puesto que es la verdad.

Entonces Breeland pasó a describir la velada, coincidiendo en lo esencial con Merrit. Rathbone hizo hincapié en detalles sobre el viaje en tren a Liverpool, el vagón en el que viajaban y otras nimiedades como quiénes eran los demás ocupantes y qué llevaban puesto.

—No entiendo qué importancia tiene eso —protestó Breeland, colérico—. ¿Qué relación puede guardar con la muerte de Alberton la clase de sombrero que llevara una mujer en un vagón de tren horas después?

—Yo no le digo cómo hay que comprar armas, señor Breeland —espetó Rathbone con acritud—. Por favor, no me aconseje cómo debo llevar un caso ni qué información es la que necesito.

—Si considera que precisa una descripción del sombrero de esa mujer, señor Rathbone, se la voy a dar —dijo Breeland fríamente—, aunque miss Alberton sería más indicada para juzgar una cuestión de esta índole. A mí me parece tan trivial como absurda.

—Sir Oliver —corrigió Rathbone con una sonrisa forzada.

—¿Cómo?

—Me llamo «sir Oliver», no «señor Rathbone». Y el sombrero es importante. Hágame el favor de describirlo.

—Era grande y extremadamente feo. Si no recuerdo mal, era casi todo rojo, combinado con otro tono más apagado, marrón o algo por el estilo, sir Oliver.

—Gracias. Creo cierto el relato de su viaje pese a que contradiga los datos que ha reunido la policía.

Se puso de pie.

—Es la verdad —dijo Breeland sencillamente, poniéndose de pie a su vez—. ¿Esto es todo?

—De momento, sí. ¿Puedo hacer algo por usted? ¿Quiere que haga llegar algún mensaje a su familia o a alguna otra persona? ¿Tiene todo lo necesario en cuanto a ropa o artículos de tocador, por ejemplo?

—Lo suficiente. —Breeland hizo una mueca—. A un soldado no debe preocuparle pasar privaciones. Y me han autorizado a escribir tantas cartas como quiera, de modo que mi familia sabe que gozo de buena salud. Preferiría que no se enteraran de esta acusación absurda hasta que se haya demostrado que es falsa.

—En ese caso continuaré investigando cualquier indicio que pruebe que otras personas son las responsables de las muertes de Daniel Alberton y los dos vigilantes del almacén —dijo Rathbone, inclinando la cabeza con un gesto muy contenido antes de marcharse.

Una vez en la calle soleada, en medio del ruidoso tráfico, comprendió el motivo de su enojo. El relato que Breeland había hecho de sus actos concordaba con tanta exactitud con el de Merrit, incluso en detalles irrelevantes como el sombrero de la mujer del vagón, que no abrigaba la menor duda de que fuese la verdad. Una historia inventada no habría contemplado esas nimiedades. Estaba bastante seguro de que, en efecto, Merrit y Breeland habían viajado en tren de Londres a Liverpool y no parecía probable que hubiesen tenido otra ocasión para hacerlo. No obstante, haría que Monk despejara todas las dudas, sirviéndose de testigos a ser posible.

Lo que le hacía apretar los puños mientras caminaba a grandes zancadas por la acera con la espalda erguida era que Breeland no había preguntado una sola vez si Merrit se encontraba bien, si estaba asustada, si sufría o si necesitaba algo que él pudiera hacer por ella. Era poco más que una niña, confinada en un lugar terrible para el que nada en su vida la había preparado, que se enfrentaba a la posibilidad de ser ahorcada por un crimen fruto de la pasión de su príncipe azul por una causa política, por más justa que ésta fuese. Y sin embargo, no se le había ocurrido preguntar por ella, ni siquiera al enterarse de que Rathbone acababa de verla.

Tal vez con el tiempo Rathbone admiraría la capacidad de entrega de Breeland, aunque no se imaginaba haciendo buenas migas con un hombre que dedicaba su vida a la causa de la humanidad en general pero que era incapaz de preocuparse por los individuos que le eran más próximos, y que hacía oídos sordos a su sufrimiento cuando una palabra suya bastaría para aliviarlo. Le pasó por la cabeza la pregunta de si después de todo amaba realmente al pueblo o si sencillamente era que necesitaba una gran cruzada para quedar absorto en ella y tener así una excusa para eludir la implicación personal con sus consiguientes sacrificios de vanidad, sus compromisos, la paciencia y la generosidad de espíritu. Con una gran causa uno podía erigirse en héroe. Las propias debilidades no salían a la luz; nadie juzgaba tu vida privada.

Algo en esa actitud le resultó conocido, provocándole una punzada de remordimiento. El lento y silencioso dolor que sentía en las entrañas cuando pensaba en Hester también era conocimiento de sí mismo, ahora agudizado tras verse cara a cara con Lyman Breeland.

Ya mediaba la tarde cuando Rathbone fue a ver a Monk. Aquella entrevista no le apetecía nada, pero era inevitable. Había que corroborar la historia de Breeland con hechos y testigos. Monk era la persona más indicada para encontrarlos, en el caso de que existieran, y Rathbone se sentía inclinado a pensar que así era.

Llegó a Fitzroy Street cuando acababan de dar las seis y encontró a Monk en casa. Se alegró. No le habría gustado estar a solas con Hester. Le sorprendió lo poco que se fiaba de sus propias emociones.

Monk daba la impresión de haber estado esperándole y miró satisfecho a Rathbone al darle la bienvenida.

—Por supuesto —convino, invitando a Rathbone a tomar asiento con un ademán. Hester no estaba presente. Estaría enfrascada en las labores del hogar. Rathbone no preguntó por ella.

—He oído la historia de la muchacha. —Rathbone

cruzó las piernas con elegancia y se retrepó como si se sintiese muy a gusto. Era un abogado brillante, lo que significaba que tenía elocuencia y pensaba deprisa y con lógica. Además, era un actor excelente. No obstante, él nunca se habría descrito a sí mismo en esos términos, al menos en lo relativo a sus dotes de interpretación—. Y también la de Breeland —agregó—. Me parece bastante probable que sea verdad, pero, naturalmente, necesitaremos corroborarla.

—Usted le cree —dijo Monk pensativo. Resultaba imposible determinar qué opinaba él por la expresión de su rostro. A Rathbone le habría gustado saberlo pero no se lo preguntaría, todavía no.

—Merrit hizo una descripción muy detallada del viaje en tren a Liverpool —explicó Rathbone. Tras referir lo de la mujer del sombrero, añadió—: Breeland hizo la misma descripción, poco más o menos. Eso no es una prueba, pero sí un indicio a tener en cuenta. Tal vez usted consiga encontrar a alguien que los viera en ese tren. Eso sería concluyente.

Monk se mordió el labio inferior.

—Lo sería —concedió—. Pero entonces, ¿quién mató a Alberton? Y lo que es aún más raro, ¿cómo fueron las armas desde el río, a la altura de Bugsby's Marshes, hasta la estación de Euston Square a través de la ciudad?

Rathbone esbozó una sonrisa.

—Si voy a contratarle es para que lo descubra. Tengo la impresión de que existe un hecho fundamental del que aún no sabemos nada. Probablemente tenga que ver con ese agente, Shearer. También cabe la desagradable posibilidad de que el propio Alberton estuviera envuelto en alguna clase de engaño y que fuera traicionado por Shearer, o incluso por Breeland.

Los ojos de Monk brillaron con una chispa de humor.

—Deduzco que no le ha caído muy bien el señor Breeland. —Fue más una observación que una pregunta.

Rathbone enarcó las cejas.

—¿Le sorprende?

—Para nada. Posee virtudes admirables, pero no consigo que me guste su persona —convino Monk.

—Lo entiendo, no me ha preguntado una sola vez cómo se encontraba Merrit. —Rathbone percibió el enojo y el asombro de su propia voz—. ¡Es incapaz de considerar nada que no sea su maldita causa!

—La esclavitud es bastante repugnante.

—Muchas cosas lo son, y un buen número de ellas son fruto de la obsesión. —De repente la voz de Rathbone tembló de ira—. Y de la incapacidad para tener en cuenta otro punto de vista que no sea el propio, o para identificarse con el dolor de otra persona.

Monk se quedó boquiabierto un instante.

—Tiene toda la razón —dijo asintiendo con la cabeza—. Sí... Lyman Breeland es un hombre muy peligroso. Ojalá no tuviéramos que defenderle para defender a Merrit.

—No veo otra alternativa; de lo contrario la habría tomado, créame —aseguró Rathbone con sentimiento—. Investíguelo todo. Creo que Merrit sólo es culpable de haberse enamorado de un fanático frío e implacable. Puede que él sólo sea culpable de ser capaz de amar demasiado una teoría y demasiado poco a la gente. Y eso puede conducir a muchos pecados pero no forzosamente al asesinato de Daniel Alberton. Más vale que investigue detenidamente a Philo Trace y a ese agente, Shearer, así como cualquier otra cosa o persona que crea pertinente.

—Y como siempre, tiene prisa.

—Exacto. —Rathbone se puso de pie—. Esfuércese, Monk. Hágalo por Merrit Alberton y por su madre.

—Pero no por Breeland...

—Me importa un bledo Breeland. Descubra la verdad.

Monk acompañó a Rathbone hasta la puerta, pensativo y con el entrecejo fruncido.

—No deja de haber cierta ironía —observó—. Espero de corazón que no haya sido Trace. Me cae bastante bien.

Rathbone no contestó; ambos recordaban a varios hombres que en el pasado habían sido de su agrado, casos en los que el amor y el odio se habían atribuido a quien no correspondía. Algunas tragedias resultaban muy fáciles de entender; las emociones y opiniones no eran ni de lejos tan sencillas.

8

A Monk también le habría encantado hallar el modo de defender a Merrit sin tener que defender a Breeland al mismo tiempo, pero era demasiado realista para figurarse que algo así fuese posible. Durante el largo viaje a través del Atlántico había observado a la pareja. Le constaba que Merrit jamás lo permitiría. Creyera lo que creyese de Breeland, y a pesar de haber vivido los horrores de la guerra, su naturaleza se basaba en la lealtad. Salvarse a sí misma a costa de él sería negar todo lo que más valoraba. Supondría una especie de suicidio.

Tampoco le sorprendió que Breeland siguiera más preocupado por limpiar su nombre, y por consiguiente su causa, que por cómo soportaba Merrit el encarcelamiento, con el miedo y el sufrimiento que traía aparejados. Sonrió al pensar en el desagrado de Rathbone e imaginó su consideración por Merrit, su juventud, su entusiasmo y vulnerabilidad. También se preguntó, mientras caminaba por Tottenham Court Road en busca de un coche de punto, cuáles serían los sentimientos de Rathbone a propósito de Judith Alberton y si habría reparado en su excepcional belleza.

El sol de agosto calentaba el ambiente, brillaba en las aceras, arrancaba destellos deslumbrantes en los jaeces, en las puertas lustradas de los carruajes y, desde según qué ángulo, de los escaparates de tiendas concurridas.

Un limpiabotas aceptó un penique de un cliente con chistera y guiñó el ojo a una chica que vendía bollos.

Monk hizo señas a un coche y dio la dirección de la comisaría de policía donde, a pesar de lo temprano de la hora, esperaba encontrar a Lanyon. Era el punto de partida más lógico a pesar de que ahora se proponía demostrar justamente lo contrario de lo que al principio habían considerado una verdad incontestable.

Tuvo suerte. Dio con Lanyon justo cuando éste bajaba la escalinata de la comisaría. Se sorprendió al ver a Monk y se detuvo, con cara de curiosidad bajo su cabello rubio y lacio.

—¿Me busca a mí? —preguntó, casi esperanzado.

Monk sonrió, sintiéndose un poco ridículo.

—Ahora trabajo para la defensa —explicó. A Lanyon le debía la verdad y, además, era mucho más fácil que mentir o emplear evasivas.

Lanyon soltó un gruñido, aunque sus ojos no reflejaron crítica alguna.

—¿Dinero o convencimiento?

—Dinero —repuso Monk.

Lanyon sonrió burlonamente.

—No le creo.

—¡Pues no haber preguntado!

Lanyon echó a andar y Monk le siguió.

—Lo siento por la chica —continuó Lanyon—. Ojalá pudiera pensar que es inocente, pero estuvo allí, en el patio del almacén. —Miró de reojo a Monk, con rostro apesadumbrado, tratando de descifrar la reacción de Monk.

Monk se mantuvo impertérrito, aunque le costó lo suyo.

—¿Cómo lo sabe?

—El reloj que usted encontró... era en efecto de Breeland, por supuesto, pero se lo había regalado a ella como recuerdo.

—¿Se lo ha dicho él?

—¿Cree que aceptaría su palabra? No, no lo mencionó en ningún momento y tampoco me tomé la molestia de preguntárselo. Me trae sin cuidado lo que diga. Fue miss Dorotea Parfitt quien nos lo contó. Es amiga de miss Alberton y al parecer ésta se lo enseñó, orgullosa y satisfecha. —Con expresión atribulada, Lanyon dejó que Monk se imaginara la escena y sacara sus propias conclusiones.

Pasaron junto a un puesto ambulante de fresas.

Monk no dijo nada. Las ideas se le agolpaban en la cabeza tratando de hacer encajar en un todo congruente la visión de Merrit alardeando del reloj que Breeland le había regalado como prueba de su amor, Merrit de pie en el patio del almacén observando cómo Breeland obligaba a su padre y a los dos vigilantes a adoptar aquella pose incómoda y humillante antes de dispararles a sangre fría, y la Merrit que había visto en Washington y en el barco de vuelta, joven y leal, confundida ante la frialdad de Breeland para con ella, devanándose los sesos sin tregua para excusar su conducta, obligándose a pensar lo mejor de él, y ahora sola y en prisión, asustada, enfrentada a un juicio y tal vez la muerte y, sin embargo, resuelta a no traicionarlo, ni siquiera para salvarse a sí misma.

Quizá fuese una de las grandes amantes del mundo, pero Breeland no. Tal vez él fuese un idealista, pero no tanto porque apoyara una causa, sino un obsesionado que necesitaba una causa que llenara su naturaleza de lo contrario vacía.

Lanyon seguía aguardando a que respondiera.

—Tiene muy mal aspecto —concedió Monk—. Aún no estoy en condiciones de saber qué significa.

Lanyon se encogió de hombros.

—¿Qué sabe de Shearer? —Monk cambió de tema—. ¿Qué es lo que cuenta él? ¿Ha encontrado al chico que entregó el mensaje a Breeland en su domicilio? ¿Quién le envió?

—Aún no lo sé —respondió Lanyon—. No hemos

encontrado al chico. Puede ser cualquiera entre miles, y no se presentará por su propio pie. Tampoco es que me sorprenda. No querrá que lo relacionen con un hombre que ha cometido un homicidio triple, suponiendo que sepa que lo andamos buscando. Es muy probable que sea analfabeto pero basta con que alguien se lo haya dicho para que se mantenga al margen.

—Merrit explicó que fue de parte de Shearer.

—Nadie le ha visto desde un día antes de que mataran a Alberton —contestó Lanyon de nuevo, atento a la respuesta de Monk.

Cruzaron la calle justo después de un landó abierto, cargado de risueñas damas protegidas con sombrillas de tonos pálidos, la suave brisa matutina agitaba las muselinas blancas y azules.

Un vendedor de limonada apostado en una esquina voceaba de vez en cuando su mercancía. Lanyon se detuvo y compró una, mirando inquisitivamente a Monk, que le imitó. Ambos bebieron el refresco de un trago, sin interrumpirse para hablar.

—¿Lo han buscado? —preguntó Monk al reanudar la marcha. Empezaba a hacer calor, aunque no era comparable al sofocante bochorno de Washington; además, Londres, pese a sus decenas de miles de almas, a su pobreza y suciedad, su magnificencia, opulencia e hipocresía, no estaba en guerra.

—Sí, claro que lo hemos buscado —respondió Lanyon—. Ni rastro.

—¿No cree que eso requiere una explicación?

—Verá —dijo Lanyon con una sonrisa burlona—, la primera que se me ocurre es que estaba conchabado con Breeland y que tuvo la sensatez de desaparecer por completo en lugar de ir a cualquier lado a cara descubierta. Y además no tenía seis mil armas que transportar.

—Es de suponer que sólo tenía el dinero —apuntó Monk ásperamente.

Lanyon anduvo callado unos cien metros.

—¿Investigó lo del dinero? —inquirió Monk.

—Por supuesto —contestó Lanyon, bajando de la acera para cruzar la calle, con Monk pegado a su lado—. Está más que claro en los libros de Casbolt y Alberton. Tiene el anticipo de la mitad que Trace le pagó. Jamás recibió un penique de Breeland.

—Breeland sostiene que pagó la suma entera a Shearer cuando le hicieron entrega de las armas en la estación de Euston Square.

—¡Qué va a decir! —Lanyon sorteó a dos caballeros de edad avanzada, con chaquetas oscuras y pantalones a rayas, enzarzados en una conversación muy seria—. Y si recibió las armas a tiempo para el tren nocturno a Liverpool, ¿a qué seguimos nosotros el rastro río abajo hasta Bugsby's Marshes?

Monk meditó unos minutos mientras seguían caminando.

—Quizá Merrit fuese su testigo. —Mientras hablaba, la idea iba formándose en su mente—. ¿Quizá las armas salieron de Bugsby's Marshes y él se limitó a decir a Merrit que iban vía Liverpool, cosa que él hizo para que ella lo pudiese jurar?

—Porque suponía que usted iría a América, daría con él y lo traería de vuelta para juzgarle... ¿No es eso? —terminó Lanyon por él—. Desde luego se gana el sueldo, señor Monk, ¡debo admitirlo! Le contrataría para el caso que llevo ahora, si no me bastara.

—¡No es que supusiera que yo fuese en su busca! —espetó Monk, notando que se sonrojaba—. Lo hizo para engañar a Merrit, porque no quería que supiera la verdad, no podía permitir que se enterase. Él tal vez crea que todo lo que hace, incluido un triple homicidio, está justificado por la causa, pero sabe de sobra que Merrit no lo haría. Menos aún cuando una de las víctimas es su padre.

Lanyon se quedó boquiabierto y aflojó considerablemente el paso.

—Supongo que no es imposible. ¿Quiere decir que Shearer y Breeland eran cómplices, que Breeland se quedó las armas y Shearer el dinero? Al pobre Alberton lo mataron. ¿Por dónde se llevaron las armas?

—Río abajo hasta Bugsby's Marshes, desde donde cruzaron el Atlántico —contestó Monk mientras atravesaban una calle muy concurrida—. Breeland fue a Liverpool y viajó por separado, llevando a Merrit consigo. Puede que ése fuera su plan original y que se viera obligado a cambiar de parecer debido a la obsesión de Merrit para con él. Sea como fuere, la muchacha es inocente de la muerte de su padre.

—Así pues, ¿Shearer mató a Alberton para robar las armas y vendérselas a Breeland?

—¿Por qué no? —Monk se animó—. ¿No encaja con todo lo que sabemos?

—Salvo por el reloj de Breeland en el patio del almacén, sí. —Lanyon le miró de soslayo, al tiempo que subía al bordillo—. ¿Cómo explica eso?

—No lo sé... aún. ¿Quizá lo dejó caer ella antes?

—¿Haciendo el qué? —preguntó Lanyon con incredulidad—. ¿Por qué iba Merrit Alberton a personarse en el almacén de Tooley Street? No es un sitio que suelan frecuentar las jóvenes damas en sus rondas de visitas veraniegas.

Pese a que lo estaba negando, Monk se dio cuenta de la desesperación con que buscaba una escapatoria para Merrit.

—Quizás ella y Breeland fueron allí para hacer preparativos con Shearer más temprano.

—¿Por qué allí?

—Para comprobar la mercancía. Breeland no iba a pagar por las armas sin saber lo que le daban.

Lanyon le miró entornando los ojos.

—¿No se fiaba de que le vendiera las armas apalabradas, pese a tratarse del agente de Alberton, pero sí confiaba lo bastante en él como para entregarle toda esa suma de dinero y zarpar hacia América con la certeza absoluta de que le enviaría las armas allí, en lugar de quedárselas o venderlas a otro? —Apretó los labios—. ¿Qué impediría a Shearer embolsarse el dinero y volver a vender las armas, o sencillamente no hacer el envío? ¡Breeland poco podría hacer al respecto desde Nueva York!

Monk tuvo otra idea.

—Quizá por eso se llevó a Merrit con él. Como garantía para que no lo timaran.

—Contra Alberton, tal vez..., pero ¿qué más le daba a Shearer lo que le ocurriera a Merrit? De todos modos mató a Alberton.

Monk recordó el semblante de Breeland cuando le refirieron los asesinatos.

—Me parece que Breeland no lo sabía. Él creía que Shearer actuaba movido por los principios, en los que creía con tanto fervor como él mismo en la lucha contra la esclavitud. —Advirtió la cara de divertida incredulidad de Lanyon—. Hable con Breeland —agregó de inmediato—. Escúchele. Es un fanático. En su opinión, toda persona en su sano juicio cree en lo mismo que él.

Lanyon captó lo que quería decir.

—Supongo que es posible —dijo con cautela—. Así pues, Shearer es el villano, Breeland el fanático, culpable de comprar armas robadas y de utilizar el amor de Merrit en su provecho, pero no de asesinato. ¿Y Merrit sólo es culpable de dejarse llevar por el corazón olvidando la cabeza? Me figuro que a los dieciséis años tampoco es de extrañar. —Se encogió de hombros—. Si una mujer no hiciera cuanto está a su alcance para ayudar a su prometido, nos faltaría tiempo para criticarla.

—Probablemente —convino Monk, aunque en su fuero interno se preguntó cuánta adoración ciega sería capaz de soportar; tal vez a los treinta mucha más que ahora. ¿Y la habría utilizado con la misma indiferencia de la que hacía gala Breeland? Probablemente. Lo que se recibía gratuitamente a menudo se menospreciaba. Ahora bien, el hecho de que él pudiera haber obrado igual no atenuó la antipatía que le inspiraba Breeland; en todo caso la acentuaba.

—¿Va a investigar eso? —preguntó Lanyon con curiosidad.

—Voy a investigarlo todo —repuso Monk—. A menos, por supuesto, que encuentre algo tan concluyente que lo haga innecesario. —Miró a Lanyon con una sonrisa de oreja a oreja, aunque la intención era irónica, como ambos sabían.

Lanyon se encogió de hombros.

—Buena suerte.

Pareció decirlo en serio.

Monk comenzó de nuevo por el principio, en el patio del almacén, siguiendo el rastro de los carros que salieron de allí. Recordó vívidamente su anterior llegada al recinto cerrado en el pálido amanecer de verano, cuando vio los cadáveres en sus grotescas posturas. Recordó la cara de Casbolt a la luz mortecina del alba, el olor a sangre, las huellas de las ruedas sobre los adoquines.

También recordó Manassas y la extraña realidad de la guerra. Todo aquello era como un sueño, mucho más pequeño de lo que debería haber sido, con el polvo y el calor como ridículo lugar común. Los disparos no eran como truenos; eran como crujidos, como docenas de ramitas dando chasquidos al prender una hoguera. Sólo los cañones tronaban.

Ahora bien, la sangre y el miedo habían sido más reales de lo que nadie se podía figurar, tan descarnados que los seguía rememorando cada vez que cerraba los ojos olvidando protegerse de ellos. Tenía el olor grabado a fuego en la memoria.

¿Qué representaban tres muertes comparadas con aquella masacre? Algunos soldados eran abatidos sin siquiera haber luchado, desperdiciados sin más, con la misma desconsideración con que un hombre siega un campo.

¿Era así como lo veía Breeland, como un asesinato en lugar de como un acto de guerra? ¿Consideraba que la muerte de unos pocos individuos eran un precio barato para garantizar el fin de la esclavitud para toda una raza, y tal vez para otra raza, la suya, el fin del pecado de esclavizar? Cabía establecer un razonamiento para ello. El propio Monk podría hacerlo.

Sabía lo que Hester diría al respecto. Al menos eso creía. Nadie salvaba a un pueblo del pecado cometiendo otro pecado. Ahora bien, ¿se trataba de una mujer realista? ¿O acaso pensaba en los individuos, en las heridas o el dolor de un hombre, porque era ahí donde ella podía ayudar, negándose a tener una visión de conjunto más amplia?

Sin duda, Lyman Breeland hacía caso omiso de los individuos y veía a los miles, a las decenas de miles. Y había algo en Breeland que a Monk le resultaba repelente. ¿Significaba eso que Breeland estuviera equivocado, o sólo que era moralmente más valiente, más un visionario que un limitado ser humano normal y corriente?

Monk estaba de pie bajo el sol de Tooley Street, sopesando las posibilidades. Los carros habían salido por los portalones y tuvieron que girar a la izquierda o a la derecha. Con lo que pesaban las armas sólo cabía transportarlas en vehículos tirados por caballos o en barcazas por el río. Este último estaba más cerca, con diferencia. Alberton solía utilizarlo para trasladar toda la mercancía pesada. Era lo que hacía todo el mundo.

Ahora bien, Breeland era americano. ¿Quizá no lo sabía? ¿Era concebible que hubiese ido hasta la estación de Euston Square por tierra? Ya había transcurrido más de un mes desde entonces. No sería tarea fácil encontrar testigos que recordaran algo y mucho menos que estuvieran dispuestos a testificar.

¿Podía ser cierta la historia de Breeland? Por allí era por donde debía comenzar. Los carros cargados con seis mil armas abultarían lo suyo al atravesar las calles en plena noche.

Aunque el tiempo era una cuestión completamente distinta. Breeland afirmaba que había recibido la nota alrededor de medianoche. Alberton seguía vivo entonces. Lo mataron hacia las tres, según las pruebas médicas y la deducción razonable en cuanto a la carga de las armas. Los carros se marcharían inmediatamente después. ¿Cuánto tardarían con un cargamento tan pesado, aunque en la quietud de la noche sin tráfico?

Se puso a caminar deprisa y tomó un coche de punto que siguió la ruta más corta para cruzar el río hasta la estación de Euston Square, pensando frenéticamente durante todo el trayecto. Ni siquiera al trote, cosa que los carros no habrían podido hacer, habría conseguido llegar en menos de media hora o tres cuartos.

Pagó al cochero y entró dando grandes zancadas a la estación. Pidió ver al jefe de estación, mencionando el nombre de Lanyon como si tuviera derecho a hacerlo.

—Es a propósito de una remesa ilegal de armas —dijo con gravedad—. Y triple asesinato. Debo informarme con exactitud. Hay vidas en juego, y puede que hasta la reputación y el honor de Gran Bretaña.

El empleado obedeció de inmediato. Mejor que la decisión de resolver aquello recayera sobre otro.

—¡Voy a avisar al señor Pickering, señor!

El jefe de estación sólo le hizo esperar quince minutos. Era un hombre simpático con un poblado bigote gris y unas imponentes patillas. Recibió a Monk en su despacho.

—¿En qué puedo servirle, señor? —inquirió gentilmente, aunque miró a Monk de arriba abajo sopesando su importancia y reservándose su parecer. No era la primera vez que oía afirmaciones descabelladas y no se dejaba impresionar con facilidad.

Monk no se batiría en retirada, pero decidió exponer su petición con calma.

—Gracias por su colaboración, señor Pickering. Como sin duda sabe, el 28 de junio se cometió un triple asesinato en Tooley Street y un considerable cargamento de armas británicas fue robado y exportado a América.

—Todo Londres está al corriente, señor —reconoció Pickering—. Un investigador privado muy emprendedor siguió la pista del asesino y lo trajo de vuelta para juzgarlo.

Monk se dejó invadir por la satisfacción; no le gustaba llamarlo orgullo.

—En efecto. William Monk —se presentó, permitiéndose un amago de sonrisa—. Ahora quiero estar seguro de que en el juicio ese hombre no escape a la justicia. Sostiene que compró las armas legalmente, pagando el precio convenido, y que las envió en tren desde esta estación a Liverpool, la misma noche en que tuvieron lugar los asesinatos. ¿Hubo algún tren a Liverpool esa noche?

—No sale ningún tren antes de las seis de la mañana, señor. —Pickering negó con la cabeza—. No circulan trenes nocturnos por esta línea.

Aquello desconcertó a Monk. Lo único que era seguro se había esfumado de repente.

—¿Ninguno? —insistió.

—Bueno, de vez en cuando un convoy especial. —Pickering tragó saliva, pero sus ojos no reflejaron vacilación—. Arrendamiento privado. No solemos rehusar esa clase de servicios.

—¿Hubo alguno la noche del viernes 28 de junio? En realidad sería a primera hora de la madrugada del sábado.

—Déjeme comprobarlo. —Pickering se volvió para rebuscar en un fajo de papeles que había en un estante a sus espaldas.

Monk aguardó con impaciencia. Los segundos se sucedieron hasta completar un minuto y luego dos.

—Aquí está —dijo Pickering por fin—. Pues sí, caramba, hubo un especial esa noche. Todo el trayecto hasta Liverpool. Aquí lo tiene. —Le tendió el fajo de papeles.

Monk prácticamente se lo arrebató. El tren había salido a las dos menos cinco de la madrugada.

—¿Seguro que salió a la hora prevista? —inquirió. Notó el tono amenazante de su voz, mas no podía controlarlo.

—Sí, señor —aseguró Pickering—. Esa hoja se rellena después. Tendría que haber salido cinco minutos antes. Ésa es la hora real de partida.

—Entiendo. Gracias.

—¿Le sirve de algo?

—Sí, desde luego. Los asesinatos no pudieron producirse antes de las tres, aproximadamente.

Pickering se mostró aliviado, y a la vez desconcertado.

—Entiendo —dijo, aunque era obvio que no era así.

—¿Sabe si transportaba cajas de armas? —preguntó Monk, sin esperar una respuesta interesante.

—¿Armas? No, señor; sólo maquinaria, madera y me parece que una remesa de loza sanitaria.

—¿Y por qué un tren especial para esa carga?

—La loza sanitaria es frágil, digo yo.

—¿Quién arrendó el servicio?

—En la parte de abajo, señor, ahí. —Pickering señaló la hoja que Monk sostenía en la mano—. Butterby &

Scott, de Camberwell. —Observó a Monk con curiosidad—. ¿Acaso pensaba usted que el americano llevó las armas hasta Liverpool en nuestro tren? Los periódicos dijeron que bajó por el río hasta Bugsby's Marshes y que desde allí cruzó el Atlántico hasta América. Parece lo más razonable. Si yo acabase de asesinar a tres hombres y robado miles de armas, me largaría del país para huir de la justicia cuanto antes. Ni siquiera rondaría mucho por el río; bajaría a mar abierto tan aprisa como la marea me llevase y mientras aún fuese de noche, como pasa en esta época del año.

—Yo haría lo mismo —convino Monk—. Procuraría haber levado anclas y estar en alta mar antes de que rastrearan por dónde me había marchado.

Pickering lo miró perplejo.

—Ahora bien, si no las hubiese robado —explicó Monk—, si la hubiese comprado legítimamente y no supiera nada de los asesinatos, iría vía Liverpool. Así ahorraría un tiempo considerable, días, en lugar de rodear toda la costa sur de Inglaterra antes de llegar al Atlántico.

Pickering enarcó las hirsutas cejas.

—¿Cree que no lo hizo él? ¿Pues quién, entonces?

—No sé qué pensar —admitió Monk—. Salvo que quienquiera que matase a esos hombres en Tooley Street no viajó hacia el norte en uno de sus trenes.

—Eso puedo jurarlo —aseguró Pickering—. Y lo haré, si me llaman a declarar. Usted pilló a ese diablo, señor Monk. Ésa no es manera de tratar a nadie. ¡Sea lo que sea por lo que esté luchando!

Monk se mostró de acuerdo, le dio las gracias y se marchó.

Dedicó el resto de la jornada y el día siguiente a volver sobre sus pasos río abajo desde Tooley Street hasta Bugsby's Marshes. Una vez más, habló con cuantas personas habían visto la barcaza cuya pista él y Lanyon habían seguido la primera vez, y con un buen puñado de otras. Halló exactamente lo mismo que la vez anterior: una barcaza muy cargada, con una pila de cajones del tamaño y la forma adecuados para transportar mosquetes, la barcaza hundida en el agua hasta la borda, avanzando con torpeza al principio pero cogiendo arrancada al aumentar de velocidad en el centro de la corriente. Dos hombres, uno alto y delgado y con acento extranjero que la mayoría supuso americano. Sin duda, con aquellas erres tan marcadas y las consonantes arrastradas no tenía nada de europeo. Parecía estar al mando y dar las órdenes.

Lo habían hecho todo con discreción, incluso furtivamente, sin saludar a nadie, pasando por alto la habitual camaradería entre los hombres del río.

Volvió a perderlos en Bugsby's Marshes. Intentó repetidas veces encontrar a alguien que lo hubiese visto más allá de Greenwich, o que hubiera visto un buque de altura al llegar, zarpar o bien fondeado, pero no tuvo éxito.

Un barquero se encogió de hombros, apoyado en los remos, entornando los ojos para protegerse del resplandor del sol reflejado en la marea entrante.

—Tampoco es tan raro, en realidad —dijo, mordiéndose el labio inferior—. Escondido en el meandro de Bugsby's Marshes, ¿quién iba a verlo? Pudo pasar allí toda la noche sin llamar la atención; fondeado cerca de la orilla, eso sí. Así lo haría yo... si estuviera metido en negocios turbios. Luego zarparía con la primera marea. Llegaría a mar abierto antes del desayuno.

Monk le dio las gracias y se volvió dispuesto a regresar a la Taberna de la Alcachofa cuando el hombre le llamó.

—¡Eh! ¿Quiere saber qué fue de la gabarra?

Monk giró sobre sus talones.

—¿Lo sabe?

—Claro que no, si no ya se lo habría contado; pero

me ha dicho que le siguió el rastro hasta aquí, e incluso un ciego se daría cuenta de que piensa que transportaba algo valioso, robado tal vez.

Monk se impacientó.

—Veamos, ¿no ha preguntado por ahí dónde está ahora esa gabarra? —dijo el barquero, sacudiendo la cabeza.

—Preguntado...

Monk cayó en la cuenta. Fue como si le asestaran un golpe. Había seguido la pista de la barcaza hasta Bugsby's Marshes pero con la idea fija de Breeland y las armas. ¡No se le había ocurrido pensar que la barcaza remontaría la corriente hasta donde diablos estuviera en ese preciso momento! Eso le proporcionaría pruebas de la complicidad de Shearer, y si no le servía para averiguar dónde se encontraba ahora, al menos serviría para establecer adónde había ido después de los asesinatos. Monk se maldijo por no haberlo pensado antes. Al parecer, Lanyon tampoco lo había hecho. Ambos habían actuado tan convencidos de que capturar a Breeland era lo más primordial, que le restaron importancia. Como Breeland admitía estar en posesión de las armas y su reloj apareció en la escena del crimen, habían supuesto que tenían bastantes pruebas, sin preocuparse de averiguar dónde había alquilado la barcaza y a quién. Eso por sí solo no era incriminatorio. Breeland sostendría que lo había hecho así con la esperanza de adquirir las armas de la forma acostumbrada.

Sin embargo, ahora revestía suma importancia.

—Sí —dijo a regañadientes. Le picaba en lo más vivo que le diera una lección un hombre del río cuyo trabajo consistía en llevar barcas a remo y entender de mareas—. Sí, seguiré la pista río arriba. Gracias.

El barquero sonrió burlonamente y se echó la gorra hacia atrás antes de asir de nuevo los remos y comenzar a bogar.

No obstante, pese a dedicar aquella tarde hasta el

abajo mientras Breeland y Merrit iban a Liverpool en tren. La única cuestión que quedaba en el aire era por qué Breeland había cometido la imprudencia de confiar en Shearer. Y obviamente había hecho bien en hacerlo, pues las armas habían llegado a Washington.

Aunque Monk no acababa de creérselo, no sin una razón de peso para que Breeland confiara en Shearer. Tenía que haber algo que lo explicase.

¿Habría otra persona involucrada? Era poco probable, a menos que el propio Alberton hubiese intervenido de un modo u otro y luego Shearer le hubiera traicionado. Breeland había dicho que la nota que recibió se la mandó Shearer, pero no podía estar seguro. Cualquiera pudo firmar con el nombre de Shearer.

Sólo una cosa estaba clara: a Monk aún le faltaba mucho para descubrir la verdad.

Se dirigió una vez más al almacén de Tooley Street. Había mucho movimiento. El almacenaje y los envíos, las compras y ventas continuaban pese a la muerte de Alberton. Quizá no fuera tan próspero como antes, aunque había gozado de una reputación excelente y Casbolt seguía vivo, si bien su participación en el negocio al parecer se centraba más en las compras.

Monk entró por los portalones abiertos y el recuerdo le produjo un escalofrío. Había un carro en medio del patio, los caballos pateaban los adoquines sin cesar, las moscas zumbaban a su alrededor, un olor a estiércol, virutas de madera, aceite, sudor y alquitrán cargaba el aire. Dos hombres que trabajaban juntos descargando con un cabrestante un cajón de madera en la trasera del carro, acabaron en el momento en que se acercó a ellos. Uno amarró firmemente el cajón para que no se corriera; el otro fue hacia la puerta del almacén.

—Usted dirá. —El que estaba junto al carro se volvió en dirección a Monk, no sin cierta cortesía—. ¿Puedo ayudarle?

—Eso espero. Estoy buscando al señor Shearer. Tengo entendido que solía trabajar con el señor Alberton —respondió Monk.

—Sí, sí que lo hacía —contestó el hombre, atusándose con la mano los cuatro pelos que le quedaban—. El pobre señor Alberton ha muerto, asesinado. Supongo que ya lo sabe; todo Londres lo sabe. Pero hace semanas que no veo a Shearer. De hecho, no he vuelto a verle desde que se cargaron al pobre señor Alberton, eso seguro. —Se volvió hacia el hombre que regresaba de cerrar la puerta del almacén—. ¡Eh, Sandy, este hombre anda buscando a Shearer! ¿Lo has visto últimamente? Porque yo no.

Sandy negó con la cabeza.

—No lo veo desde..., por lo menos hace semanas. Igual el día antes de que mataran al pobre señor Alberton.

Su rostro reflejaba tristeza y una rabia manifiesta. Monk se sorprendió al constatar lo mucho que le complacía. Le caía bien Alberton. No se permitía pensar mucho en ello; prefería concentrarse en resolver la incógnita de quién era el responsable de la muerte de Alberton y demostrar cómo se había perpetrado el crimen.

—¿Cómo es? —preguntó en voz alta. Entonces se dio cuenta de que no se había presentado—. Me llamo Monk. La señora Alberton me ha contratado para que la ayude a esclarecer la muerte del señor Alberton. Piensa que queda por descubrir mucho más de lo que sabemos hasta ahora, y puede que haya más personas implicadas. —Era literalmente cierto, aunque de un modo indirecto. No quería decirles que lo hacía para conseguir que Merrit fuese absuelta del cargo de asesinato. Lo más probable era que la considerasen culpable. Si los periódicos eran exactos, cosa más que discutible, el público general abrigaba pocas dudas sobre su participación.

—¡Eh, Bert! ¡Ven aquí! —Sandy llamó a un tercer hombre que se había asomado a la puerta del almacén—.

Ven a echar una mano a este caballero. Trabaja para la señora Alberton.

Aquello bastó para que Bert se moviera con presteza. Tanto si conocían personalmente a Judith Alberton como si no, la mención de su nombre aseguraba la más completa cooperación.

—¿Qué opinas de Shearer? —preguntó Sandy—. ¿Cómo se lo describirías a alguien que no lo ha visto nunca y no sabe nada de él?

Bert pensó detenidamente antes de contestar.

—Listo —dijo al cabo—. Listo como una rata.

—Ve una ocasión a la primera —apuntó el primer hombre.

—¿Es ambicioso? —preguntó Monk.

Los tres asintieron con la cabeza.

—¿Avaricioso? —aventuró Monk.

—Bastante —respondió Bert—. Aunque, a decir verdad, que yo sepa no ha estafado a nadie.

—No vale la pena estafar, si te pillan estás arreglado —intervino Sandy—. En este negocio tienes suerte si acabas en el trullo. Es más fácil acabar bocabajo en el río. Pero yo no me he enterado de ningún trapicheo raro. Aunque nunca se sabe.

—Entonces, según ustedes, es ambicioso pero honrado.

—Eso es, jefe. Había otras quinientas armas ahí, y también han desaparecido. Pero supusimos que los que fueran se las llevarían todas. ¿Piensa que Shearer tuvo algo que ver con los que se cargaron al patrón? —preguntó el primer hombre, mirando a Monk entrecerrando un poco los ojos—. Los diarios dicen que fue ese yanqui.

—No estoy seguro —dijo Monk con franqueza—. Breeland consiguió las armas, de eso no hay duda, pero no estoy seguro de quién mató al señor Alberton.

—¿Cómo se las llevaron, si no? —dijo Sandy, no sin razón—. Y en caso de que no haya sido por las armas,

¿por qué iban a cargárselo de esa forma? Ésa no es manera de matar a nadie. Es...

Buscó la palabra en balde.

—Brutal —propuso Monk.

—Sí..., y que lo diga.

Bert asintió enérgicamente.

—¿Sospecha que Shearer tuvo algo que ver? —inquirió Sandy—. ¿Y que por eso se ha largado? Porque ninguno de los de aquí lo ha visto desde entonces.

—¿Encajaría con lo que ustedes saben de él? —preguntó Monk.

Intercambiaron miradas antes de contestar.

—Sí, de sobra —repuso Bert—. ¿No es así?

—Sí. Si había una buena pasta de por medio... —dijo Bert—. Tuvo que haberla. Ése no mueve un dedo a cambio de nada. Le caía bien el patrón, a su manera. Tuvo que ser un pastón. —Se mordió el labio inferior—. Pero aun con eso, la manera de cargárselos... No me imagino a Shearer haciéndolo así. Eso tuvo que hacerlo el yanqui.

—¿Ni siquiera a cambio del precio de seis mil mosquetes de cañón estriado de primera clase? —insistió Monk.

—Bueno, supongo que sí. Eso es un montón de dinero para cualquiera —reconoció Sandy.

—¿Saben si simpatizaba con la causa de la Unión? —Monk probó con una última pregunta sobre el tema.

Los tres le miraron perplejos.

—Contra la esclavitud —explicó Monk—. Mantener todos los estados de América como un solo país.

—No hay esclavitud en Inglaterra —señaló Sandy—. Al menos no hay esclavos negros —agregó con ironía—. Hay quien dice que lo pasan mal. Y en cuanto a los estados de América, ¿qué más nos da? Que hagan lo que prefieran, digo yo.

—¿Saben dónde vive Shearer? —preguntó Monk.

En New Church Street, una bocacalle de Bermondsey Low Road —contestó Bert—. No sé el número, pero me suena que acaba en tres. Queda como a la mitad de la calle.

—¿Está casado?

—¿Shearer? ¡Qué va!

Monk les dio las gracias y salió del patio para dirigirse a New Church Street.

Le llevó casi media hora encontrar el sitio donde vivía Shearer y a una airada casera que había esperado tres semanas con una propiedad vacía.

—¡Estuvo aquí casi nueve años! —exclamó en tono agresivo—. Y luego va y se larga Dios sabe dónde, dejando toda su basura aquí para que yo la limpie. He perdido tres semanas de alquiler por su culpa. —Miraba a Monk con expresión desafiante—. ¿Es amigo suyo, usted?

—No —se apresuró a contestar Monk—. A mí también me debe dinero.

La mujer soltó una carcajada.

—Vaya, pues aquí no tiene nada que rascar, porque yo no tengo nada y no voy a repartir con nadie lo que he sacado vendiendo su ropa al trapero, eso se lo aseguro.

—¿Cree que puede haberle ocurrido algo malo?

La mujer enarcó sus finas cejas.

—¿A ése? ¡Me extrañaría! Es demasiado listo. Le harían una oferta mejor y la aceptó, supongo. O le busca la policía. —Miró a Monk de arriba abajo—. ¿Es usted policía?

—Ya se lo he dicho. Me debe dinero.

—¿Ah sí? Bueno, nunca he conocido a un poli que fuera pariente de la verdad. Pero si le debe dinero, me da que tendrá líos si usted le encuentra. Me da miedo pensarlo.

Monk tuvo un recuerdo fugaz, como si otra persona le hubiese dicho exactamente lo mismo, pero se esfumó antes de que lograse ubicarlo. Los recuerdos repentinos de las épocas anteriores al accidente eran cada vez menos frecuentes, y ya no los buscaba adrede ni intentaba conservarlos. Lo que la mujer acababa de decirle quizá fuese verdad. No perdonaba fácilmente, y si alguien lo engañaba perseguía al culpable hasta el último escondite y se cobraba la deuda. Pero de eso hacía mucho tiempo. Luego, en el verano de 1856, el carruaje en el que iba volcó, robándole todo su pasado. Durante los cinco años que habían transcurrido desde entonces había construido una nueva vida, con sus propios recuerdos y características.

Dio las gracias a la casera y se marchó. Allí no había nada más que averiguar. Shearer había desaparecido. Lo importante era saber adónde y por qué. Al día siguiente hablaría con estibadores y marineros que le conocerían. Igual hasta encontraba el sitio de donde había salido la barcaza que transportó las armas río abajo. Luego seguiría por los despachos de los consignatarios con quien Shearer habría tratado para exportar las armas de Alberton o maquinaria o la mercancía que fuese.

Aquella noche le contó a Hester lo poco que había descubierto.

—¿Crees que en realidad fue Shearer quien mató al señor Alberton? —preguntó ella en tono esperanzado.

Estaban sentados a la mesa cenando empanada fría de pollo acompañada de verduras. Monk advirtió que Hester parecía cansada.

—¿Dónde has estado todo el día? —quiso saber.

—¿Lo crees? —insistió Hester.

—¿Cómo?

—¿Crees que Shearer mató a Daniel Alberton?

—Es posible. ¿Dónde has estado?

—En el hospital Small Pox de Highgate. Seguimos procurando que mejore la calidad del personal que cuida de los pacientes, pero cuesta mucho. He pasado casi todo el tiempo escribiendo cartas.

Monk tuvo que contenerse para no hacer un comentario sobre Florence Nightingale, quien escribía cartas sin tregua a fin de promover la reforma hospitalaria. Era comprensible el cansancio de Hester. Le había prometido hacía meses que contratarían a una mujer que llevara la casa, pero se le había olvidado.

—Eso significaría que Merrit no es culpable —dijo, observándole con cierto entusiasmo—. Explicaría cómo lo hizo Breeland sin que ella se enterara.

Monk sonrió.

—Te gustaría que así fuera, ¿verdad?

—Sí —admitió Hester tras dudar sólo un instante—. Me cuesta creer que él pueda ser inocente, pero me muero de ganas de pensar que ella lo es.

Monk se relajó un poco.

—Tendrías que ir buscando a alguien que venga cada día, aunque sólo sea por unas horas.

Hester meditó acerca de ello unos minutos, observando su rostro, tratando de juzgar si estaba siendo generoso en exceso.

Él leyó sus pensamientos como si los llevara escritos en la frente.

—Busca a alguien —repitió—. Aunque sea tres días a la semana, lo suficiente para hacer la limpieza y cocinar un poco.

—Sí —aceptó Hester—. Lo haré.

Le sostuvo la mirada con un asomo de sonrisa en los ojos.

Monk se sintió muy a gusto, como si acabara de hacerle el mejor regalo imaginable, y tal vez lo fuese, porque lo que en realidad le regalaba era tiempo para ocuparse en lo que valía, tiempo para hacer uso de capacidades que poseía en abundancia, en lugar de esforzarse en desarrollar otras que nunca le serían connaturales. Le devolvió la sonrisa, cada vez más abiertamente.

Hester también supo lo que él pensaba. Se mordió el labio.

—¡Sé cocinar! —exclamó—. Moderadamente.

Monk no lo discutió; se limitó a reír.

A la mañana siguiente empezó por el río, hablando de nuevo con estibadores y barqueros, sólo que esta vez no fue acerca del traslado de las armas sino de Shearer. No encontró a nadie que lo conociera y estuviera dispuesto a hablar de él hasta primera hora de la tarde, y todo cuanto le dijo no hizo más que confirmar lo que ya le habían contado los hombres del almacén. Shearer era un tipo duro, ambicioso, competente, pero en apariencia leal a Daniel Alberton. No se hablaba de él con aprecio aunque había un inconfundible respeto en los rostros de los hombres y en el tono de sus voces.

Aquello confundió aún más a Monk. La imagen de Shearer que se iba formando no encajaba bien con los hechos. Caminó por la calle ajeno al tráfico, los carros cargados hasta los topes, los hombres que se daban voces, las grúas que subían y bajaban, la multitud de mástiles zarandeados por la marea que mecía los barcos, alguna que otra gaviota volando en círculos en lo alto.

Shearer había desaparecido, eso parecía indiscutible. Las armas habían llegado a América, igual que Breeland y Merrit. Alberton y los dos vigilantes estaban muertos, asesinados.

La barcaza con las armas había bajado por el río hasta Bugsby's Marshes, y a partir de allí no había ni rastro de ella. Al parecer Breeland y Merrit habían viajado en tren hasta Liverpool, pero el único tren que pudieron haber tomado había salido antes de los asesinatos y, por consiguiente, antes de que las armas salieran del almacén.

Todo indicaba que la participación de Shearer era lo

único que podía relacionar esos tres hechos y otorgarles algún sentido.

Alguien tenía que saber más sobre Shearer, e incluso acerca del barco que había remontado el Támesis hasta Bugsby's Marshes para cargar las armas, levar anclas y volver a hacerse a la mar. ¿Sería un barco inglés o uno americano?

Tal vez lo que había descubierto hasta entonces bastaría para elevar una duda razonable a propósito de la culpabilidad de Merrit, siempre y cuando el jurado no tuviese prejuicios y sus miembros fueran capaces de prescindir de sus propios sentimientos. Sin embargo, no sería suficiente para limpiar su nombre. Siempre habría quienes la considerarían culpable aunque no se hubiera podido demostrar. Se habría salido con la suya. Eso era sólo un poco mejor que la horca, una especie de vida en el limbo. Aunque si regresaba a América con Breeland, quizá la opinión de Inglaterra no tendría tanto peso.

Pero ¿bastaría también para salvar a Breeland de la soga, contra el odio del que era objeto, contra una opinión pública convencida de su culpabilidad? ¿Sería inevitable que arrastrara a la muchacha con él?

Eso no afectaba a lo que Monk tenía que hacer. Las probabilidades de que el veredicto fuese en un sentido u otro eran competencia de Rathbone, aunque estaba seguro de que éste querría conocer la verdad tanto o más que él mismo. Alguien había atado a tres hombres y les había pegado un tiro en la cabeza. Necesitaba saber quién era ese alguien más allá de toda duda, razonable o no.

Entró en la primera oficina de consignatarios que vio y pidió hablar con los empleados.

—¿Shearer? —dijo un joven de chaqueta ceñida—. Ah, sí, es un gran tipo. Agente del señor Alberton. —Respiró hondo—. Un asunto terrible. Espantoso. Gracias a Dios han cogido al hombre que lo hizo. También secuestró a la hija, a decir de todos. —Hizo chascar la lengua.

—¿Cuándo vio a Shearer por última vez? —preguntó Monk.

El empleado reflexionó por un instante.

—No trabaja mucho con nosotros —respondió—. Hace un par de meses o más que no le veo. Me figuro que estará muy ocupado, ahora que ya no tiene al pobre señor Alberton. No sé qué va a ser del negocio. Goza de buena reputación, pero no será lo mismo sin el propio señor Alberton al frente. Era de toda confianza. Sabía mucho de barcos, y también de comercio. Sabía quién tenía qué y siempre pagaba el precio justo, no tenía un pelo de tonto. Eso es insustituible, incluso aunque el señor Casbolt sea un excelente comprador, según dicen. Es una desgracia terrible.

—No consigo encontrar a nadie que haya visto a Shearer después de la muerte del señor Alberton —dijo Monk.

El empleado se mostró sorprendido.

—Vaya, desde luego yo no lo he visto. Me consta que admiraba mucho al señor Alberton pero no me hubiese imaginado que se marchara así. Pensé que se quedaría a velar por la buena marcha del negocio, por la viuda, pobre mujer. Vivir para ver, nunca se sabe, ¿verdad?

—No. ¿Con quién solía trabajar Shearer si no era con ustedes?

—Con Pocock y Aldrige, río arriba, en West India Dock Road. Es un sitio grande. Pregunte a cualquiera.

Monk le dio las gracias y se marchó. Había una distancia considerable hasta los muelles de West India de modo que tomó un coche de punto que vio libre y llegó al cabo de veinticinco minutos. Se apeó, pagó al cochero y al volverse hacia el edificio tuvo la súbita certeza de saber exactamente cómo era el interior, como si hubiese estado allí con frecuencia y aquella sólo fuese otra visita rutinaria.

Se puso nervioso. No tenía ni idea de cuándo había ido allí ni por qué. No recordaba nada desde el accidente. Cruzó la acera en cuatro zancadas, faltándole poco para chocar con un hombre delgado vestido de gris, y, sin disculparse, subió el corto tramo de escaleras y abrió la puerta.

El interior le resultó completamente desconocido, distinto del que había imaginado en la calle. Las proporciones eran más o menos las mismas, pero había un mostrador que antes no estaba, las paredes eran de otro color y el suelo, que había sido el aspecto más característico con sus baldosas de mármol gris y blanco, ahora era de madera.

Se detuvo en seco, confuso.

—Buenos días, señor. ¿En qué puedo servirle? —preguntó el hombre de detrás del mostrador.

Monk recobró la compostura con dificultad. Se sorprendió balbuceando, incapaz de regresar al presente.

—Sí... Tendría que hablar con... —Acudió a su mente el nombre de Tauton, aunque sabía de dónde salía.

—¿Sí, señor? ¿Con quién quiere hablar? —preguntó el hombre amablemente.

—¿Hay un señor Tauton en esta casa?

—Sí, señor, de hecho hay dos. ¿A cuál querría usted ver, al mayor o al pequeño?

Monk no tenía ni idea, pero debía contestar algo. Se dejó llevar por el instinto más que por la razón.

—Al mayor.

—Muy bien, señor. ¿A quién debo anunciar?

—Monk. William Monk.

—De acuerdo, señor. Si tiene la bondad de esperar, iré a avisarle.

El recepcionista regresó en pocos minutos e indicó a Monk una escalera que ascendía con una elegante curva hasta un descansillo. Una vez allí Monk no recordaba lo que el hombre del vestíbulo le había dicho, pero no dudó en girar a la izquierda y caminar hasta el fondo del pasillo. Esa parte le resultaba familiar, quizá más pequeña de lo que recordaba, pero reconoció incluso el tacto del picaporte cuando lo asió para abrir la puerta.

El hombre que había dentro del confortable despacho estaba de pie. Su rostro reflejaba sorpresa; su cuerpo, incomodidad. Era algo mayor que Monk, rondaría los cincuenta. Tenía entradas en el pelo castaño rojizo y rubicundas mejillas. Monk recordó que el señor Tauton pequeño era su hermanastro, no su hijo, un hombre más moreno y de tez cetrina.

—Vaya, vaya —dijo Tauton sin poder ocultar su nerviosismo—. ¡Después de tantos años! ¿Qué le trae por aquí, Monk? Pensaba que no volvería a verle.

Se mostraba desconcertado, como si la aparición de Monk lo confundiera. No podía dejar de mirarle, primero a la cara, luego la ropa y hasta las botas.

Monk se dio cuenta de que Tauton era mayor de lo que esperaba. No lograba recordarlo con todo el pelo pero las canas eran nuevas, así como las arrugas del rostro y una cierta aspereza de los rasgos. No sabía cuánto tiempo había pasado desde su último encuentro ni en qué circunstancias había tenido lugar. ¿Guardaría relación con su trabajo en la policía o sería incluso anterior? Eso supondría veinte años o más, remontarse hacia un pasado que Monk había perdido por completo, incapaz de recomponerlo con los fragmentos aprendidos aquí y allí gracias a personas con las que se había topado en sus investigaciones después del accidente.

No debía dar por sentado que Tauton fuese amigo; no podía suponer eso de nadie. Lo poco que sabía de su propia vida demostraba que se había granjeado más miedos que afectos. Todavía podía haber toda clase de deudas sin saldar, suyas y de otros. En esas ocasiones deseaba con ardor conocerse mejor a sí mismo, saber quiénes eran sus enemigos y por qué, conocer sus puntos flacos. Se sentía indefenso, desarmado.

Estudió el rostro de Tauton y no detectó ninguna expresión de afecto en él, sino de recelo y prudencia, pero con un dejo de placer, como si hubiese percibido una cierta vulnerabilidad en Monk y eso le causara satisfacción.

Monk pensaba velozmente qué decir sin traicionar su ignorancia.

—Ha habido cambios, aquí.

Jugaba a ganar tiempo, con la esperanza de que Tauton soltara más información y así al menos saber cuánto tiempo llevaban sin verse y tal vez hasta en qué términos, si su enemistad era abierta o disimulada, pues a cada segundo que pasaba más claro tenía que se trataba de enemistad.

—Veintiún años, si no me equivoco —dijo Taunton torciendo un poco el labio—. Nos va muy bien. Es normal que hayamos ido introduciendo mejoras.

Monk echó un vistazo al despacho. Estaba cuidado al detalle sin ser lujoso. Dejó que su opinión se reflejara en su expresión: no estaba impresionado.

El rostro de Tauton se ensombreció.

—Usted también ha cambiado —observó, con un dejo de sorna—. Se acabaron las botas y las camisas elegantes. Pensaba que a estas alturas le harían toda la ropa a medida. Le ha tocado pasarlo mal, ¿verdad? —Había un marcado trasfondo de placer en su voz, casi fruición—. Dundas le arrastró al lodo con él, ¿eh?

Dundas. Con cegadora claridad Monk vio el rostro amable, los inteligentes ojos azules cuyas comisuras parecían sonreír siempre. Acto seguido, con la misma rapidez tomaron la delantera la pena y una airada impotencia. Sabía que Dundas había muerto. Entonces contaba cincuenta o cincuenta y cinco. Monk era un veinteañero que aspiraba a convertirse en ejecutivo en la banca mercantil. Arrol Dundas, su mentor, se arruinó en una quiebra de la que fue declarado culpable por error. Había muerto en la cárcel.

Monk tenía ganas de arrear un puñetazo a la cara burlona que tenía delante. Sentía la rabia bullir en sus entrañas, anudándole el cuerpo, haciendo difícil hasta tragar saliva de tan tensa como tenía la garganta. Tenía que controlarse, disimular ante Tauton. Ocultarlo todo hasta saber lo suficiente como para actuar previendo los resultados.

¿Qué sabría Tauton sobre la vida de Monk desde entonces? ¿Sabía que había ingresado en la policía? Monk no estaba seguro. Su reputación se había difundido mucho. Había sido uno de los mejores y más implacables detectives del cuerpo, aunque igual nunca tuvo ocasión de trabajar en la zona de los muelles de West India.

—Sólo fue un pequeño cambio de rumbo —contestó saliendo por la tangente—. Tenía algunas deudas que cobrar. —Se permitió sonreír; fue una sonrisa intencionadamente rapaz.

Tauton tragó saliva. Sus ojos pasaban revista a la ropa vulgar que Monk llevaba puesta para pasar desapercibido en el río y los muelles.

—No parece que ascendieran a mucho —señaló.

—Aún no las he cobrado todas —contestó Monk, sin tiempo para medir sus palabras.

Tauton estaba envarado, movía las manos sin cesar en los costados, los ojos no se apartaban de los de Monk.

—¡Yo no le debo nada, Monk! Después de veintiún años, no sé quién va a deberle. —Soltó un bufido—. Siempre nos fue muy bien con usted. Cada cual ganaba lo suyo. Y no pillaron a nadie, que yo sepa.

¡Pillar! La palabra afectó a Monk como si le dieran un mazazo. ¿Pillados por quién? ¿A santo de qué? No se atrevió a preguntar. ¿De qué habían acusado a Dundas finalmente, qué fue lo que le llevó a la ruina? Monk sólo recordaba la ira que sintió y el convencimiento absoluto de que Dundas era inocente, que la acusación iba errada y que él, Monk, tendría que haber hallado el modo de demostrarlo.

Ahora bien, ¿Tauton había tenido que ver en el asunto o simplemente se había enterado como tanta otra gente?

Monk ansiaba saber la verdad, toda ella, más que casi cualquier otra cosa que se le ocurriera. Le obsesionaba desde que había sido alcanzado por las primeras saetas de recuerdo, fragmentos, emociones, breves instantes de rememoración que se esfumaban sin darle tiempo a percibir más que impresiones, un sentimiento, una mirada en el rostro de alguien, la inflexión de una voz y, siempre, la sensación de pérdida y una profunda culpabilidad por no haber sido capaz de evitarlo.

—¿Está preocupado? —preguntó, sosteniendo la mirada a Tauton.

—Ni mucho menos —respondió Tauton, aunque ambos sabían que era mentira. Quedó flotando en el aire entre ellos.

Por una vez Monk se alegró de inspirar miedo. Con demasiada frecuencia su capacidad para intimidar le había inquietado, haciéndole sentir culpable por esa parte de su ser que en otro tiempo sin duda le gustaba.

—¿Conoce a un hombre llamado Shearer?

Cambió de tema de improviso, no tanto por incomodar a Tauton como porque no se le ocurría qué más decirle sobre el pasado. La prioridad era que Tauton no adivinase que Monk no sabía nada.

—¿Shearer? —Tauton se sobresaltó—. ¿Se refiere a Walter Shearer?

—Exacto. Veo que le conoce.

—Por supuesto, aunque si ha venido aquí es porque ya lo sabía —contestó Tauton. Frunció el ceño—. Es agente comercial, consigna maquinaria y mercancías pesadas, sobre todo mármol, madera y armas... para Daniel Alberton, o eso hacía, hasta que asesinaron a Alberton —bajó la voz—. ¿Qué pinta usted en todo esto? ¿Se dedica a las armas ahora?

Desplazó el peso del cuerpo de una pierna a la otra.

Monk podía oler el miedo, súbito y penetrante, era más intenso que la leve ansiedad que había percibido antes. La imaginación de Tauton había pegado un salto al frente. Cuando volvió a hablar le salió una voz más aguda, como si tuviera tensa la garganta y apenas pudiera respirar.

—¿Está envuelto en ese asunto, Monk? Porque si es así, ¡no quiero saber nada! —Sacudió la cabeza al tiempo que retrocedía unos pasos—. Trabajar para tipos que ganan dinero con la trata de esclavos es una cosa, e ir por ahí asesinando gente, otra muy distinta. Te pueden colgar por eso. Alberton era muy apreciado. Todos se pondrán contra usted. No sé dónde está Shearer ni me importa. Es un tipo duro, de los que no dan cuartel ni lo piden, pero no es un asesino.

Monk se sentía como si le hubiesen asestado un golpe tan fuerte que le faltaba el aire.

—Escuche, Monk —prosiguió Tauton, elevando el tono de voz—, lo que le ocurrió a Dundas no tuvo nada que ver conmigo. Hicimos un trato y ambos cumplimos con nuestra parte. Yo no le debo nada a usted y usted no me debe nada a mí. Si usted timó a Dundas, el asunto queda entre usted y... la tumba, a estas alturas. ¡No vaya a por mí! —Levantó las manos como para parar un puñetazo—. ¡No quiero tener nada que ver con esas armas! Hay una soga esperando al final. ¡No pienso transportarlas para usted, se lo juro por mi vida!

Monk por fin recobró la voz.

—¡Yo no tengo las armas, imbécil! Estoy buscando al hombre que mató a Alberton. Sé muy bien donde están las armas. Están en América. Las seguí hasta allí.

Tauton lo miró atónito.

—Entonces ¿qué quiere? ¿A qué ha venido?

—Quiero saber quién mató a Alberton.

Tauton sacudió la cabeza.

—¿Por qué?

Monk volvió a guardar silencio por un momento. ¿En verdad había sido él así, un hombre a quien nada importaba el que hubiesen asesinado a tres hombres ni quién lo había hecho? ¿Acaso su necesidad de saberlo requería una explicación?

Tauton seguía mirándole fijamente, aguardando una respuesta.

—No es asunto suyo. —Monk apartó sus pensamientos—. ¿Dónde está Shearer?

—¡No lo sé! Hace casi dos meses que no le veo. Si lo supiera se lo diría, créame, aunque sólo fuese para deshacerme de usted.

Monk le creyó; el miedo de sus ojos era real, su olor llenaba la habitación. Tauton entregaría a cualquiera, amigo o enemigo, con tal de salvar el pellejo.

¿Cómo era posible que Monk hubiese estado alguna vez dispuesto a hacer negocios con semejante sujeto? Y lo que era aún peor, con mucho más alarmante, ¡obtener ganancias comerciando con un hombre cuyo dinero procedía de la trata de esclavos! ¿Sabía aquello Dundas? ¿O era que Monk le había engañado tal como Tauton insinuaba?

Ambas opciones le dieron asco.

Necesitaba la verdad y la temía. Era absurdo esperar que Tauton le diera una respuesta; no sabía nada. Lo que opinaba de Monk ya era acusación suficiente.

Monk se encogió de hombros, dio media vuelta y salió del despacho sin pronunciar nada más. Cuando pasó por delante del conserje en el mostrador del vestíbulo, sus pensamientos no fueron ya para Tauton o Shearer, sino para Hester y la expresión de su rostro cuando hablaba de la esclavitud. Para ella era imperdonable. ¿Cómo reaccionaría si se enterase de lo que ahora él sabía sobre sí mismo?

Sólo de pensarlo bajó la cabeza abatido. Salió a la calle soleada y sintió un escalofrío.

9

Por primera vez desde que estaba casado, Monk era reacio a ir a su casa, y puesto que le daba pavor, lo hizo de inmediato. No quería darse tiempo para pensar en otra cosa que no fuese que tenía que ir. No había ninguna posibilidad de evitar encontrarse con Hester, mirarla a los ojos y tener que construir la primera mentira entre ellos. Al principio de su mutuo conocimiento habían discutido a muerte. Él la encontraba dogmática, testaruda y fría, una mujer que volcaba su pasión entera en el bienestar de los demás, tanto si éstos lo deseaban como si no.

Ella, por su parte, pensaba que Monk era egoísta, arrogante y esencialmente cruel. Aquella mañana había sonreído al pensar en lo felices que se sentían. Ahora se retorcía por dentro como si experimentase un dolor desgarrador.

Abrió la puerta, entró y la cerró.

Allí estaba ella, de golpe, sin darle tiempo a poner en orden sus ideas. Monk olvidó todo lo que iba a decir.

Hester lo interpretó mal, pensando que se debía a algo relacionado con la investigación en el río.

—Has descubierto algo horrible, ¿verdad? —dijo enseguida—. ¿De qué se trata? ¿Tiene que ver con Breeland? Que él sea culpable no significa que Merrit también.

Hablaba con tanta convicción que Monk comprendió el miedo que le daba pensar que se equivocaba y que Merrit hubiese tomado parte con conocimiento de causa.

Era la ocasión perfecta para contarle lo que en verdad acababa de descubrir, más feo de lo que pudiera imaginar, pero de sí mismo, no de Breeland. No lo hizo. En ella había una belleza que no soportaría perder. La recordó en Manassas, agachada junto al soldado, medio cubierta de sangre, curando sus heridas, alentándole a vivir, compartiendo su dolor y transmitiéndole su fuerza.

¿Qué pensaría de un hombre que había ganado dinero haciendo negocios con los beneficios de la trata de esclavos? Nunca había estado tan avergonzado de nada en toda su vida, al menos hasta donde sabía. Como tampoco había tenido tanto miedo de lo que le iba a costar... y se dio cuenta de que era lo más valioso que poseería jamás.

—¡William! ¿Qué sucede? —El miedo asomó a sus ojos y le aguzó la voz—. ¿Qué has descubierto?

Estaba preocupada por Merrit y tal vez por Judith Alberton. No podía ni imaginar que era su vida la que corría peligro, su felicidad, no la de ellas.

La verdad se le atoró en la garganta.

—Nada concluyente. —Tragó saliva con dificultad—. No he encontrado ni rastro del regreso de la barcaza río arriba. Tampoco sé de quién era. Probablemente de alguien que la prestó de buen grado, a no ser que se la robaran a alguien con motivos para no denunciarlo porque ya fuese robada.

Deseaba tocarla, como solía hacer, sentir el calor de su cuerpo, el entusiasmo de su respuesta, pero el asco que sentía de sí mismo le contuvo, encerrándole a cal y canto.

Hester dio un paso atrás, parpadeando dolida.

Fue el primer sorbo de la abrumadora soledad que se avecinaba, como el sol que se apaga antes del anochecer.

—¡Hester!

Ella levantó la vista.

Monk no sabía qué decir. No podía enfrentarse a la verdad. No había tenido tiempo de encontrar las palabras adecuadas.

—Creo que Shearer fue quien mató a Alberton.

Fue un pobre sustituto de lo que tenía en mente. Apenas revelaba nada nuevo.

Hester se mostró un tanto desconcertada.

—Bueno, eso explicaría el horario del tren, me parece —concedió—. ¿Una conspiración entre Shearer y Breeland de la que Merrit no sabía nada? Tal vez ella y Breeland fueron al almacén más temprano y fue entonces cuando perdió el reloj. —El rostro se le ensombreció—. Pero ¿por qué iban a ir a ese lugar? No tiene sentido. ¿Qué hacía Daniel Alberton allí, además, a esas horas de la noche? —Frunció el entrecejo—. ¿Piensas que podría tratarse de algo relacionado con el que Merrit huyera de su casa, y que aún estaba allí cuando Shearer llegó para robar las armas? —Negó con la cabeza—. No parece muy probable, ¿verdad?

No lo parecía. Seguía existiendo un hecho clave que desconocían. Monk tuvo que concentrarse mucho para convencerse de que era importante.

—¿Tienes hambre? —preguntó Hester, con los ojos brillantes de nuevo.

—Sí —mintió Monk. Adivinó que se había esforzado en preparar algo especial. Ahora que paraba mientes, de la cocina llegaba un apetitoso aroma.

Hester sonrió.

—Empanada recién hecha con verduras. —Se la veía satisfecha consigo misma—. Hoy he encontrado una mujer de servicio, la señora Patrick. Es escocesa. Es un poco basta, pero una magnífica cocinera, y además está a dispuesta a venir tres horas todas las tardes laborables, lo que es una suerte, pues la mayoría o hace todo el día o nada. Algunas hasta piden alojamiento. —Buscó sus ojos—. Nos costará media corona a la semana. ¿Cómo lo ves?

Ni siquiera echó las cuentas.

—¡Excelente! Sí. Si te gusta, que se quede.

—Gracias. No sabes cuánto lo agradezco.

Le tocó levemente, pero lo hizo con intimidad, con una ternura que le aceleró el pulso; le dolió hasta la médula engañarla. No sabía cómo se apañaría para vivir con aquello. Hora a hora primero, luego día tras día. Quizás aprendería a olvidarlo por temporadas. Probablemente nunca sabría con exactitud qué había hecho con Tauton, si había traicionado a Arrol Dundas o no, ni qué le había empujado a hacerlo. Podía ser por algo tan simple como la codicia, el deseo del poder que otorga el éxito. O quizás hubiese alguna circunstancia atenuante. ¡Ojalá lo supiera!

La siguió a la cocina, donde un agradable frescor entraba por las ventanas de atrás abiertas y reinaba un delicioso aroma de alimentos condimentados por mano experta. En otras circunstancias habría sido una cena perfecta. Monk tuvo que hacer acopio de toda su maestría, de todo el dominio de sí mismo para fingir que lo era.

Hester no era consciente de la confusión que atormentaba a Monk. Creía que no era más que la frustración ante un caso que no comprendía lo que le tenía agobiado y resolvió tomar parte en las pesquisas sin más dilación.

Cuando a la mañana siguiente Monk salió para proseguir las averiguaciones sobre Shearer, ya había decidido qué hacer. Vestida con su mejor traje de mañana, de pálida muselina azul cobalto, fue a visitar a Robert Casbolt. Estaba segura de que la recibiría debido a su gran estima por Judith Alberton, y también por Merrit. No podía desconocer lo desesperado de la situación y, por más compromisos que tuviera, encontraría tiempo para ayudarla.

Sabía dónde vivía porque lo había mencionado en aquella primera cena en casa de los Alberton. Llegó poco después de las nueve y entregó su tarjeta al mayordomo, con una respetuosa nota en el dorso que decía simplemente que le era muy urgente hablar con él tan pronto como le fuera posible, por el bien de Merrit Alberton.

Sólo tuvo que esperar un cuarto de hora antes de que la acompañaran a una hermosa sala de estar llena de colores cálidos. Las paredes estaban revestidas con paneles de roble claro y una alfombra persa roja cubría el suelo delante de la inmensa chimenea de piedra, que en esa época del año quedaba medio tapada por un biombo de tapiz. El sofá y los sillones eran todos desparejados, unos tapizados con terciopelo, otros con brocados y uno en piel de color miel, pero el efecto de conjunto era de lo más confortable. Había dos lámparas de pie, de distinto tamaño, aunque ambas con el fuste de bronce y grandes pantallas hexagonales con flecos de oro viejo.

Casbolt iba vestido de modo informal, aunque cuidando el detalle. Llevaba una camisa inmaculada y los zapatos de andar por casa lustrados y brillantes.

—Me alegra que haya venido, señora Monk —dijo con sinceridad—. Con lo mucho que ha hecho ya... Judith me ha contado que su marido sigue trabajando para hallar el modo de demostrar la inocencia de Merrit. ¿En qué puedo ayudar? Si me hubiese enterado de algo, se lo habría hecho saber, créame.

Hester había planeado cuidadosamente lo que iba a decir.

—He estado dando vueltas al asunto por el que el señor Alberton contrató los servicios de mi marido al principio. —Aceptó el asiento que le ofrecían, pero declinando la invitación a tomar un refresco. No necesitaba una excusa de tipo social para mantener despierto el interés de Casbolt. Entre ellos no había por qué fingir.

Casbolt se mostró desconcertado, como si no estuviera seguro de lo que Hester quería decir. Tomó asiento delante de ella, en el borde del sillón, sin recostarse. Estaba cualquier cosa menos relajado.

—Quienquiera que estuviera dispuesto a recurrir al chantaje para obtener las armas pudo haber ido un paso más allá, ¿no le parece? —explicó.

El rostro de Casbolt se despejó pero acto seguido volvió a fruncir el entrecejo.

—¿El señor Monk ha encontrado pruebas que indican que Breeland no es culpable después de todo? ¿Acaso el hecho de que esté en posesión de las armas no excluye esa posibilidad?

—Claro que está implicado —convino Hester—, y tal vez estamos viendo más de lo que hay porque deseamos de todo corazón que Merrit sea inocente. Intentamos pensar todas las soluciones que la dejen al margen...

—¡Por supuesto! —exclamó Casbolt. Presentaba una mirada herida, abatida, como si el optimismo de su voz no respondiera a lo que creía. Hester se preguntó si conocía un lado de Merrit que ellos ignoraban y si eso era lo que alimentaba su duda. Entonces sonrió—. Pienso que Breeland embaucó por completo a Merrit. Es joven y está enamorada. En esas circunstancias uno no ve las cosas con claridad. Y toda su experiencia en la vida ha sido con gente de bien. —Bajó la vista a la suntuosa alfombra del suelo y volvió a levantarla casi de inmediato—. Me consta que discutió acaloradamente con su padre pero, créame, señora Monk, Daniel Alberton era un hombre del todo honorable, un hombre de cuya palabra cualquiera se podía fiar a ciegas y que nunca se rebajaría a cometer un acto codicioso o cruel. Su hija estaba enfadada con él pero habló exaltada por la emoción. En el fondo de su corazón sabe tan bien como yo que no abundan los hombres tan buenos como su padre.

Hester le miró a los ojos con franqueza.

—¿Qué intenta decirme, señor Casbolt? ¿Que era incapaz de imaginar doblez y por consiguiente a Breeland no le costó nada engañarla, o que amaba demasiado a su padre como para participar en algo perjudicial para él a pesar del enojo de aquella noche?

—Supongo que ambas cosas, señora Monk. —Por la expresión de su rostro, Casbolt parecía estar mofándose de sí mismo—. O que me preocupan mucho las consecuencias de esta tragedia y que haría cualquier cosa para ahorrar más disgustos a la familia.

Resultaba imposible eludir la fuerza de sus sentimientos. El aire que mediaba entre ellos estaba impregnado con el conocimiento del miedo, el horror, el pesar de la soledad. En ese instante Hester vislumbró la realidad de la relación de Casbolt con los Alberton y la profundidad de un amor y devoción de toda la vida para con su prima.

Pero no se encontraba allí para ofrecer consuelo o infundir ánimo.

—¿Y si Breeland tomó parte en el intento de chantaje? —preguntó—. Parecía dispuesto a cualquier cosa para conseguir las armas. La fe en su causa lo justifica todo para ese hombre. Lo vería como un medio más para preservar la Unión y liberar a los esclavos.

Casbolt asintió lentamente.

—No se me había ocurrido, pero es posible; salvo que ¿cómo iba a saber nada de Gilmer y del afecto que Alberton le profesaba?

—Hay mil maneras —respondió Hester—. Desde luego, alguien lo sabía.

—Pero entonces sólo llevaba unas pocas semanas en Inglaterra.

—¿Cómo lo sabe?

Casbolt respiró hondo.

—¡No lo sé!

—Quizá tuviera cómplices. Sea cual sea la verdad —señaló—, parece ser que Breeland iba a bordo de un tren nocturno especial hacia Liverpool y por tanto no pudo matar al señor Alberton con sus propias manos. Y Merrit iba con él, cosa que también la excluye, gracias a Dios.

Casbolt se inclinó hacia delante.

—¿Está segura? Por favor, señora Monk, no aliente las esperanzas de Judith hasta que no quepa ninguna duda... comprenderá que sería insoportablemente cruel.

—Por supuesto —convino—. Por eso he acudido a usted y no a ella —agregó de inmediato—. Y porque con usted puedo hablar con más franqueza sobre la señora Alberton. Pero dígame, ¿ve posible que el intento de chantaje guarde relación con el robo final de las armas, fuera o no un intento infructuoso de Breeland, o incluso del señor Trace?

Él abrió los ojos como platos.

—¿Trace? Sí... podría ser. Es... lo bastante taimado... para hacer algo así. —Frunció el entrecejo—. Pero aun suponiendo que fuese así, ¿de qué le sirve a Merrit? Para serle sincero, señora Monk, eso es lo único que me importa. No me preocupa la justicia. Espero no escandalizarla al decirlo. Si lo he hecho, me disculpo. Daniel era amigo mío y quiero que sus asesinos respondan ante la justicia pero no al coste de más sufrimientos para su viuda y su hija. Fue mi mejor amigo desde la juventud y le conocía muy bien. Creo que el bienestar de ellas habría sido su prioridad por encima de la venganza de su muerte. Y así tiene que seguir siendo ahora. —La miró muy serio, buscando comprensión en sus ojos.

Hester intentó imaginar qué sentiría si ocupara el lugar de Judith. ¿Sería vengar la muerte de Monk lo que más le importaría, o antepondría el bienestar y la felicidad de su hijo? Si resultara asesinada, ¿querría que Monk la vengara?

La respuesta a esa última pregunta le vino de inmediato: no. Querría que los vivos estuvieran a salvo. El tiempo ya se encargaría de hacer justicia.

—Veo que lo entiende —dijo Casbolt en voz baja—. No es que creyera lo contrario.

Se lo dijo con amabilidad, aliviado. No sabía disimularlo y tal vez no quisiera hacerlo.

Pero Hester no se iba a desprender de la verdad, de la necesidad de ocuparse de un problema hasta desentrañarlo. Más tarde decidiría a quién contárselo y qué decisiones tomar.

—Me pregunto por qué pidieron que entregaran las armas a Baskin & Company en lugar de directamente a ellos. ¿Es posible que pensaran que el señor Alberton tenía algún motivo para no vender a uno u otro bando de la guerra americana?

Casbolt entendió perfectamente lo que quería decir.

—No sé de ninguno —contestó—, pero eso apunta a alguien que no conociera la historia de su familia. De quienes le conocían, a nadie se le ocurriría siquiera que hiciera negocios con piratas, por más indirectamente que fuese. Así que lleva usted razón en lo de que sea un americano en lugar de un inglés. —Negó con la cabeza—. Pero no veo de qué modo ayuda eso a Merrit. De hecho, tampoco veo que nos aproxime a la verdad. Lo que necesitamos es algo que demuestre que Merrit no estaba enterada de que Breeland tenía intención de hacer daño a Daniel. O eso, o bien que lo sabía pero no pudo ayudar. Ella también estaba amenazada, o prisionera, en cierto modo.

—Eso no tenemos forma de demostrarlo porque salta a la vista que no es cierto —señaló Hester—. Se marchó con él por voluntad propia y sigue dispuesta a defenderle. Piensa que es inocente.

—Lo piensa porque no tiene más remedio. —Casbolt sacudió la cabeza y esbozó una sonrisa—. Conozco a Merrit desde que nació. Es lo más parecido a un hijo que tengo. Me consta que es apasionada y testaruda, y que cuando se entrega a algo, o a alguien, lo hace con el corazón en la mano, y no siempre con la prudencia debida. He sido testigo de su amor por los caballos, de su decisión de hacerse monja y luego misionera en África, y de cuando se encaprichó como una loca del médico del lugar, un muchacho muy majo que ni siquiera había reparado en ella. —La simpatía y el afecto le iluminaron el rostro—. Por fortuna, todo pasó sin más incidentes ni situaciones embarazosas. —Se encogió de hombros—. Son cosas que ocurren cuando uno crece. Yo mismo aun creo recordar alguna que otra emoción turbulenta que me hace sonrojar y de la que naturalmente nada diré.

A Hester le sucedía lo mismo, incluyendo al vicario que había mencionado a Monk. También había pasado por períodos en los que estaba convencida de que nadie la quería ni entendía sus sentimientos, y menos que nadie los padres.

—En cualquier caso —insistió—, el intento de chantaje fue bien real. Si no fueron Breeland ni Trace, tuvo que ser otro. ¿Tal vez el señor Shearer, el consignatario?

Casbolt se sobresaltó.

—¿Shearer? ¿Por qué...? —La miró con los ojos entornados—. Sí, podría ser, señora Monk. Es una idea muy desagradable, pero no del todo imposible. Shearer actuando como intermediario de los piratas y, al no salirle bien, ¡vendérselas a Breeland! —Levantó la voz—. En ese caso, si Breeland no tuvo ocasión de matar al pobre Daniel, ¿quizá lo hizo Shearer? Desde luego, parece que está fuera de Londres desde que Daniel murió. No he vuelto a verle desde uno o dos días antes. Eso explicaría muchas cosas... y lo mejor de todo, Merrit tendría razones fundadas para creer en la inocencia de Breeland.

Se hizo el silencio y la sala pareció resplandecer. Un jarrón de rosas doradas en tonos ámbar y albaricoque se reflejaba en la lustrosa mesa que lo sostenía. La elegancia de un caballo de Targ ocupaba una hornacina.

—Pobre Daniel —dijo enseguida—. Confiaba en Shearer. Es ambicioso, siempre anda buscando llevar ventaja, sabe conseguir lo que quiere, de todos los hombres del río, regatea como nadie, y, créame, eso significa mucho. Pero Daniel pensaba que era leal y debo admitir que yo también. —Torció los labios sonriendo con amargura—. Aunque no hay que olvidar que las peores traiciones son justamente las que uno menos espera.

A Hester se le ocurrió otra idea, una que habría preferido no abordar, pero que no iba a descartar.

—¿Ejerce algún control sobre quiénes compran las armas, señor Casbolt?

—Legalmente, no; aunque supongo que finalmente sí. Si Daniel hubiese hecho algo que me pareciera intolerable podría haberlo anulado. ¿Por qué lo pregunta? Nunca lo hizo, ni siquiera algo cuestionable.

—¿Usted las hubiese vendido a los piratas?

—No. —Una vez más la miraba a los ojos con una intensa sinceridad—. Y si piensa que Daniel lo hubiese hecho se equivoca. Judith jamás lo habría tolerado después de lo que le ocurrió a su hermano. Y yo tampoco. Y Daniel no lo habría hecho y menos aún a sus espaldas. Créame, odiaba a los piratas tanto como nosotros. —Bajó un momento la vista—. Perdone si le parezco brusco, señora Monk, pero de haber conocido a Daniel no lo habría preguntado. Lo que hicieron al hermano de Judith fue monstruoso. Si por Daniel fuera no les daría ni aire para respirar, y mucho menos armas con las que seguir cometiendo crímenes. Como tampoco lo habría permitido yo, sin importarme las amenazas o el precio.

Hester le creyó, pero no conseguía dejar de preguntarse si tal vez Daniel Alberton había necesitado lo suficiente llevar a cabo esa venta para avenirse a ella, con la esperanza de Judith nunca lo sabría. Con la guerra americana, las armas escaseaban y valían su peso en oro. Deseó que no fuese verdad. Alberton le había gustado. Pero le constaba que las personas hacían cosas desesperadas cuando se enfrentaban a la ruina, no tanto por la pérdida de bienes materiales como por la vergüenza del fracaso.

—Gracias, señor Casbolt, ha sido muy amable al concederme tanto tiempo.

—Señora Monk, por favor, no siga persiguiendo esa idea. Yo conocía a Daniel Alberton mejor que ningún otro hombre, en algunos aspectos mejor incluso que su mujer. Nada en el mundo le habría convencido de vender armas a ningún pirata de la tierra, y menos que a ninguno a los del Mediterráneo. Usted conoce a Judith. Se habrá formado una idea de la mujer extraordinaria que es, de..., de... —Por la expresión de su rostro estaba claro que no hallaba palabras para describir las cualidades que veía en ella—. ¡Daniel la adoraba! —añadió de repente, en tono emocionado—. Habría terminado sus días pagando en la cárcel sus deudas antes que perder su confianza haciendo semejante cosa. Era un hombre honorable y... por eso ella lo amaba. No... Verá, esto me es muy difícil decirlo, señora Monk. —Sacudió la cabeza—. No poseía una gran pasión o ingenio, ni una imaginación portentosa... pero era un hombre a quien confiar cualquier cosa que poseyeras. ¿No lo notó usted, pese a tratarle durante tan poco tiempo? —Esbozó una sonrisa de pena. La angustia que lo embargaba parecía llenar la habitación—. Quizá le estuviera pidiendo que viera en unas horas lo que yo he visto durante media vida.

Hester se sintió incómoda por sus pensamientos y avergonzada por haber permitido que Casbolt los viera.

—Me figuro que resultará tan absurdo como dice

—dijo en tono de disculpa—. Tal vez si encontrásemos al señor Shearer nos daría la solución.

Una extraña amargura cruzó su semblante y se desvaneció.

—No me cabe duda de que eso es cierto. ¿Quién sabe qué apetitos llevan a un hombre a traicionar a quienes confían en él? Por favor, limítese a hacer lo que pueda para salvar a Merrit, señora Monk; se lo pido por Judith. Eso es algo que no está a mi alcance. —Tragó saliva con dificultad—. No tengo destreza. Puedo ocuparme de ella de otras muchas formas, en los asuntos de negocios, procurando que no le falte de nada y que conserve el respeto de la sociedad. Pero...

—Por supuesto —prometió Hester de pronto, poniéndose de pie—. También voy a hacerlo por Merrit. Trabajamos codo con codo durante un rato en el frente. Conozco su coraje. Y me gusta.

Casbolt se tranquilizó un poco.

—Gracias —dijo en voz baja, levantándose a su vez—. Quiera Dios que Monk encuentre a Shearer, o al menos pruebas de su participación.

Cuando refirió sus pensamientos a Monk, éste encontró repelente la idea de que Alberton actuara en connivencia para vender armas a los piratas pero estaba obligado a contemplar esa posibilidad. Hester advirtió su mueca de pesar mientras daban buena cuenta de la magnífica cena que había preparado la señora Patrick, cuyo plato principal era una empanada de ruibarbo con un hojaldre que se deshacía en la boca.

Lo vio tan cariacontecido y meditabundo como la víspera y se preguntó si entonces habría abrigado el mismo temor y preferido no sacarlo a colación. A Monk le había caído bien Alberton, más que la mayoría de sus clientes, y su muerte le había dejado una sensación de pérdida además de ira. No obstante, no había forma de suavizar la idea. Sólo la verdad podría descartarla... a lo mejor.

—¿Qué ha dicho Casbolt? —preguntó Monk.

—Negó que fuera posible. Me ha dicho que Alberton adoraba a Judith y que habría preferido pagar sus deudas con la cárcel antes que tratar con piratas.

Hester titubeó.

—Pero... —instó Monk.

—Pero él era el amigo más íntimo de Alberton y no soportaría pensar que hubiese podido traicionar a Judith de esa manera. O que era... tan diferente de como todos pensaban. Es muy leal. Y... —Esbozó una sonrisa al recordar el rostro de Casbolt en su luminoso y bello salón, la intensidad de la emoción que lo embargaba sentado en el borde del asiento—. También tiene devoción por Judith. Haría cualquier cosa con tal de evitarle más sufrimientos.

—¿Incluso mentir para ocultar la culpa de Alberton? —presionó Monk.

—Diría que sí —contestó Hester con franqueza, sopesando sus palabras y convencida de que eran verdad—. Además, tendría que salvaguardar la reputación de su amigo muerto, también por el bien de Judith. Eso puedo comprenderlo, aunque no sé si en su lugar yo haría lo mismo.

Monk abrió los ojos como platos.

—¿Tú? ¿A expensas de la verdad?

Hester le devolvió la mirada, tratando de descifrar su expresión, pero sin la menor intención de moderar lo que acababa de decir.

—Pues no lo sé. No todas las verdades deben contarse. Hay algunas que no. Sólo que no sé cuáles son.

—Sí que lo sabes. —El rostro de Monk se ensombreció—. Son las que causan sufrimiento al inocente y las que dividen a las personas por culpa de mentiras..., incluso mentiras silenciadas.

Hester no entendió la profundidad del sentimiento que ocultaban aquellas palabras. Era como si estuviese enfadado con ella, tal como ocurrió cuando se conocieron y él la había encontrado hipócrita, incluso fría. Puede que entonces hubiera partes de ella encerradas bajo llave, que condenara demasiado a la ligera lo que no entendía o le daba miedo, ¡pero en ese momento no!

No veía cómo romper la barrera que los separaba. No la hallaba, no la tocaba, pero sabía con toda certeza que existía. ¿Qué había dicho ella para crearla? ¿Por qué no la conocía lo suficiente como para no malinterpretarla? ¿O amarla lo bastante como para romperla él mismo?

—Desconozco la verdad —dijo ella con calma, bajando la vista hacia la mesa—. Para mí lo más probable es que Shearer esté implicado, tanto da que tuviera intención de vender las armas a los piratas, a Breeland, a Trace o a cualquier otro que las quisiera.

—No consigo localizar a Shearer —dijo él—. Nadie le ha visto desde antes de los asesinatos.

—¿Y eso no significa algo por sí solo? —preguntó Hester—. Si no estuviera envuelto de una forma u otra, ¿por qué se esconde? ¿No tendría que estar haciendo lo posible por ayudar, y tal vez mejorar su posición en el negocio? Incluso podría aspirar a convertirse en gerente o encargado.

Monk apartó la silla de la mesa, se levantó y comenzó a deambular inquieto por la pequeña habitación.

—No es suficiente —aseveró con gravedad—. Tú lo ves, y yo también, pero no podemos contar con que un jurado haga lo mismo. Breeland consiguió las armas. Tuvo que tomar parte. Igual convenció a Shearer para que cometiera los asesinatos, probablemente por el precio de las armas, con el que habría bastante para corromper a muchos hombres. Admito que no me importa que ahorquen a Breeland por ello. Corromper a otro hombre para que traicione y asesine es pecado aún más grave que hacerlo uno mismo. Pero no ayudaría a Merrit porque no demuestra que ella no estuviera enterada.

—Pero... —comenzó a protestar Hester; luego se dio cuenta, con pesar, de que él tenía razón. No sólo el jurado estaría menos inclinado a creerlo debido a su proximidad con Breeland y al hecho de haberse marchado con él de buen grado, perdiendo el reloj en el patio del almacén, sino que ella misma, en su equivocada lealtad para con él, tampoco lo negaría.

—Todos tenemos partes oscuras —dijo Monk, rompiendo el silencio—. Personas que crees conocer ocultan facetas violentas y desagradables difíciles de aceptar e imposibles de comprender. —Había enojo en su voz, y un pesar que Hester percibió claramente. Deseaba preguntarle qué había descubierto y aún no le había contado pero supo por el ángulo de su cuerpo, por la parte del rostro que le veía, estando como estaba medio vuelto de espaldas, que no se lo iba a decir.

Se levantó y se puso a recoger los platos que luego llevó a la cocina. No volvería a mencionarlo, al menos no por esa noche.

Monk se acostó temprano. Estaba cansado pero ante todo deseaba no tener que hablar con Hester. Estaba fuera de juego y no sabía cómo manejarse.

Por la mañana se levantó temprano y dejó a Hester aún dormida. Al menos eso creyó. No estaba seguro. Escribió una nota informándole de que se iba otra vez al río a investigar el asunto de las armas, el dinero y todo lo que consiguiera averiguar sobre la firma que trataba con los piratas; y se fue. Ya encontraría algo que comer, si le apetecía, por el camino. Las calles estaban llenas de vendedores ambulantes de bocadillos y empanadas. La inmensa mayoría de los trabajadores no tenían donde cocinar y comían en la calle. No quería arriesgarse a que

Hester lo encontrara en la cocina al despertar, pues tendría que darle una explicación, o evitarlo abiertamente, y no estaba preparado para enfrentarse a tanto daño interior. Desde el momento de despertar en el hospital, su pasado pasó a ser tierra ignota, con demasiadas zonas oscuras y sorpresas. Debería haber sido más sensato, contenerse, mostrarse más reservado con sus sentimientos. Entonces decidió que el matrimonio no estaba hecho para él. El amor y sus vulnerabilidades eran para quienes vivían sin complicaciones, para quienes se conocían a sí mismos sin que sus almas albergaran nada más oscuro que las envidias normales y algunas faltas menores comunes y corrientes.

Monk no estaba preparado para alguien como Hester, pues encendía pasiones en él que no podía contener ni dominar, ni, finalmente, negar.

¡Tendría que haber tenido la fuerza necesaria! O al menos instinto de conservación.

Demasiado tarde. La herida ya estaba abierta.

Salió de la casa, cerró la puerta principal sin hacer ruido y se alejó de Fitzroy Street en dirección a Tottenham Court Road. No tenía más remedio que analizar el asunto del chantaje con más detenimiento. Que la idea le diera repulsa no era excusa; de hecho, era lo que le impelía a hacer todo lo posible para constatarlo con hechos y, a ser posible, desmentirlo.

Aún era pronto para obtener permiso para revisar las cuentas de Alberton. A esas horas Rathbone no estaría en su bufete de Vere Street. Sin embargo, Monk podía escribir una nota pidiendo la autorización necesaria y que dejara el resto en sus manos.

Entonces perseguiría a Baskin & Company, los supuestos intermediarios de armas de los piratas.

El río estaba concurrido a esa hora tan temprana. Las mareas no esperaban a conveniencia de los hombres y ya los estibadores, los marineros de los transbordadores y las barcazas y los mozos de almacén estaban todos trabajando. Vio a los porteadores de carbón, doblados bajo sus pesados sacos, saliendo de las profundas bodegas. Los hombres se hablaban a gritos, y los chillidos de las gaviotas que volaban en círculos buscando pescado, el traqueteo de cadenas y el metal contra metal resonaban en el aire por encima del omnipresente rumor del agua agitada.

—Es la primera vez que la oigo nombrar, jefe —contestó alegremente el primer hombre cuando Monk preguntó por la empresa—. Que yo sepa, por aquí cerca no está. ¡Eh, Jim! ¿Te suena Baskin & Company?

—Por aquí no —contestó Jim—. ¡Lo siento, colega!

Y así continuó bajando hasta Limehouse y siguiendo el meandro de Isle of Dogs para volver a cruzar el río a la altura de Rotherhithe. Estaba convencido de que si alguien sabía algo, ésos eran los barqueros pero ninguno de los tres a los que interrogó conocía siquiera el nombre.

A media tarde se dio por vencido y regresó a Vere Street para ver si Rathbone había obtenido el permiso necesario para revisar las cuentas de Daniel Alberton.

—No hay ningún impedimento —dijo Rathbone frunciendo el entrecejo. Recibió a Monk en su despacho, con un aspecto tan sereno e inmaculado como siempre. Monk, tras haber pasado todo el día pateándose los muelles, fue muy consciente del contraste entre ambos. Rathbone no tenía ni una sombra significativa. Sus desenvueltos y casi arrogantes modales se desprendían del hecho de que se conocía a sí mismo mejor que la mayoría de hombres. Monk admiraba y envidiaba esa cualidad. Había llegado a conocerse a sí mismo lo suficiente para saber que sus momentos de crueldad eran fruto de la inseguridad, de la necesidad de demostrar su importancia a los demás.

Se obligó a volver al presente.

—¡Muy bien!

—¿Qué es lo que espera encontrar?

Rathbone le miraba con curiosidad y una cierta inquietud.

—Nada —contestó Monk—; pero quiero estar seguro.

Rathbone se recostó en el sillón.

—¿Por qué no me ha pedido que lo hiciera yo?

Monk sonrió apretando los labios.

—Porque a lo mejor no le conviene saber la respuesta.

Un destello de humor brilló en la mirada de Rathbone.

—¡Vaya! Entonces será mejor que no le acompañe. Sólo le pido que no permita que me tiendan una emboscada en el juicio.

—No lo haré —prometió Monk—. Todavía pienso que Shearer es el autor material de los asesinatos.

Rathbone levantó la vista.

—¿Él solo?

—No. Creo que se necesitó más de un hombre, aunque llevara pistola. Antes de dispararles los ataron. Pero pudo haber contratado ayudantes donde quisiera. Desde luego vivía y trabajaba en una zona donde le habría resultado fácil encontrar montones de hombres dispuestos a matar por un precio razonable. El precio de las armas bastaría para comprar nueve casas de buen tamaño. Con un pequeño porcentaje del beneficio tendría de sobra para conseguir toda clase de ayuda.

—Y me figuro que no tenemos ni idea de dónde se encuentra Shearer ahora... —dijo Rathbone con expresión de disgusto.

—Ni la más remota. Puede estar en cualquier lado, aquí o en Europa. O en América, ya puestos, aunque no es mejor momento para ir, a no ser que tenga planeado ganar más dinero en el sector de las armas.

Debatía consigo mismo si mencionar o no el asunto del chantaje y sus infructuosos intentos por encontrar algún rastro de Baskin & Company, y decidió de momento no hacerlo. Igual para el propio Rathbone era mejor no saberlo.

—No sería tan extraño —opinó Rathbone, recostándose en el respaldo y juntando las puntas de los dedos, con los codos apoyados en los brazos del sillón—. Puede haber comprado armas en cualquier parte con el dinero de Breeland, siempre y cuando lo que dice Breeland sea cierto. Hay una zona muy turbia en el negocio de las armas y dadas las circunstancias él la conoce mejor que nadie.

A Monk no se le había ocurrido aquella idea y se enojó consigo. Su preocupación por el pasado y su destrucción en el presente, le estaba costando perder agudeza mental. Aunque ante Rathbone disimuló con toda naturalidad.

—Hay otro motivo que me obliga a ver los libros de Alberton —dijo.

—Esto no me está gustando nada, Monk —repuso Rathbone con ceño—. Creo que tal vez será mejor que sepa lo que descubre. No pienso permitir que me tomen por sorpresa, y da igual lo mucho que me desagrade lo que me demuestre. De momento, nadie ha acusado a Daniel Alberton de nada, pero me consta que la acusación tiene previsto servirse de Horatio Deverill. Es un sinvergüenza ambicioso, no lo apodaron Diablo porque sí. Es impredecible, no tiene lealtades y muy pocos prejuicios.

—¿Y esa ambición no sabe poner freno a su indiscreción? —preguntó Monk con escepticismo.

Rathbone torció hacia abajo las comisuras de la boca.

—No. No va a conseguir un escaño en los Lores, y además lo sabe. Lo que le mueve es la fama, causar impresión, no pasar desapercibido. Es apuesto y hay cierta clase de mujeres que lo encuentran atractivo. —Un temblor de humor estremeció sus labios—. Esas que tienen vidas confortables y una pizca aburridas —continuó— y que creen que el peligro les proporcionará el entusiasmo vetado por su rango y fortuna. Me figuro que conocerá a alguna de ese tipo.

—¿Y usted?

Acto seguido, con una oleada de calor interior, entendió por qué sonreía Rathbone. El propio Monk era portador de esa suerte de peligro, era algo que sabía y de lo que se había servido a menudo, indicio de lo temerario, lo desconocido, incluso la insinuación de un dolor, otra realidad que querían tocar pero sin quedar atrapadas. El aburrimiento poseía sus propios métodos de destrucción.

Se puso de pie.

—Entonces más nos vale saber cuanto podamos, sea bueno o malo —dijo lacónicamente—. Si encuentro algo que no entienda le enviaré recado para que me busque un contable.

—Monk...

—Sólo de ser necesario —dijo Monk desde la puerta. No tenía ganas de contar a Rathbone sus días en la banca comercial y explicarle que sabía interpretar de sobra una hoja de balance y también qué debía buscar si sospechaba que había un desfalco o cualquier otro fraude. Quería apartar de la mente el pasado en bloque, sobre todo el relacionado con Arrol Dundas.

Monk estuvo revisando los libros del negocio de Alberton hasta bien entrada la noche. Alberton y Casbolt habían comerciado con mercancías diversas, normalmente con un beneficio considerable. Casbolt había sido extremadamente perspicaz para saber dónde obtener los artículos al mejor precio y Alberton había sabido dónde venderlos con el mayor provecho. Habían dejado en manos de Shearer buena parte de las consignaciones y le pagaban bien los servicios prestados. Leído con detalle, el movimiento de dinero demostraba un buen entendimiento entre los tres hombres que se remontaba casi veinte años.

Monk no encontró nada que no fuera completamente honesto, ni siquiera con la habilidad que medio recordaba y que le fue volviendo con sorprendente claridad a medida que leía, sumaba y restaba.

Ahora bien, tampoco tenía la menor duda, cuando a la una menos veinte cerró el último libro de contabilidad, que las armas que los representantes de los piratas habían exigido mediante chantaje valían aproximadamente mil ochocientas setenta y cinco libras. Según el libro nadie había pagado el resto de armas que había habido en el almacén hasta la muerte de Alberton y el robo. Alberton no estaba en posesión del dinero cuando murió, y en el almacén tampoco había nada escondido. Si el dinero en efecto había cambiado de manos, se había ido con quien saliera de Tooley Street aquella noche, a no ser que Breeland se lo diera a Shearer en la estación de Euston Square, tal como sostenía.

Por la mañana volvería a hablar con Breeland.

Hester encontró la nota de Monk al despertar. Le indujo con una creciente sensación de pérdida. Casi daba las gracias a que el juicio de Merrit y Breeland ya se viniera encima; así disponía de menos tiempo para atormentarse con preguntas y temores sobre qué había cambiado entre ellos.

Le habían pasado por la cabeza ideas confusas sobre si lamentaba el compromiso del matrimonio, si se sentía atrapado, acosado por las expectativas, la compañía constante, los límites a su libertad personal.

Pero el cambio que había experimentado Monk había sido tan abrupto que eso dejaba de tener sentido. Nunca había presentado ni el más leve síntoma; de hecho, era más bien al contrario. Encontrar a la señora Patrick había sido un golpe de suerte. Permitía que Hester persiguiera sus intereses en la reforma sanitaria sin desatender los deberes domésticos. Además la señora Patrick era con diferencia mucho mejor cocinera.

Se obligó a desechar aquellos pensamientos, se vistió de gris claro, uno de sus colores predilectos, y salió a visitar a Judith Alberton. No estaba completamente segura de qué quería preguntarle, ni siquiera qué esperaba averiguar, pero Judith era la única persona que sabía lo que le había ocurrido a su hermano y su familia, y Hester todavía tenía la sensación de que en el intento de chantaje estaba el origen de los asesinatos, tanto si los había perpetrado Shearer, como Breeland o incluso puede que Trace, aunque esperaba de todo corazón que no fuera este último. Le había caído bien Philo Trace. El hecho de ser oriundo del Sur y que su pueblo tolerara la tenencia de esclavos era un accidente de nacimiento y cultura. No guardaba relación alguna con el encanto de su persona ni con lo a gusto que se encontraba en su compañía. Algo le decía que en su fuero interno él se estaba enfrentando al conflicto moral que los distanciaba. Quizá fuese porque deseaba creerlo así, pero mientras no le demostraran lo contrario prefería suponer que así era.

Tal vez se tratara de mera coincidencia el que los asesinatos y el robo se dieran tan poco después de un chantaje en el que el precio del silencio eran precisamente las armas pero ella no lo creía así. Había alguna conexión; le faltaba encontrarla.

Judith se alegró de verla. Naturalmente, no recibía visitas sociales, y llevaba luto riguroso por su marido, pero estaba perfectamente tranquila y el pesar que pudiera sentir lo disimulaba con una dignidad y una calidez que despertó de inmediato la admiración de Hester, cosa que le dificultó la tarea haciéndola sentir aún más intrusa.

No obstante, sólo la verdad servía y la situación de Merrit era desesperada. El juicio daría comienzo a principios de la semana siguiente.

—Qué amable ha sido al venir, señora Monk —saludó Judith—. Por favor, deme las noticias que tenga...

Hester odiaba mentir, pero sabía, gracias a sus muchos años como enfermera, que a veces eran precisas medias verdades, al menos por un tiempo. Había verdades que era mejor no conocer. Lo que se necesitaba era disposición para seguir luchando sin perder la esperanza.

—En ningún momento he pensado que Merrit estuviera involucrada —contestó, mientras seguía a Judith hasta una salita que daba al jardín, decorada de color verde y blanco, que a esa hora del día alcanzaba de pleno el sol matutino—. Pero me temo que parece inevitable que el señor Breeland lo estuvo, aunque no fuese directamente.

—Si no fue el señor Breeland, ¿quién fue? —inquirió Judith, confusa.

—Parece bastante probable que fuese Shearer. Lo siento.

No entendió por qué se disculpaba, sólo era que lamentaba que a Alberton lo hubiese traicionado alguien en quien había confiado durante mucho tiempo, y tan próximo. Suponía un dolor adicional.

—¿Shearer? —dijo Judith—. ¿Está segura? Es un hombre duro pero Daniel siempre decía que era completamente leal.

—¿Le ha visto desde que falleció el señor Alberton?

—No. Pero al fin y al cabo sólo le habré visto una o dos veces en total. Casi nunca venía por casa.

No fue preciso que añadiera que no mantenían trato social.

—Nadie más le ha visto desde entonces —señaló Hester—. Sin duda, de ser inocente estaría aquí para ayudar, seguiría trabajando en la empresa y brindaría todo su apoyo, ¿no le parece? ¿No cree que anhelaría tanto como nosotras que atraparan al responsable?

—Sí —admitió Judith bajando la voz—. Me figuro que la respuesta será terrible, sea cual sea. He sido una tonta al esperar que fuese... algo... soportable..., fácil de odiar y de desechar.

Hester nada podía decir para atenuar aquel golpe. Pasó al siguiente asunto que necesitaba demostrar.

—Señora Alberton, su marido y el señor Casbolt recibieron una carta muy desagradable exigiendo que vendieran armas a una empresa que, según sabían, actuaba como intermediaria de unos indeseables a quienes vendería las armas a su vez.

El rostro de Judith no dio muestras de comprender por qué Hester preguntaba aquello.

—Se negaron, pero le pidieron a mi marido que los ayudase para averiguar quién estaba detrás del chantaje. La carta era anónima y amenazadora...

—¿Amenazadora? —saltó Judith—. ¿Han informado a la policía? Está bastante claro que son los responsables...

—El señor Breeland tiene las armas que robaron.

—Ah..., sí, por supuesto. Lo siento. Entonces, ¿por qué pregunta por esas personas?

Una vez más, Hester no dijo toda la verdad.

—No estoy muy segura. Algo me dice que la coincidencia en el tiempo y el hecho de que se trataba de armas puede significar que guardan alguna relación. Necesitamos saber todo lo que podamos.

—Sí, lo entiendo. Por supuesto. ¿Qué quiere que le cuente yo?

Judith no puso ningún reparo. Se inclinó hacia delante, con expresión atenta e inteligente.

Hester detestaba mencionar aquel tema, aunque se trataba de una pérdida del pasado, que tal vez salía al paso para pensar menos en la más reciente.

—Tengo entendido que perdió a su hermano en circunstancias terribles... —Observó que Judith hacía una mueca y palidecía. Hester no se arredró—. Por favor, cuénteme al menos lo principal de la historia. No lo pregunto a la ligera.

Judith bajó la mirada.

—Soy medio italiana. Me atrevería a decir que usted ya sabía que no era del todo inglesa. Mi padre era oriundo del sur, a unos setenta kilómetros de Nápoles. Mi único hermano, Cesare, estaba casado y tenía tres hijos. A él y a su esposa, Maria, les encantaba salir a navegar. —Fue bajando la voz—. Hace siete años los abordaron unos piratas frente a la costa de Sicilia. Mataron a toda la familia. —Tragó saliva compulsivamente—. Encontraron los cuerpos... más tarde. Yo... —Negó casi imperceptiblemente con la cabeza, fue poco más que un estremecimiento—. Daniel fue. Yo no. Él... no quiso contarme los detalles. Yo pregunté... y me alegro que se negara. Su rostro me decía que era algo horrible. A veces sufría pesadillas... Le oía gritar en plena noche; se despertaba con el cuerpo agarrotado. Pero nunca llegó a decirme qué les había ocurrido.

Hester trató de imaginar el aplastante peso del horror que Alberton conservó como vívido recuerdo y el amor por su esposa que le llevó a Sicilia para luego mantenerle callado todos aquellos años. ¡Y aun así seguía dedicándose a la compra y venta de armas! ¿Era posible que considerase que también se usaban para hacer el bien, para luchar por causas justas, defender a los débiles, incluso mantener el equilibrio de poder entre fuerzas de lo contrario violentas?

¿O era, sencillamente, el único negocio del que entendía o del que más beneficios obtenía? Probablemente nunca lo supieran. Prefería pensar que se debía a lo primero.

—¿Cuánto tiempo estuvo fuera? —preguntó en voz alta.

—No lo sé. Casi tres semanas —contestó Judith—. Se me hizo una eternidad en su momento. Le eché muchísimo de menos y, por supuesto, también temí por él. Pero estaba decidido a hacer cuanto estuviera en su mano para que los piratas fueran prendidos y castigados. Fue persiguiendo rumores de un sitio a otro pero siempre se escabullían. Y el grueso de las fuerzas de la ley no ponía el menor interés en su captura. —Una fugaz mezcla de amor y pena llenó sus ojos—. Italia es una cultura, un lenguaje, arte en mayúsculas, un estilo de vida pero no una nación. Quizás un día lo sea, Dios mediante, pero ese día aún no ha llegado.

—Entiendo.

Judith sonrió.

—No, no entiende nada. Usted es inglesa y, con el debido respeto, no tiene ni idea de nada. Como tampoco Daniel. Hizo todo lo que pudo y cuando se dio cuenta de que muy probablemente desaparecerían sin más en cualquier rincón de los cientos de millas de costa, en cualquiera de las mil islas dispersas entre Tánger y Constantinopla, volvió a casa enojado, vencido pero dispuesto a cuidar de mí y de Merrit y dejar que Dios hiciera justicia, de la manera que fuese.

Hester no tenía nada que añadir. Por supuesto era posible que Alberton se hubiese puesto en contacto con compradores de armas del Mediterráneo, bien fuesen piratas, bien combatientes a favor o en contra de la unificación de Italia. Pero no tenía forma de averiguarlo. Probablemente Judith no lo sabía; sin duda no lo iba a decir.

—¿Cómo se ha enterado del chantaje? —preguntó Judith, interrumpiendo sus pensamientos.

—Me lo contó el señor Casbolt. —Hester comprendió que aquello exigía una explicación—. Fui a pedirle ayuda con respecto a su conocimiento del señor Breeland y del negocio de las armas en general. Me refirió la presión para que vendieran a los piratas y por qué el señor Alberton se resistía sin importarle las amenazas o el precio.

Una sonrisa dulcificó el rostro de Judith, que dijo.

—Siempre tan comprensivo. Conoció a Daniel antes que yo, ¿sabe? Eran compañeros de colegio, aquí, en Inglaterra, y un verano se llevó a Daniel con él a Italia. Así fue como nos enamoramos. —Bajó la vista un momento—. Sin la ayuda de Robert no sé si estaría en condiciones de comprometerme a pagar los honorarios de sir Oliver por representar a Merrit, y eso sería más de lo que podría soportar. —Levantó la cabeza; en sus ojos había un miedo descarnado—. Señora Monk, ¿piensa que sir Oliver será capaz de salvarla? La prensa está convencida de su culpabilidad. Nunca hubiese pensado que la palabra impresa pudiera hacer tanto daño... que unas personas que ni siquiera conoces pudieran estar tan seguras de cómo eres, de lo que anida en tu corazón. Hasta ahora no he salido, pero no sé cómo voy a ser capaz cuando llegue el momento de hacerlo. Cómo me enfrentaré a la gente sabiendo que cada persona con quien me cruzo en la calle puede pensar que mi hija es culpable de...

—No haga ningún caso —repuso Hester—. Piense sólo en Merrit. Los que sean honestos se avergonzarán de sí mismos cuando descubran su equivocación. Los demás no merecen ningún esfuerzo y además no puede hacer nada al respecto.

Judith permanecía muy quieta.

—¿Usted estará allí?

—Sí.

No tuvo ni que tomar la decisión.

—Gracias.

Hester se quedó media hora más, sólo para hacerle compañía. Conversaron de cosas sin importancia, evitando cuidadosamente hablar del caso o de amores perdidos. Judith le mostró el jardín, lleno de vivos colores por la segunda floración de las rosas. Hacía calor hasta en la sombra, el cargado perfume de las flores era de ensueño. El contraste hacía más dura la apertura del juicio al lunes siguiente, como si todo aquello tocara a su fin. Durante un buen rato ambas guardaron silencio. Los lugares comunes serían un insulto a la realidad.

Monk fue a ver a Breeland el sábado. No había encontrado nada para ayudar a Rathbone más allá de la esperanza, la duda, cuestiones que plantear. Seguiría investigando durante el juicio pero estaba empezando a temer que no hubiera pruebas para demostrar que Merrit era inocente. Podía terminar siendo sólo cuestión de opinión.

Tenía una pregunta que formular a Breeland cuya respuesta no le causaría ningún daño, por eso Monk no dudó en hacerla.

Metieron a Breeland en una pequeña celda cuadrada. Estaba más pálido y flaco que la última vez que Monk le había visto. Presentaba los ojos hundidos y una cierta delgadez en las mejillas donde se distinguían los músculos apretados. Se puso erguido, mirando a Monk con resentimiento.

—Ya le he contado todo lo que tengo que decir —empezó antes de que Monk pudiera abrir la boca—. Me hizo volver para ser juzgado y demostrar mi inocencia. Supongo que su amigo Rathbone cumplirá con su obligación, aunque no acabo de ver que crea en mi inocencia. Me fié de usted, Monk, pero ahora temo haber depositado esa confianza donde no tocaba. Me parece que le llenaría de satisfacción verme colgado, siempre y cuando miss Alberton sea absuelta y usted cobre los honorarios por rescatarla. Disculpe si le acuso injustamente. Espero que así sea.

Monk escrutó el semblante finamente cincelado y no detectó en él emoción alguna, ningún miedo, ninguna debilidad, ninguna duda en su coraje para enfrentarse a la dura prueba para la que ya sólo faltaban dos días. Tendría que haberle admirado. En cambio, experimentó un extraño miedo muy propio de él. No estaba seguro de si la conducta de Breeland era sobre o infrahumana. No acertaba ver ninguno de sus propios puntos flacos reflejados en él.

—Acepto sus disculpas —dijo fríamente—. Claro que me gustaría ver a miss Alberton absuelta, y reconozco que me importa un bledo que le ahorquen o no... siempre y cuando sea culpable... que disparara o no la pistola es lo de menos. Me da lo mismo que sobornara a Shearer o a cualquier otro para que lo hiciera por usted. Si no lo hizo, y no tuvo nada que ver con usted, lucharé tan enconadamente para absolverle como haría con cualquier hombre.

No hubo ningún destello de humor en el rostro de Breeland, ni siquiera ironía. Monk tuvo la súbita impresión de que Breeland sólo se percibía a sí mismo como un héroe o un mártir. Las debilidades humanas escapaban a su entendimiento, como si viviese en un vasto desierto desprovisto de las risas y las trivialidades que otorgan proporción a la vida y constituyen la medida de la cordura.

Pobre Merrit.

Se metió las manos en los bolsillos.

—¿Cuántas armas compró? —preguntó con indiferencia—. Exactamente.

—¿Exactamente? —repitió Breeland, enarcando las cejas—. ¿A la unidad? No las conté. Apenas hubo tiempo. Di por sentado que todos los cajones estaban llenos. Alberton era un hombre muy testarudo, estrecho de miras y sin ninguna comprensión de la moral y la política, pero nunca dudé de su integridad financiera.

—¿Cuántas armas pagó?

—Seis mil. Y aboné la cantidad convenida por arma.

—¿Pagó a Shearer?

—Eso ya se lo he dicho. —Breeland frunció el entrecejo—. Con esa cantidad de dinero podrían construirse muchas casas de cuatro habitaciones en cualquier parte de Londres. A mí me parece obvio que Shearer traicionó a Alberton, le disparó, así como a los vigilantes, de modo que pareciera que había sido obra de soldados de la Unión, me vendió las armas y escapó con el dinero. Yo soy inocente y Rathbone será capaz de demostrarlo.

Monk no contestó. Breeland había dado en el clavo. A Monk le traía sin cuidado que lo ahorcaran o no... al menos por el momento.

10

El lunes siguiente dio comienzo el juicio de Lyman Breeland y Merrit Alberton, acusados conjuntamente de los asesinatos de Tooley Street. Oliver Rathbone iba tan bien preparado como podía, dada la escasa información que poseía. Por lo que le había contado Monk, creía que Breeland no había cometido los crímenes, aunque convencer al jurado de que tampoco los había instigado ni había sacado provecho a sabiendas de lo ocurrido sería harina de otro costal. Además Rathbone era consciente de tener un cliente que no iba a ganarse fácilmente las simpatías del jurado.

El viernes anterior había hablado tanto con Merrit como con Breeland. Estuvo tentado de sugerir a Breeland que adoptara una actitud más amable, que manifestara más humildad, que lamentara incluso la tragedia de la muerte de Alberton, pero luego pensó que sería un intento fallido y que incluso provocaría una pauta de conducta a todas luces falsa.

Mientras llamaban al tribunal al orden y comenzaban los preliminares, Rathbone levantó la vista hacia el rostro de Breeland en el banquillo de los acusados, inexpresivo, mirando fijamente al frente como si no tuviera el más mínimo interés por las personas allí congregadas, sin ninguna consideración o respeto hacia ellas, y Rathbone deseó haber hecho un esfuerzo para advertirle lo caro que aquello iba a salirle.

Merrit, por otra parte, se veía joven, asustada y extremadamente vulnerable. Presentaba la tez pálida y profundas ojeras, y sus manos apretaban con tanta fuerza la barandilla que daba la impresión de sostenerse para no caer. Cuando Rathbone la miró, se puso derecha, alzando un poco el mentón, y miró a Breeland. Con gran vacilación tendió la mano y le toco el brazo.

Breeland esbozó una sonrisa pero no le dijo nada. Quizá no quería que el tribunal fuera testigo de sus sentimientos. Quizá considerase que el amor era un asunto privado y no deseaba compartirlo con quienes habían ido a mirar y a juzgar.

Rathbone era plenamente consciente de la presencia de Judith Alberton, igual que la mayoría de las personas que había en la sala. Había belleza en su porte y lo que llegaba a entreverse de sus facciones. Reparó en que la gente se daba codazos al entrar ella y hubo varios hombres incapaces de reprimir expresiones de admiración e interés.

Rathbone se preguntó si estaría acostumbrada a que la miraran o si el hecho la incomodaría. Judith miró a Merrit, que seguía vuelta hacia Breeland, y luego a Rathbone. Fue sólo un vistazo antes de tomar asiento, y no llegó a distinguir sus ojos a través del velo. Sólo le cupo imaginar la desesperación que sin duda sentía. Toda la ayuda que recibiera de los demás tropezaría con la barrera de soledad a la que ahora se enfrentaba, con el miedo a lo que aquellos días le iban a traer.

Hester estaba a su lado, vestida de gris claro y oscuro, con la luz realzando la claridad de su piel y el blanco inmaculado de los encajes del cuello. Reconocería la curva de sus mejillas en cualquier sitio, igual que su personalísimo porte. La belleza más radiante del mundo no le quitaba el aliento de aquella manera, con el dolor añadido de la confianza, el recuerdo de tantos esfuerzos compartidos para luchar contra la ignorancia y el equívoco. Vencer era importante, por supuesto, las causas siempre habían merecido la pena, pero se dio cuenta de lo importantes que habían sido las batallas en sí. Aquella era una más, pero no estaban juntos en ella como lo habían estado en el pasado. Monk se interponía entre ellos de distinta manera.

Rathbone vio que Breeland se ponía rígido y que una mirada de extraordinario desprecio transformaba su expresión. Rathbone siguió la mirada. Un hombre delgado de pelo moreno acababa de entrar en la sala y se dirigía a un asiento libre en el extremo de una fila en la tribuna del público. Se movía con una gracia fuera de lo corriente, y no hizo nada de ruido, sentándose en un sitio que no le obligaba pedir excusas a nadie. Estudiaba intensamente a Judith Alberton pese a tenerla sentada delante, dándole la espalda.

Rathbone se preguntó si se trataría de Philo Trace. Sabía que no era Casbolt, pues ya se habían conocido.

Frente a él, al otro lado del pasillo, Horatio Deverill se levantaba para abrir el turno de la acusación. Era un hombre alto, delgado en su juventud, y ahora con un poco de barriga. Sus en otro tiempo atractivos rasgos se habían vuelto un poco ásperos, pero seguían llenos de fuerza y carácter. Pero era su voz lo que llamaba la atención obligándole a uno a escuchar. Una voz sonora, idiosincrásica, con una dicción perfecta. Había cautivado a más de un jurado. Cuando él hablaba, todo el mundo prestaba atención.

—Caballeros —comenzó, sonriendo a los miembros del jurado, que se sentían cohibidos en sus altos asientos tallados—. Voy a relatarles un crimen de una atrocidad terrible. Les demostraré cómo un hombre honorable, muy parecido a ustedes, fue víctima de una conspiración para robarle, y luego asesinarle, con el fin de conseguir armas para el trágico conflicto por el que todavía hoy se está luchando en América, hermano contra hermano.

Un murmullo de horror y compasión recorrió la sala.

Rathbone no se sorprendió. Ya suponía que Deverill echaría mano de toda la respuesta emocional que fuese capaz de provocar. Él sería perfectamente capaz de hacer lo mismo, suponiendo que así fuese a ganar un caso. Las opiniones personales no le preocupaban, sólo el veredicto.

—También demostraré —continuó Deverill— que este terrible acto no fue sólo una ofensa contra las leyes de Dios y de los hombres, sino incluso contra las de la naturaleza, reconocidas por todas las razas y naciones de la tierra. Fue llevado a cabo a instancias del acusado, Lyman Breeland, para servir a sus intereses. Ahora bien, caballeros, contó con la ayuda y la complicidad de la propia hija de la víctima, Merrit Alberton.

Recibió el esperado jadeo de horror que recorrió la sala como el viento caliente antes de una tormenta.

—Estaba encaprichada de Breeland —prosiguió—, y lo que él hizo para inducir esa obsesión no lo puedo demostrar, de modo que ni siquiera voy a contárselo, pero baste decir que una vez cometido el acto nefando, ella huyó a América con él, esa misma noche. —Negó con la cabeza—. Y sólo mediante los buenos oficios de un detective privado, contratado por su propia madre, la viuda del hombre asesinado, fue posible traerla de vuelta junto con Breeland a este país, a punta de pistola, para enfrentarlos a ustedes y a su decisión para que se haga justicia.

»Con este fin, señoría... —Finalmente se volvió hacia el juez, un hombre enjuto de rasgos marcados y ojos de un nítido gris plateado—. Con este fin, llamo a mi primer testigo, Robert Casbolt.

Se percibió un vivo interés mientras Casbolt entraba en la sala, cruzaba el espacio abierto ante el juez y el jurado y subía la breve escalera en curva del estrado de los testigos. Llevaba un traje gris oscuro impecable y se le veía pálido pero tranquilo. No presentaba ni una sombra de la sonrisa que tan a menudo lucía y que le había grabado las arrugas de alrededor de la boca.

Juró dando su nombre y dirección y aguardó las primeras preguntas de Deverill con calma. En un momento dado bajó la vista hacia Judith y ablandó la expresión, pero sólo por un instante. Por su actitud parecía estar en un funeral. No miró hacia el banquillo.

—Señor Casbolt... —comenzó Deverill, disculpándose con sonrisas y yendo de un lado a otro como un actor que interpretase un monólogo ante el público. Aunque su actuación era para el jurado, no miró una sola vez en su dirección—. Soy plenamente consciente de que esto es muy doloroso para usted, señor. Sin embargo, es necesario, y le ruego que tenga paciencia conmigo mientras presento al tribunal los hechos que han conducido a esta tragedia. Usted los conocía casi todos, sin tener la mínima idea del terrible final al que estaban destinados.

Rathbone miró al jurado. Sus edades oscilaban entre los cuarenta y los sesenta años y parecían decentes y prósperos, como era habitual en la mayoría de jurados. Los títulos de propiedad requeridos excluían a muchos hombres más jóvenes y a los de distinta clase social. Con aspecto serio y desdichado, atendían sin perder detalle a cuanto se iba diciendo.

—Señor Casbolt, ¿puede contar a este tribunal cómo y cuándo conoció al señor Breeland?

—Por supuesto —respondió Casbolt en voz baja, aunque se oyó con perfecta claridad por encima de los susurros que recorrían la sala—. No recuerdo la fecha exacta, pero fue a primeros de mayo de este año. Se personó en las oficinas del negocio que teníamos Daniel Alberton y yo. —Levantó ligeramente un hombro—. Tenía interés por el comercio de armas de nuestra empresa.

—¿Y qué le dijo el señor Breeland? —preguntó Deverill con inocencia.

—Que estaba autorizado a adquirir armas para la causa de la Unión en el conflicto americano —contestó Casbolt—. Dijo que sus superiores le habían confiado una suma de dinero muy importante, aproximadamente treinta y tres mil libras, cantidad que había depositado en el Banco de Inglaterra.

Un grito ahogado de asombro llenó la sala. Se trataba de una fortuna que la mayoría de los presentes no podía imaginar siquiera. Varias personas levantaron la vista hacia Breeland, pero éste, con gesto estudiado, no les hizo ningún caso, y siguió con la vista fija en Deverill.

—¿Vio usted el dinero? —preguntó Deverill, bajando la voz.

—No, señor. No habría sido lógico que lo llevara encima —respondió Casbolt—. ¡Es una fortuna!

—En efecto, lo es. Pero él les dijo a usted y al señor Alberton que el gobierno de los estados del Norte de América lo enviaban con ese dinero para que comprara armas, ¿es así?

—Sí; armas y munición, señor.

—¿Y le creyeron?

—No había motivos para dudar de él. Y sigo sin tenerlos —respondió Casbolt—. Presentó credenciales, con inclusión de una carta de Abraham Lincoln que llevaba el sello del presidente de Estados Unidos. Tanto Daniel Alberton como yo estábamos bien informados de las crecientes hostilidades que tenían lugar al otro lado del Atlántico y, como es natural, también estábamos al corriente de que los representantes tanto de la Unión como de los estados confederados andaban adquiriendo armas por toda Europa.

—Entendido —convino Deverill. Metió los pulgares en las sisas del chaleco, echó un vistazo a las puntas lustradas de sus botines y levantó la mirada hacia Casbolt—. ¿Usted o Daniel Alberton habían vendido armas antes a alguna de las partes implicadas en esa guerra?

—No.

—¿Y está seguro de que Daniel Alberton no había sellado un acuerdo privado, por ejemplo con Lyman Breeland, sin que lo supieran usted o el señor Trace? —instó Deverill.

Casbolt, cuyo rostro reflejó una extraña mezcla de sentimientos, todos obviamente pesarosos, desvió por un instante la mirada hacia Judith, sentada en la primera fila de la tribuna.

Su tensión y aflicción no pasaron inadvertidos para ninguno de los presentes en la sala.

Rathbone levantó la vista hacia Breeland. Observaba con atención pero si sentía alguna pena o temor los mantenía bajo un férreo control para no ponerse en evidencia. El orgullo le haría un flaco favor. Se parecía demasiado a la indiferencia. La próxima vez que tuviera ocasión de hablar con su cliente, Rathbone pensaba decírselo, aunque no fuera a servir de mucho.

—¿Está seguro? —insistió Deverill.

Casbolt volvió a concentrarse.

—La otra razón era que Daniel Alberton era mi amigo y uno de los hombres más honorables que haya conocido jamás —dijo al fin—. En veinticinco años no le vi faltar a su palabra una sola vez. —Se le quebró la voz—. No se podía pedir más de un socio que además era hábil y conocía su sector.

—Desde luego que no —convino Deverill mirando al jurado.

Rathbone soltó una maldición entre dientes. En ningún momento había supuesto que derrotar a Deverill fuese a resultar fácil, pero la realidad de su tarea se iba volviendo más difícil a cada minuto. Por brillante e implacable que fuese Rathbone, no podía alterar la verdad, y tampoco iba a intentarlo.

—¿En qué consistía exactamente el acuerdo con el señor Trace? —preguntó Deverill con falsa inocencia.

—Daniel había dado palabra de venderle seis mil mosquetes estriados Enfield P1853 —contestó Casbolt con toda claridad.

Deverill quedó sumamente satisfecho. Su rostro resplandecía. Rathbone sabía que los miembros del jurado lo habían notado y que le otorgarían la importancia correspondiente. Creían que la acusación se había marcado un tanto, aunque no supieran cuál. Uno de ellos, un hombre con unas patillas magníficas, lanzó una mirada cargada de malevolencia a Breeland.

Aquello fue como un golpe para Merrit. Se desplazó imperceptiblemente hacia Breeland en el banquillo. Todo el jurado se fijó en ese movimiento.

Rathbone también sabía cómo manipular las emociones, aunque a veces lo encontraba repugnante. Se serviría de la cuestión de la esclavitud, pues muchos ingleses la deploraban aunque estuvieran a favor del Sur. Pero era consciente de tener a Hester sentada al lado de Judith Alberton y de lo mucho que le despreciaría por la falta de moralidad que conllevaba hacerlo. Estaba enojado consigo mismo y permitió que le doliera.

—¿Por qué estaba dispuesto a vender armas al señor Trace, señor Casbolt? —inquirió Deverill con inocencia—. ¿Era simpatizante de la causa confederada?

—No —contestó Casbolt—. No me consta que fuese leal a ninguno de los bandos. La única opinión que le oí manifestar fue para lamentar que el asunto hubiese terminado en una guerra. Durante los meses anteriores abrigó la esperanza de que se resolviera mediante negociaciones. Fue sencillamente porque el señor Trace apareció con una apremiante necesidad de comprar. No se extendió argumentando su causa. Dijo que el Sur quería ser libre de decidir su destino y elegir su propia forma de gobierno, poca cosa más. Fue el señor Breeland quien trató de convencerle de que su causa justificaba la venta de armas a la Unión antes que a ningún otro.

—Así pues, ¿el señor Trace consiguió la venta simplemente porque llegó primero? —dedujo Deverill.

—Sí. Pagó la mitad de la suma como prueba de buena fe. La segunda mitad se haría efectiva a la entrega de las armas y la munición.

—¿Y el señor Breeland quería que el señor Alberton incumpliera ese acuerdo y le vendiera las armas a él?

—Sí. Fue muy insistente..., rayando lo desagradable. —Casbolt torció el gesto, arrepentido, casi con un punto de culpa, como si hubiese tenido que prever la tragedia.

A Deverill le faltó tiempo para aprovecharse de ello.

—¿Desagradable en qué sentido? ¿Amenazó a alguien?

—No..., al menos que yo sepa. —Casbolt fue bajando la voz, con la mente sumida en el trágico pasado—. Acusó a Daniel de estar a favor de la esclavitud, cosa por supuesto falsa. Breeland era un apasionado de su causa, tanto de la abolición de la esclavitud en América como de mantener juntos a todos los estados de la Unión, a las buenas o a las malas. Con frecuencia argumentaba la opinión, la obsesión, de que no había que otorgar la independencia al Sur..., sólo que la llamaba «secesión». Debo admitir que no entiendo la diferencia. —Esta vez esbozó una sonrisa.

Deverill abrió mucho los ojos.

—Para ser sincero, yo tampoco. —Hizo un amago de ademán hacia el banquillo, pero sin levantar la vista hacia él—. Aunque por suerte ése no es el asunto que nos ocupa. —Lo descartó con un gesto—. En sus intentos por hacer cambiar de parecer al señor Alberton a propósito de las armas, ¿sabe si le iba a visitar a la oficina o a su casa?

—A ambos sitios, según me dijo, aunque sé que estuvo varias veces en su casa, pues coincidimos unas cuantas veces en ella. Le ofrecieron hospitalidad y la aceptó.

Una vez más, varios miembros del jurado miraron a Breeland con aversión.

—Hay algo peculiarmente repelente en la traición suprema de comer en la mesa de un hombre para luego levantarse y asesinarle. Todas las sociedades lo aborrecen —dijo Deverill en voz baja, aunque su gravedad llegó a todos los rincones de la sala.

El juez miró a Rathbone. Habría protestado que ese comentario era irrelevante, pero sólo era irrelevante desde el punto de vista legal, y todos los hombres y mujeres de la sala lo sabían. Si lo hacía sólo conseguiría hacer patente su desesperación. Contestó negativamente al juez moviendo apenas la cabeza.

—Durante esas visitas, señor Casbolt —prosiguió Deverill—, ¿observó que surgiera alguna relación entre Breeland y Merrit Alberton?

Casbolt hizo una mueca y se estremeció.

—No tanto como hubiese debido. —Se le hizo un nudo en la garganta, sobrecogido por el arrepentimiento.

Pese a encontrarse sentado a varios metros de él, mirándole en lo alto del estrado, tanta emoción conmovió a Rathbone. Era demasiado genuina como para que nadie la supusiera fingida. Una oleada de compasión recorrió el público de la sala. Una mujer sollozó. Un miembro del jurado negó despacio con la cabeza y miró a Merrit, en lo alto del estrado. Rathbone se volvió hacia Judith pero el velo le ocultaba el semblante. Advirtió que Philo Trace también la miraba; su emoción también era manifiesta. Rathbone se dio cuenta en ese instante de que Trace amaba a Judith, en silencio, sin esperar ser correspondido. Lo entendió perfectamente porque así era como amaba él a Hester. El tiempo para que ella le correspondiera había pasado. Quizá fuese ilusorio pensar que alguna vez había existido.

Deverill había exprimido el silencio hasta la última gota. Reanudó el interrogatorio.

—¿Y fue testigo de que miss Alberton respondía a sus atenciones? —preguntó.

—En efecto. —Casbolt carraspeó—. Sólo tiene dieciséis años. Pensé que era un capricho y que se le pasaría en cuanto el señor Breeland regresara a América.

Instintivamente, Rathbone miró a Merrit y vio el dolor y el desafío de su rostro. Se inclinó un poco hacia delante, ansiosa por contar la verdad, lo mucho que amaba a Breeland, pero no estaba autorizada a hablar.

Casbolt prosiguió.

—Él era oficial del ejército. —Un súbito arranque de ira le endureció la voz—. Se disponía a participar en una guerra civil a ocho mil kilómetros de Inglaterra. No estaba en condiciones de hacer proposiciones a una mujer, ¡y menos a una cría de la edad de Merrit! ¡En ningún momento pensé que fuese a hacerlo! Tampoco creo que cupiera en la cabeza de su padre. Y si Breeland hubiese tenido la poca sensatez y la desvergüenza de hacerlo, Daniel lógicamente lo habría rechazado.

Breeland se revolvió en el banquillo, pero tampoco le había llegado aún el momento de defenderse.

—Si Breeland la hubiese amado —continuó Casbolt— y se hubiese comportado como un hombre honorable, habría esperado a que terminara la guerra y sólo entonces habría regresado con una proposición adecuada, capaz de mantenerla y de cuidar de ella como debe hacerlo un hombre. Proporcionarle un hogar..., no abandonarla entre desconocidos en una ciudad sitiada mientras él va a una batalla de la que puede no regresar..., o volver tullido e incapaz de cuidar de ella. —Temblaba agarrado con fuerza a la barandilla, blanco como el papel.

Sin dar un solo dato que vinculara a Breeland con el asesinato de Daniel Alberton, para todos los presentes en la sala acababa de condenarlo, y Deverill lo sabía. Se notaba en la pose confiada del abogado, en el suave terciopelo de su voz cuando dijo:

—Muy bien, señor Casbolt. Estoy seguro de que todos compartimos sus sentimientos y tampoco habríamos sabido prever la tragedia que se avecinaba. No le culpamos, señor, es muy fácil criticar a posteriori. ¿Por qué no nos cuenta ahora lo que observó la noche en que murió Daniel Alberton?

Casbolt cerró los ojos sin dejar de asirse a la barandilla.

—¿Se encuentra bien, señor Casbolt? —preguntó Deverill con inquietud. Dio un paso adelante, como si temiera que Casbolt fuera a desplomarse.

—Sí —respondió Casbolt entre dientes. Inspiró profundamente y levantó la cabeza, clavando la mirada en los paneles de la pared por encima del público—. Sólo sé de oídas lo que ocurrió más temprano esa noche. Supongo que llamará a Monk, que estuvo presente, para que cuente lo que vio y oyó. Yo me había entretenido hasta tarde en casa de unos amigos y aún no me había acostado. Serían las tres y media cuando un recadero me trajo una nota de la señora Alberton.

—Prueba número uno, señoría —dijo Deverill al juez.

El juez asintió con la cabeza y un hujier entregó una hoja de papel a Casbolt.

—¿Es ésta la nota que recibió? —preguntó Deverill.

La mano de Casbolt tembló al coger el papel. Le costó trabajo encontrar la voz.

—Sí, lo es.

—¿Nos la lee en voz alta? —pidió Deverill.

Casbolt carraspeó.

—«Querido Robert: perdona que te moleste a estas

horas pero tengo mucho miedo de que haya ocurrido algo grave. Daniel y Merrit han tenido una discusión horrible esta noche. El señor Breeland estaba aquí, y también el señor Monk. El señor Breeland juró que nadie derrotaría su causa, por más que le costara. Merrit se ha ido de casa. Hace una hora he descubierto que ha hecho la maleta y se ha marchado, me temo que con Breeland. Daniel salió poco después de la riña. Habrá ido en busca de ella pero aún no ha regresado. Por favor, encuéntrale y ayúdale. Estará muy afligido.» —Levantó la vista, con la voz ronca de contener el llanto, y añadió—: Firmado: Judith. Naturalmente, sólo dudé un instante acerca de cuál era el mejor camino a seguir. Decidí reclutar a Monk por si las cosas se ponían feas y presentarnos directamente en el domicilio de Breeland. Si era preciso nos llevaríamos a Merrit por la fuerza... antes de que arruinara su reputación. —Un destello de humor amargo le cruzó el semblante y desapareció, dejando sólo sufrimiento.

Deverill asintió lentamente con la cabeza.

El jurado se mostraba dolido, como correspondía.

El juez echó un vistazo a Rathbone para ver si tenía alguna respuesta, mas no había ninguna que dar.

—Prosiga, por favor —solicitó Deverill—. Así pues, ¿fue en busca del señor Monk?

—Sí —convino Casbolt—. Le desperté, le resumí lo ocurrido y me acompañó, primero al domicilio de Breeland, donde no había nadie. Nos dejó entrar el portero de noche, quien nos contó que Breeland se había marchado acompañado de una señorita...

El juez volvió a mirar a Rathbone.

—No protesto, señoría —dijo Rathbone con claridad—. Tengo intención de llamar al portero de noche. Posee información que respalda la versión de los hechos del señor Breeland.

El juez asintió con la cabeza y se volvió hacia Casbolt.

—Por favor, limítese a referir lo que sabe, no lo que otros le hayan dicho.

Casbolt hizo una respetuosa reverencia y continuó su relato.

—Debido a lo que nos contó el portero de noche, salimos rápidamente hacia mi carruaje, que aguardaba en la calle, y nos dirigimos al almacén de Tooley Street.

Hizo una pausa para recobrar la compostura. Saltaba a la vista el esfuerzo que le costaba. Cualquier persona de la sala podía ver que los acontecimientos de aquella noche eran tan abrumadores que lo trasladaron de vuelta al patio del almacén a la luz del alba y al horror que había presenciado allí. Habló con voz áspera y monótona, como si no soportara recordar sus verdaderos sentimientos.

Rathbone escuchó y encontró las historia más devastadora que cuando se la había referido Monk. La manera en que Casbolt revivía los hechos transmitía mucha más fuerza. Si hubiesen pedido un veredicto al jurado en ese instante, habrían ahorcado a Breeland y a Merrit sin más dilación, tirando de la palanca de la trampilla con sus propias manos.

Casbolt describió el hallazgo de los cadáveres en sus posturas grotescas con suma economía de palabras, hasta el punto que costó hacerse una idea del cuadro. Su horror llenaba la sala. Ningún hombre sería capaz de fingir una emoción tan descarnada.

No mencionó el hallazgo del reloj. Deverill tuvo que recordárselo.

Casbolt se sobresaltó.

—Vaya. Sí. Lo encontró Monk y lo recogió. Llevaba grabado el nombre de Breeland y una fecha. No recuerdo cuál.

—Pero ¿llevaba el nombre de Breeland, está seguro de eso?

—Por supuesto.

—Gracias... Sólo una cosa más.

—Usted dirá. —Casbolt parecía desconcertado.

—Perdone que le pregunte esto, señor —se disculpó Deverill—, pero por si acaso alguien se lo pregunta o mi docto colega saca el asunto a colación, permítame ahorrarle el esfuerzo. ¿Dónde estuvo exactamente esa noche antes de recibir esa nota desesperada de la señora Alberton? ¿Ha dicho que cenó con unos amigos?

—Sí, en casa de lord Harland, en Eaton Square. El caso es que la fiesta se prolongó más de lo esperado. No llegué a mi casa hasta poco después de las tres. Aún no me había acostado cuando llegó el recadero.

—Entendido. Gracias.

Deverill se volvió hacia Rathbone haciendo una floritura, invitándole con un gesto de la mano.

Casbolt no había dicho nada que Rathbone quisiera impugnar o aclarar. Le hubiese gustado demorar el desarrollo de la vista con la esperanza de que Monk descubriera algo más, pero si lo hacía ahora Deverill sin duda sabría por qué, y puede que el jurado también.

—No hay preguntas para el testigo, señoría.

—Muy bien. Entonces se levanta la sesión para el almuerzo —dijo el juez cansinamente.

En cuanto salió de la sala de vistas Rathbone vio a Hester y Judith Alberton aproximándose hacia él. Philo Trace se mantuvo a poca distancia, sin reunirse con ellas. Rathbone volvió a preguntarse fugazmente cuál había sido la participación exacta de Trace en la adquisición de las armas. ¿Podría ser él quien había tratado de chantajear a Alberton y debido a ello éste se había negado en redondo a hacer tratos con Breeland... porque no se atrevía? ¿Había sido Monk el catalizador que le llevó a cambiar de parecer? Sólo era un cabo suelto, pero persistente.

—¿Sir Oliver? —Judith estaba delante de él. Percibió el miedo de su voz.

—Por favor, no se preocupe, señora Alberton —dijo con más confianza de la que sentía. Era una parte de su profesión que se veía obligado a practicar con frecuencia: consolar a personas en situaciones desesperadas, infundir ánimos y esperanzas que no sabía cómo justificar—. Tendremos nuestro turno cuando el señor Deverill termine el suyo. No estoy nada seguro de poder demostrar que Breeland es inocente, pero con Merrit será mucho más fácil. No se descorazone.

—El reloj —dijo Judith sin más—. Si Merrit no estuvo allí, ¿cómo es que lo encontraron en el patio del almacén? Estaba muy orgullosa de él, no me la imagino desprendiéndose de él de buena gana.

—¿Y la imagina mintiendo para proteger a Breeland? —preguntó Rathbone con amabilidad. No pudo evitar mirar un momento a Hester y vio en sus ojos una abnegada voluntad de ayudar y confusión porque no sabía cómo hacerlo.

—Sí —respondió Judith en voz baja—. Sir Oliver... Me da mucho miedo que enviar al señor Monk para que la hiciera volver haya sido una equivocación tremenda. ¿Le he condenado a muerte...? —Se le quebró la voz.

Hester apretó el brazo de Judith, instándola a ser fuerte, pero no supo qué decir, no hallaba las palabras justas para ofrecer consuelo.

—No —mintió Rathbone con autoridad. Oyó el tono convencido de su propia voz y sintió un aguijonazo de miedo al pensar que igual se equivocaba. Pero estaba acostumbrado a correr riesgos, a desafiar las normas y confiar en la suerte, pues eso era todo lo que tenía. Fue muy consciente de no merecer salir victorioso con tanta frecuencia como solía—. No, señora Alberton. Creo que Merrit sólo es culpable de su insensatez. Lo lamento mucho, pero tal vez tenga que demostrar que el hombre a quien ama no es digno de ella, y eso será un golpe muy duro para su hija. Pocas cosas hay en la vida tan amargas como la desilusión. Y cuando todo haya pasado necesitará su consuelo. Debe permanecer fuerte hasta que llegue ese momento. No será por mucho tiempo.

La expresión de Judith no podía verse, pero la emoción, el esforzado dominio de sí misma y el miedo eran patentes en su voz.

—Por supuesto. Gracias, sir Oliver.

Resultaba dolorosamente evidente que deseaba pedir algo que Rathbone no le podía dar. Se demoró sólo un instante y luego se volvió lentamente. Dio un par de pasos y se encontró de cara con Philo Trace. Sin duda reparó en su expresión, en sus extraordinarios ojos. Quizá supusiera una ventaja esconderse tras un velo sin que nadie supiera hasta qué punto había percibido sus emociones o fingiendo no darse por aludida.

Pasado el momento, se alejó caminando en compañía de Hester. Rathbone se dirigió a almorzar, aunque apenas tenía apetito.

La vista se reanudó con Lanyon prestando declaración en nombre de la policía. Empleando el lenguaje acartonado de la burocracia, corroboró todo lo dicho por Casbolt, a petición de Deverill, confirmando también que Casbolt en efecto había cenado con unos amigos permaneciendo en compañía de éstos hasta después de la hora en que estimaban habían sido asesinados Daniel Alberton y los vigilantes.

Aquello estuvo de más. Rathbone en ningún momento había considerado a Casbolt como posible sospechoso y no creía que otros lo hubieran hecho.

Deverill dio las gracias a Lanyon efusivamente, como si hubiese demostrado algo importante.

Rathbone se alegró al ver perplejos a varios miembros del jurado.

—¿Encontró algo significativo en la escena del crimen que le llevara a identificar a alguna de las personas que estuvieron presentes, aparte de las víctimas? —preguntó Deverill.

—Sí —respondió Lanyon—. Un reloj de oro de caballero.

—¿Dónde lo encontró?

El jurado mostraba un pobre interés. Aquello ya lo sabían, y su disgusto era palpable. Un par de miembros levantaron la mirada hacia Breeland.

Él hizo caso omiso, como si no se diera cuenta. Rathbone había visto a hombres inocentes hacer gala de aquella sublime indiferencia, sabedores de que el crimen objeto del juicio no tenía nada que ver con ellos. También había visto a hombres culpables que mostraban la misma frialdad porque no comprendían que lo que habían hecho era repelente y sólo eran capaces de sentir su propio dolor.

Merrit era completamente distinta. Estaba pálida, temblorosa y le costaba un esfuerzo más que evidente mantener una apariencia de compostura. Se había quedado anonadada al oír a Casbolt referir el hallazgo de los cuerpos. El relato menos emotivo que Lanyon acababa de hacer de los mismos hechos había sido incluso más duro para ella. La voz férreamente controlada del sargento los hizo más reales. Sin embargo, a su manera él también estaba trastornado. Se notaba en la determinación con que hablaba, en la forma de mantener la vista baja sin mirar una sola vez a Judith Alberton, sentada en la primera fila de la tribuna, ni levantarla hacia la propia Merrit.

Deverill hizo referir a Lanyon los detalles exactos del hallazgo del reloj y del nombre que figuraba grabado en el dorso. Luego pasó al seguimiento que Lanyon efectuara de la pista de los carros desde el almacén al muelle de Hayes Dock y del inicio de su viaje río abajo en barcaza.

A las cuatro en punto el juez levantó la sesión hasta el día siguiente.

Por la mañana, Deverill reanudó la historia en el punto exacto en que la había interrumpido la víspera. Le llevó bastante tiempo avanzar detalle a detalle hasta que Lanyon admitió haber perdido el rastro en Bugsby's Marshes. Deverill propuso muy gentilmente llamar a todos los marineros, estibadores y barqueros que Lanyon había mencionado en su declaración.

Cansinamente, el juez preguntó a Rathbone si tenía algo que refutar y para inmenso alivio del tribunal Rathbone respondió que no. Reconoció de buen grado que todo lo que Lanyon había referido era cierto.

Deverill se mostró desconcertado y sorprendido a la vez, como si su adversario acabara de rendirse inesperadamente.

—¿Se encuentra bien, sir Oliver? —inquirió muy solícito.

Se oyó una risilla ahogada entre el público, acallada al instante por la mirada iracunda del juez.

—Mi salud es excelente, gracias —respondió Rathbone—. Lo bastante buena para ir de excursión río abajo hasta Bugsby's Marshes, si me apeteciera. Mas no es así. Pero por favor, por mí no se detenga si considera que servirá a su causa.

—¡Desde luego no servirá a la suya, señor! —replicó Deverill.

—Tampoco le hará ningún mal. —Rathbone sonrió—. Todo eso es irrelevante. Por favor, continúe...

El juez los llamó al orden con una sonrisa cáustica.

—Su testigo —invitó Deverill.

Rathbone se puso de pie y avanzó unos pasos hasta situarse en medio de la sala. Esta vez todos los ojos estaban puestos en él, aguardando que empezara a presentar batalla. Hasta entonces ni siquiera había parado un golpe y mucho menos asestado alguno. Le constaba que tenía que hacer algo llamativo si no quería perder su atención.

—Sargento Lanyon, usted siguió con suma diligencia el rastro de esa barcaza todo el camino desde Tooley Street, cerca del muelle de Hayes Dock, bajando el Támesis hasta Bugsby's Marshes. Dicha embarcación transportaba una carga pesada y hemos supuesto que se trataba de las armas sustraídas del almacén del señor Alberton. ¿Conoce la identidad de los hombres que fueron vistos por los diversos testigos a los que interrogó? Me refiero saberlo, sargento, no a deducirlo partiendo de un reloj perdido o de una oportunidad para comprar armas para una causa.

—No, señor. Sólo sé que sabían dónde estaban las armas y que las deseaban lo bastante como para asesinar para conseguirlas —contestó Lanyon casi sin inmutarse.

—Exacto —convino Rathbone—, pero ¿quiénes eran?

Lanyon apretó la mandíbula.

—Lo ignoro; pero alguien perdió ese reloj, y no mucho antes. Un reloj de oro no es la clase de objeto que pasa desapercibido en el patio de un almacén.

—A la luz del día, desde luego, no. —Rathbone esbozó una sonrisa—. Gracias, sargento Lanyon. Al parecer ha cumplido con su deber magníficamente. No tengo nada más que preguntarle..., excepto... ¿Ha averiguado qué sucedió con las armas después de Bugsby's Marshes? ¿O qué fue de la barcaza después?

—No, señor.

—Entiendo. ¿No le resulta extraño?

Deverill se puso de pie.

Rathbone levantó la mano.

—Lo plantearé de otra manera, sargento Lanyon. Según su experiencia como agente de policía, ¿es habitual que ocurra algo así?

—No, señor. He investigado a conciencia pero no he hallado ninguna pista de dónde fueron las armas después de eso, como tampoco la barcaza.

—Se lo explicaré más adelante —prometió Rathbone—. Al menos en lo que a las armas se refiere. La barcaza me deja tan perplejo como a usted. Gracias. No tengo más preguntas.

Después del receso para almorzar Deverill llamó al médico forense, quien describió con exactitud de qué manera se habían perpetrado los asesinatos. Fue una declaración truculenta y angustiante que el tribunal escuchó en completo silencio. Deverill empezó con la intención de sacarle todos los detalles sórdidos pero justo a tiempo se dio cuenta de que el jurado estaría muy pendiente del dolor que aquello sin duda causaba a la viuda, cosa que no sólo despertaría en ellos una muy natural furia contra los autores del crimen sino también contra él por obligarla a escuchar, quizá por primera vez, una espantosa descripción médica de la que había estado protegida hasta entonces.

Rathbone levantó la vista hacia Merrit en el banquillo y vio el sufrimiento de su mirada, su piel cenicienta, tan desprovista de color que parecía magullada, y los músculos de los brazos y el tronco en tensión conteniendo las sacudidas de su incontrolable llanto mudo. Había que ser un tipo muy duro para mirarla y no creer que si había tenido el más leve conocimiento de aquello con anterioridad, por no mencionar la complicidad, ahora la atormentaba el remordimiento.

También se preguntó qué estaría pensando a propósito de Breeland, sentado muy rígido como si estuviera cumpliendo un deber militar, con el rostro sereno, casi inexpresivo.

Lo que consumía a Rathbone con una rabia inusitada era que ni una sola vez Breeland le hubiese tendido la mano a Merrit o tenido algún otro gesto de compasión para con ella. Si en su fuero interno estaba consternado o afligido, lo estaba en una soledad que nada podía romper. Sintiera lo que sintiese por ella, le preocupaban más su causa y mostrarse digno y estoico ante el mundo. Si poseía alguna vulnerabilidad humana, nadie debía verla. Y si había sopesado el coste que suponía para Merrit, no había inclinado lo suficiente la balanza como para mostrarla.

Llamaron a un perito militar quien testificó que aquel peculiar método de atar los brazos y las piernas a un poste era una práctica habitual en el ejército de la Unión para castigar a aquellos de sus miembros declarados culpables de distintos crímenes, y que la T indicaba «timador». No se trataba de una forma de ejecución, aunque el castigo solía prolongarse entre seis y doce horas y para entonces el reo a duras penas podía sostenerse en pie, incluso una vez suelto. No tenía nada que opinar sobre los disparos, aunque hizo patente su enojo por el mal uso que se había dado a una forma aceptada de disciplina. Suponía una afrenta para el hombre honorable que la había diseñado.

Resultó imposible decir si los miembros del tribunal coincidían con él; estaban anonadados ante el salvajismo del único caso del que tenían constancia, y además no estaban en guerra. Las necesidades del ejército de la Unión, de cualquier ejército, les eran desconocidas. El hecho de que esa práctica fuese específica del ejército en el que luchaba Breeland supuso una condena añadida. El odio que sentían hacia él se notaba en el aire como un olor caliente y penetrante.

Rathbone se devanaba los sesos pensando en el modo de reparar el daño emocional. Los hechos en sí se sumirían en un sentimiento colectivo de repulsa.

El último testigo del día era Dorotea Parfitt, la amiga de diecisiete años a quien Merrit había mostrado el reloj alardeando un poco de su historia de amor. Dorotea atravesó el claro despejado del centro de la sala y tropezó al subir el primer peldaño del estrado. Se agarró a la barandilla, así que apenas se notó, pero soltó un grito ahogado y se puso muy derecha, sonrojándose.

Deverill se mostró extremadamente delicado con ella, haciendo lo posible para atenuar la conciencia que era obvio tenía de que sus palabras podían condenar a su amiga, tal vez a la soga. Sólo ella sabía por qué había corrido a decírselo a la policía. Pudo ser por envidia de que Merrit hubiese conquistado el corazón de un hombre de lo más atractivo que además era mayor, valiente, más misterioso y excitante que los jóvenes que ella conocía. Era muy natural que se rebelara contra la vanidad, sobre todo si su amiga hacía uso de ella a sus expensas. Entonces no supo prever cuán terribles serían las consecuencias. No pudo ni imaginar que en ese momento estaría allí de pie, a punto de repetir sus palabras porque no podía retirarlas, otorgando así a Deverill la potestad de colocar una soga en torno al cuello de Merrit.

Se puso de cara a Deverill como un conejo ante una serpiente. No permitió que los ojos se le fueran ni una sola vez hacia Merrit, sentada en el banquillo.

Le alcanzaron el reloj, pero se negó a tocarlo.

—¿Lo había visto antes, miss Parfitt? —preguntó Deverill con amabilidad.

Dorotea tenía la garganta tan tensa y la boca tan seca que no lograba articular sonido.

Deverill aguardó.

—Sí —dijo por fin.

—¿Podría decirnos dónde y en qué circunstancias?

Dorotea tragaba saliva convulsivamente.

—Todos comprendemos que preferiría con mucho no hacerlo —agregó Deverill con una sonrisa encantadora—, pero la lealtad a la verdad debe pesar más que el deseo de no causar problemas a una amiga. Sólo dígame exactamente lo que ocurrió, lo que vio y oyó. Usted no es responsable de los actos de los demás, sólo a una persona injusta o culpable se le ocurriría pensar lo contrario. ¿Dónde vio este reloj, miss Parfitt, y en posesión de quién?

—De Merrit —contestó Dorotea, casi con un susurro.

—¿Ella se lo mostró?

—Sí.

—¿Por qué? ¿Se lo dijo?

Dorotea asintió con la cabeza. Deverill le sostenía la mirada como si estuviera hipnotizada.

—Lyman Breeland se lo había regalado como prueba de su amor. —Se le saltaron las lágrimas—. Ella creía que la amaba de verdad. No sabía que era malo... ¡en serio! Sin duda lo averiguó y se lo devolvió, porque ella no tuvo nada que ver con el asesinato de su padre... ¡Nada! Sé que discutió con él porque pensaba que estaba muy mal que vendiera armas a ese hombre del Sur porque en el Sur tienen esclavos. ¡Pero no se mata a la gente por cosas así!

—Mucho me temo que en América se hace, miss Parfitt —dijo Deverill con sarcástico pesar—. Es un tema que despierta sentimientos tan violentos en algunas personas que su conducta traspasa los límites de la ley común y la sociedad. Allí está comenzando una guerra en la más trágica de todas sus formas, ahora mismo, mientras estamos aquí en esta tranquila sala de tribunal discutiendo nuestras diferencias. Y ninguno de nosotros sabe cómo va a terminar. Dios quiera que no la empeoremos con nuestros prejuicios y nuestra codicia.

Rathbone compartía sin reservas aquel sentimiento, y sin embargo el hecho de que Deverill lo expresara en voz alta le irritó. Tanto si Deverill era sincero como si no, Rathbone tenía claro que lo había hecho para manipular las emociones del tribunal.

Dorotea no sabía a qué atenerse. Le miraba fijamente, confusa.

—Señor Deverill —dijo el juez en tono admonitorio, inclinándose hacia delante—, ¿está reprendiendo al testigo porque desconoce las consecuencias que tendrá esa tragedia al otro lado del Atlántico?

—No, señoría, claro que no. Sencillamente intento señalar que hay personas que con la cuestión de la esclavitud se apasionan lo bastante para matar a quienes no opinan como ellos.

—No es necesario, señor Deverill. Lo sabemos de sobra —dijo el juez ásperamente—. ¿Tiene algo más que preguntar a miss Parfitt?

—No, señoría, gracias.

Deverill se volvió hacia Rathbone. Su sensación de victoria anticipada era patente en su rostro, en la confianza con que estaba de pie, manteniendo el equilibrio con la espalda un poco arqueada y los hombros dejados caer.

—¿Sir Oliver?

Rathbone se puso de pie. El reloj era la prueba más poderosa contra Merrit, la única cosa para la que no podía encontrar una explicación convincente. Deverill lo sabía tan bien como él. Lo importante era lo que viese el jurado.

—Miss Parfitt —dijo, igualando a Deverill en cuanto a sonrisas y amabilidad—. Por supuesto, no tiene más remedio que decir que Merrit Alberton le enseñó el reloj que Breeland le regaló como prueba de sus sentimientos hacia ella. Primero lo dijo sin saber qué significaba, y ahora no puede retirarlo. Todos lo comprendemos. Ahora bien, el señor Deverill ha olvidado preguntarle cuándo ocurrió exactamente ese incidente. ¿Fue el día en que murió el señor Alberton?

De pronto se mostró aliviada, pues veía salida.

—¡No! Fue unos días antes. Al menos dos; puede que tres. Ahora no lo recuerdo con exactitud. ¿Podría consultar mi diario?

—No creo que sea necesario —repuso Rathbone—. Al menos para mí. ¿Es posible que se lo devolviera por alguna razón? ¿Una riña, tal vez? ¿O para que cambiara el cierre, o le pusiera una cadena, o grabara alguna cosa más?

—¡Sí! —dijo Dorotea con entusiasmo, y permaneció boquiabierta, como si titubeara.

—Gracias —dijo Rathbone enseguida, temiendo que fuera a adornar la respuesta con invenciones—. Eso es todo lo que necesitamos saber, miss Parfitt. Por favor, no se esfuerce por ayudar. Sólo lo que usted sabe es válido como prueba, no lo que usted desee o incluso crea.

—Sí... —contestó ella, un tanto incómoda—. Sí... lo entiendo.

El juez miró a Deverill.

Deverill sacudió la cabeza sonriendo ligeramente. Sabía que era mejor no darle más vueltas.

El tribunal levantó la sesión hasta el día siguiente y Rathbone fue directamente a ver a Merrit. La encontró sola en la celda que se usaba para esa clase de entrevistas. La celadora estaba apostada delante de la puerta. Era una mujer corpulenta con el pelo peinado severamente hacia atrás y el rostro limpio y rubicundo. Negó levemente con la cabeza mientras dejaba pasar a Rathbone y la llave resonaba en el cerrojo.

—No está yendo nada bien, ¿verdad? —dijo Merrit en cuanto los dejaron a solas—. El jurado piensa que lo hizo Lyman. Lo veo en sus caras.

¿Pensaba instintivamente en Breeland antes que en sí misma, o era que aún no había captado que ella también estaba acusada de los mismos cargos que él? Nadie creía que hubiese efectuado los disparos, pero un cómplice de semejante crimen sería considerado tan responsable como el autor y castigado con igual irrevocabilidad. No podía permitirse mostrarse amable con ella. Debía enfrentarse a la verdad de la situación antes de que fuese demasiado tarde hasta para salvarla.

—Sí, en efecto —convino Rathbone con sinceridad. Vio el dolor reflejado en sus ojos, el rastro de irrazonable esperanza de estar equivocada se desvaneció—. Lo siento, pero es inevitable y si fingiera otra cosa no estaría sirviendo a su causa.

Merrit se mordió el labio inferior.

—Lo sé —admitió con voz ronca—. Se equivocan por completo con él. Nunca haría algo tan vil... Pero aunque no sean capaces de entenderlo, sin duda se les podrá hacer ver que no había motivo. Recibió una nota que decía que mi padre había cambiado de parecer y que finalmente le vendía las armas. Había encontrado el modo de eludir su compromiso con el señor Trace y era libre de ofrecerlas a una causa más honorable. Estaban en la estación de Euston Square. Hasta había un tren especial sólo para transportarlas.

—Creo que podré demostrar que él no efectuó los disparos —convino Rathbone, sin dejar que su voz sonara esperanzadora. No debía llevarla a engaño, ni siquiera por implicación—. Lo que puedo demostrar es que el señor Breeland no pagó a quien quiera que lo hiciese. Y eso es un crimen igualmente grave. Puesto que usted y él se marcharon de Inglaterra con las armas, son cómplices de robo y asesinato... —Levantó la mano al ver que Merrit iba a protestar—. Puedo presentar argumentos conforme usted no estaba enterada de lo ocurrido, siendo por tanto inocente...

—¡Pero Lyman también es inocente! —lo interrumpió Merrit, inclinándose hacia delante con apremio y los ojos brillantes—. ¡No tenía ni idea de que alguien hubiese asesinado para conseguir las armas!

—¿Cómo lo sabe? —preguntó él con amabilidad. No se trataba de un desafío. No había enfrentamiento.

—Yo... —empezó a contestar Merrit, pero entonces parpadeó, apretando la boca con cara de consternación—. ¿Se refiere a cómo puedo demostrarlo ante el jurado? Seguramente... —Volvió a interrumpirse.

—Sí, tiene que hacerlo —contestó Rathbone a la pregunta que pensaba se hacía la muchacha—. Para la ley uno es inocente hasta que se demuestra que es culpable más allá de toda duda razonable. Piense en lo que significa «razonable». ¿Cree que después de escuchar las pruebas que se han presentado hasta ahora los hombres que componen el jurado tendrán la misma noción que usted de lo que es verdad? La emoción anula la razón. Cuando pensamos en asuntos como la guerra, la injusticia, la esclavitud, el amor a la familia o a la patria, el estilo de vida, ¿acaso nos guía solamente la razón?

Merrit negó imperceptiblemente con la cabeza.

—No —susurró—. Supongo que no. —Suspiró profundamente—. ¡Pero conozco a Lyman! No se rebajaría a hacer algo deshonesto. El honor, lo que es correcto, es lo que más valora del mundo. Por eso en parte lo quiero tanto. ¿No puede hacerles ver esto?

—¿Está absolutamente segura de que lo que es correcto no incluiría el sacrificio de tres hombres a la causa de obtener armas para la Unión? —preguntó Rathbone.

Merrit estaba muy pálida.

—¡Asesinándolos, no! —Le tembló la voz. Los ojos se le llenaron de lágrimas—. Me consta que no estuvo en el almacén esa noche, sir Oliver, porque permanecí a su lado todo el tiempo, y yo no estuve allí. ¡Se lo juro!

Le creyó.

—¿Y cómo llegó el reloj hasta allí? ¿Cómo le explico eso al jurado?

El miedo se apoderó de Merrit, que exclamó:

—¡No lo sé! No tiene ningún sentido. No puedo explicarlo.

—¿Cuándo vio ese reloj por última vez?

—He estado pensando en ello, pero estoy tan confusa que cuanto más me esfuerzo menos claro lo tengo. Recuerdo que se lo mostré a la señora Monk, y que aún lo tenía al día siguiente porque fue entonces cuando Dorotea lo admiró y yo, naturalmente, le conté de dónde había salido. —Se ruborizó levemente, poco más que una sospecha de color en su rostro ceniciento—. Después de eso... no estoy segura. Me hago un lío con el tiempo. Sucedieron muchas cosas y estaba furiosa con mi padre...

Las lágrimas le saltaron de los ojos y luchó por dominarse.

Rathbone no la interrumpió ni le brindó palabras que ambos sabían serían vanas.

—¿Es posible que lo perdiera o lo dejase prendido a una prenda que no llevara puesta? —preguntó al cabo.

—Supongo —dijo Merrit, aferrándose a esa explicación—. Tuvo que ser así. Aunque Lyman nunca lo habría dejado aposta en el patio y no sé quién más pudo hacerlo.

—Yo tampoco —admitió Rathbone—; pero haré que Monk lo investigue. Ahora cabe pensar que su padre lo llevara consigo.

—¡Vaya! Podría ser, ¿verdad? —Por fin hubo una nota de esperanza en la voz de Merrit—. Sir Oliver, ¿quién lo mató? ¿Fue el señor Shearer? Eso sería espantoso. Me consta que mi padre confiaba en él. Llevaban muchos años trabajando juntos. Yo sólo le vi una vez. Era bastante adusto, como si... no sé decirle... como si estuviera enojado. Al menos eso pensé. —Escrutó el rostro de Rathbone para ver si entendía lo que le costaba tanto decir—. ¿Lo hizo por dinero?

—Tiene toda la pinta.

—¿Cómo es posible que mi padre estuviera tan equivocado con él?

—No lo sé. Tal vez porque todos tendemos a juzgar a los demás ateniéndonos a nuestros propios principios.

Merrit no contestó y pasados unos instantes Rathbone se marchó, no sin antes procurar infundirle ánimos.

No le apetecía nada ver a Breeland pero era un deber que no debía rehuir. Lo encontró de pie junto a la silla y la mesa en la habitación que le habían asignado. Tenía el rostro tenso y los hombros tan rígidos que tiraban de la tela de la chaqueta. Lanzó a Rathbone una mirada acusadora, y Rathbone no lo culpó por ello. Aquel hombre le desagradaba, y Breeland sin duda lo sabía, así como que la primera lealtad de Rathbone era para con Merrit Alberton. Al fin y al cabo, era Judith quien pagaba sus honorarios. Había sido por deseo de Merrit, no de Breeland, que a ambos los habían acusado como a una sola persona sin que ella alegara inocencia. Estaba resuelta a no separarse de él, aunque Rathbone se preguntaba si ahora era por amor a Breeland o por amor a la lealtad en sí.

De repente lo inundó una profunda compasión por Breeland, a miles de kilómetros de casa y entre desconocidos que le odiaban por cómo creían que era. De encontrarse en circunstancias similares, Rathbone quizá se habría envuelto en la misma glacial dignidad. La última protección que le quedaba a Breeland era fingir indiferencia. Además, ¿por qué iba nadie a exponer su vulnerabilidad a la vista del enemigo?

¿Había podido Shearer asesinar a Alberton sin que Breeland lo supiera y, por lo tanto, sin su complicidad? ¿Y acaso Breeland, debiendo toda su lealtad a su pueblo, enzarzado en una guerra terrible, iba a rechazar las armas que le ofrecían de forma tan fortuita, simplemente porque sospechaba que habían sido obtenidas mediante engaño? Era la guerra, no comercio. Para él constituían la supervivencia de una causa, no una fuente de beneficios.

Breeland le miraba fijamente.

—Supongo que en algún momento de esta farsa intentará defender al menos a miss Alberton, si no a mí —dijo fríamente—. Aunque permítame recordarle que ella fue a América conmigo de buen grado y que Monk así lo atestiguará.

—Me preocupa más oír su testimonio acerca de la hora exacta en que ocurrieron los hechos la noche de los asesinatos y de su tren a Liverpool —repuso Rathbone con ecuanimidad—. Convencerlos del hecho de que Shearer pudo muy bien planear y cometer los asesinatos y el robo de las armas con la intención de vendérselas a usted y que usted las adquirió de buena fe resultará bastante más sencillo que intentar que se predispongan en su favor.

—¿Qué importa eso? —inquirió Breeland con amargura—. Soy extranjero. No entienden mi causa ni simpatizan con ella. No saben lo que América representa. No han captado nuestro sueño. Yo nada puedo contra eso. Sólo espero que como mínimo sepan qué es la justicia —añadió con un aire de desafío más bien insultante.

Rathbone se recordó a sí mismo el aislamiento de aquel hombre, lo mucho que ya había sacrificado por una causa al mismo tiempo noble y desinteresada. ¿Acaso él lo habría hecho mejor, más sabiamente? Ante semejante amenaza y la tamaña falta de comprensión y respeto que le rodeaba, ¿no habría arremetido a ciegas, también?

—Los miembros del jurado son personas, señor Breeland, y están sujetos a impulsos emocionales como el resto de nosotros —dijo tan gentilmente como pudo—. No recordarán todo le que se les diga. De hecho, lo más probable es que ni siquiera lo oigan todo o que no lo perciban tal como nosotros deseamos que lo hagan. Muchas veces las personas oyen lo que creen que van a oír. Hágase merecedor de su respeto, de su agrado, y verán lo mejor de usted y lo recordarán cuando corresponda. No se trata de una peculiaridad de los jurados ingleses; es parte de la naturaleza del ser humano, y si decidimos ser juzgados ante un jurado es precisamente porque lo componen personas normales y corrientes. Se fundamentan en criterios instintivos y en el sentido común, no sólo en las pruebas que les son presentadas. El derecho consuetudinario de su país se basa en lo mismo.

—Sí, ya lo sé. —Breeland apretó los labios. Rathbone tuvo la impresión de que había miedo además de ira e idealismo tras la máscara de su rostro. Hacía bien en no dejarse dominar por él—. No puedo hacer que la gente me aprecie. Y no pienso postrarme. Mi causa habla lo bastante bien por mí. Sólo pretendo abolir la esclavitud de la faz de la tierra. —Ahora imprimía pasión a su voz, con la mirada encendida—. Ofrecería a todo hombre la oportunidad de ser su propio amo, creer en lo que prefiera y expresar sus opiniones sin miedo.

—Suena maravilloso —dijo Rathbone cansinamente, aunque con absoluta sinceridad—. No estoy seguro de que eso pueda existir. La libertad siempre es cuestión de equilibrar una cosa con otra, ganancias y pérdidas. Pero éste no es el asunto. Podrá luchar por lo que quiera una vez sea libre de abandonar el banquillo. Primero tiene que conseguir eso, y para hacerlo es preciso que adopte una actitud más humana. Créame, señor Breeland, soy muy bueno en mi profesión... seguramente tan bueno como usted en la suya. Siga mi consejo.

Breeland le sostuvo la mirada; el miedo brillaba en sus ojos.

—¿Cree... que podrá demostrar mi inocencia? —preguntó en voz baja.

—En efecto. ¡Así que haga que el jurado se alegre al verme hacerlo!

Breeland no contestó, pero parte del hielo comenzó a derretirse.

Por la mañana llamaron a Monk al estrado de los testigos para que corroborara primero la declaración de Casbolt sobre la visita al domicilio de Breeland y luego el terrible descubrimiento en el patio del almacén de Tooley Street.

Deverill le trató con cortesía pero sólo consiguió arrancarle poco más que «sí» o «no». Sabía perfectamente, pues era su deber, que Monk trabajaba para Rathbone y que sus intereses coincidían con los de la defensa. No tenía la menor intención de permitir que Monk embrollara el asunto o planteara preguntas.

Monk deseaba tener algo que preguntar. Por el momento no se le ocurría nada que agregar aunque Deverill le sirviera la ocasión en bandeja.

Confirmó todo lo que Lanyon ya había contado sobre el seguimiento de la pista de la barcaza río abajo hasta Greenwich y más allá de Bugsby's Marshes.

—Ahora dígame, señor Monk, cuando refirió sus pesquisas a la señora Alberton, ¿solicitó ella que emprendiera otras actividades en su nombre? —preguntó Deverill con los ojos muy abiertos y un marcado interés en cada línea de su cuerpo.

A Monk le enfurecía tener que seguir la corriente a Deverill en aquella farsa, pero no tenía elección. Deverill formulaba sus preguntas con demasiada astucia como para darle pie a añadir nada sin mentir y ser pillado en falta.

—Me pidió que fuera a América y trajera a su hija de vuelta —respondió.

—¿Solo? —Deverill se mostró incrédulo—. Una tarea sobrehumana, sin duda, y no precisamente encaminada a mejorar la reputación o el honor de miss Alberton.

—No fui solo —indicó Monk con aspereza—. La señora Alberton sugirió que llevara a mi esposa conmigo. Y el señor Philo Trace también manifestó su deseo de ir, lo que acepté encantado, dado que él conocía el país y yo no.

—Muy práctico, al menos en principio. —La parquedad del elogio sonó a crítica indirecta—. La señora Alberton sin duda no previó la situación en que nos encontramos hoy. —Deverill giró sobre sí mismo, haciendo volar los faldones de la chaqueta—. O quizá sí. Quizás amaba a su marido y deseaba vengar su asesinato. ¡Incluso a este precio!

Rathbone comenzó a ponerse de pie.

—No sería lógico —replicó Monk con una sonrisa forzada—. Si lo único que quería era justicia, habría contratado a alguien que fuese a América y matara a Breeland; y también a miss Alberton, si es que la consideraba culpable. —Hizo caso omiso de los gritos ahogados que se oyeron—. Habría sido más fácil de llevar a cabo, y más barato. Bastaba con un hombre, no habría que pagar los pasajes de regreso de Breeland y miss Alberton quienes, además, no habrían tenido oportunidad de escapar.

—¡Esa insinuación es atroz, señor! —exclamó Deverill haciendo bien patente su horror—. ¡Es una barbaridad!

—No menos que la suya —repuso Monk—. Ni más estúpida.

Se oyeron unas risitas ahogadas entre el público. El juez medio disimuló una sonrisa.

Deverill se enojó, pero al plantear la siguiente pregunta eligió con mayor cuidado sus palabras.

—¿Breeland regresó con ustedes por voluntad propia?

—No le di elección —contestó Monk con una ligera sorpresa—, aunque lo cierto es que manifestó buena disposición para responder a la acusación. Dijo que...

—¡Gracias! —lo interrumpió Deverill, levantando la mano en solicitud de silencio—. Es suficiente. Si Breeland desea decir algo, sin duda se le brindará la oportunidad en su debido momento. Ahora...

—Y por supuesto le creerá —agregó Monk con sarcasmo.

Rathbone sonrió.

—Lo que yo crea es irrelevante —espetó Deverill—. El jurado es lo único que importa aquí, señor Monk; pero ya que hablamos de creencias, ¿creyó usted que Breeland tenía ganas de demostrar su inocencia o consideró aconsejable traerle de vuelta bajo vigilancia?

—He aprendido que mis creencias pueden resultar erróneas —contestó Monk—. Le mantuve vigilado. Sin embargo, no me pareció necesario hacer lo mismo con miss Alberton. En ningún momento la obligué a nada.

Deverill tensó el rostro con irritación. Tendría que haber previsto que Monk iba a decir eso.

—Gracias. Que yo sepa, no le queda nada que añadir que sea de ninguna utilidad para nuestras deliberaciones. Salvo si mi docto colega tiene algo que preguntarle, ya puede retirarse.

Rathbone se puso de pie lentamente, sin saber muy bien qué iba a decir. ¿Hasta qué punto era prudente ahondar en el asunto? ¿En qué medida podía prever lo que Monk iba decir? ¿Y si daba pie a que Deverill le sometiera a un segundo interrogatorio? Todo lo que Monk pudiera corroborar sobre la historia de Breeland era mejor que lo contase el propio Breeland.

—Gracias. —Hizo una breve reverencia—. Estoy de acuerdo con el señor Deverill.

El juez se mostró un tanto sorprendido, pero Monk fue autorizado a regresar a la tribuna del público, donde se sentó al lado de Hester y Judith Alberton, no sin antes echar un vistazo a la perturbadora presencia de Philo Trace.

El último testigo de Deverill fue un banquero que declaró que no se había ingresado ninguna suma de dinero en la cuenta de Daniel Alberton desde el pago efectuado por Philo Trace como depósito de buena fe.

Deverill se ofreció a llamar a Casbolt y a Trace para declarar a ese respecto, pero el tribunal se conformó con la palabra del banquero y sus documentos.

—Ha terminado el alegato de la acusación —anunció Deverill, dirigiéndose al jurado con una sonrisa—. Las armas fueron robadas. El pago no llegó al señor Alberton ni al señor Casbolt. El señor Alberton fue asesinado en el patio de su almacén de Tooley Street y las armas fueron enviadas a América de forma bastante descarada por el señor Breeland, a quien acompañaba por voluntad propia miss Merrit Alberton, cuyo reloj fue hallado en la escena del crimen. La defensa no ha intentado siquiera negar ninguno de estos puntos. ¡No puede! Caballeros, Breeland es manifiestamente culpable, aunque sea porque cree en su causa a toda costa. Y miss Alberton se ha visto arrastrada por su devoradora pasión por él, pasión que ni siquiera ahora abandona. Pero el asesinato es un acto del que Breeland no puede salir impune. ¡Vamos a demostrárselo! —Se volvió hacia Rathbone invitándole con un ademán—. Pero antes, por favor, ofrézcanos sus esfuerzos por intentar lo contrario..., cuando se reanude la vista mañana.

11

Monk estuvo enojado mientras permaneció en el estrado, pero una vez que la sesión se hubo levantado hasta el día siguiente, cuando el acaloramiento del antagonismo remitió, sus sentimientos fueron muy distintos. Hester se había marchado con Judith Alberton. Casbolt también había estado presente, pero quizás el sentido del decoro le había impedido estar demasiado cerca de ella.

Otro pensamiento, mucho más desagradable, le asaltó: comenzaba a sospechar que tal vez el propio Alberton había estado envuelto en la venta de las quinientas armas de más a los piratas, que éstos le habían traicionado, y que no había querido ni pensar en la posibilidad de que Judith se enterase. No había querido enfrentarse a tener que mentir, como tampoco había sabido cómo decírselo sin sembrar dudas. Tal vez la intención de Alberton fuese que nunca lo supiera.

¿En qué medida protegía uno a las personas que amaba? ¿Qué era proteger y qué reprimir, negarles el derecho a ser ellas mismas, a tomar sus propias decisiones? A él le molestaría sobremanera ser objeto de semejante protección. Se sentiría menospreciado y tratado como inferior.

En la calle, el sol se iba apagando, pero el aire aún conservaba el calor del día. Los rayos inclinados daban una luz neblinosa y el polvo se levantaba de los adoquines secos formando nubes.

Monk había observado a Breeland desde el estrado

de los testigos y se había preguntado qué sentiría, qué emociones se ocultarían bajo su fría apariencia. En ningún momento había conseguido leer sus pensamientos, salvo quizás en el frente de Manassas. Allí, su pasión, su dedicación y su desilusión habían sido manifiestas. Pero era un hombre en extremo reservado. Era muy propenso a hablar de sus ideales para librar a América de la esclavitud pero era incapaz de mostrar emociones humanas más personales. Se diría que todo su fuego estaba en la mente, no en el corazón o la sangre.

¿Era realmente una evasión de los sentimientos verdaderos, una manera de asegurarse de que el objeto de su pasión nunca le pidiera algo que él no fuese capaz de dominar, dirigir, evitar que le hiciera daño?

El amor no era así. No admitía elegir lo que uno daba y recibía. Lo había constatado en los ojos de Philo Trace cuando miraba a Judith Alberton. Trace no abrigaba ninguna esperanza de recibir nada más que amistad. Y quizá le habría seguido brindando su ayuda aunque ella le negara incluso eso. Lo de menos era que él pudiese librarse de ese sentimiento, pues no lo había intentado. No había mezquindad en él, ningún exceso de autoestima, al menos en lo que a ella concernía.

Ahora bien, ¿pensaba Monk en Philo Trace o en lo que él mismo había aprendido acerca del amor?

Cruzó la calle y siguió caminando. Pasó por delante de una vendedora de bollos sin apenas reparar en ella.

Él no se había propuesto amar a Hester. Desde el primer momento se había dado cuenta de que ella poseía la facultad de hacerle daño, de exigirle un profundo compromiso que no estaba dispuesto a aceptar. Durante toda la parte de vida que recordaba había evitado semejante pérdida de su libertad.

Aunque finalmente la había perdido. De hecho, Hester se la había arrebatado prescindiendo de si él lo deseaba o no.

Eso no era verdad. Él había decidido abrazar la vida de pleno en lugar de jugar en un extremo escudándose en la mentira de que así conservaba el control, cuando lo único que estaba haciendo era abstenerse de vivir experiencias, huyendo de sí mismo.

Engañarse a uno mismo le parecía tan despreciable como la cobardía.

Paró un coche de punto y dio al conductor su dirección en Fitzroy Street. La decisión estaba tomada; no debía echarse atrás por ningún motivo.

Llevaba casi una hora en casa cuando Hester llegó. Se la veía cansada y asustada. Titubeó incluso antes de quitarse la chaqueta. Era de lino, de ese azul grisáceo que tanto le gustaba. Sus ojos buscaron los de Monk con inquietud.

Él sabía lo que la perturbaba, aparte del miedo por Judith o Merrit Alberton. Era su evasión de los últimos días, la distancia que había interpuesto entre ellos. Ahora tenía que salvarla fuera cual fuese el resultado.

—¿Cómo está la señora Alberton? —preguntó. Las palabras sonaban triviales. Podría haberle preguntado cualquier cosa. Lo importante era que la mirase a los ojos.

Hester percibió la diferencia. Fue casi como si la hubiese tocado con la intimidad de otro tiempo. Una sensación cálida se apoderó de él, como si una flor se abriera en su corazón.

—Está asustada por Merrit —contestó—. Espero que Oliver sea capaz de pronunciar un alegato tan contundente como el de Deverill. Ojalá Breeland fuera más afectuoso con Merrit. Se la ve tan sola allí arriba...

Tampoco esta vez eran importantes las palabras, sino la dulzura de sus labios, el hecho de que no apartara sus ojos ni un instante de los suyos.

—Cree en su causa —dijo Monk, deseando más que nada en el mundo eludir aquel momento, que de un modo u otro no existiera—. Puede ver un millón de esclavos y la inmoralidad de su situación, la injusticia y crueldad masivas, pero no se atreve a mirar la soledad o la necesidad de un ser humano que le necesita. Eso es demasiado... personal, demasiado íntimo, demasiado a flor de piel.

Hester desabrochó el imperdible que le sujetaba el sombrero y se lo quitó, sin dejar de mirarle. Le constaba que Monk aún no había llegado al meollo de lo que quería decirle.

—¿Crees que ama a Merrit? —preguntó.

—¿Acaso importa?

Hester no se movió de donde estaba. Sin saber muy bien por qué, se quedó un tanto desconcertada, aunque percibió que él estaba pidiendo razones más profundas que las meras palabras que usaba, o que era una cuestión personal.

—En parte sí —repuso con cautela—. La causa por la que lucha también importa.

—¿Y Philo Trace? —prosiguió Monk—. Está enamorado de Judith. Supongo que te habrás percatado.

Hester esbozó una breve sonrisa.

—Claro que me he percatado. Es tan obvio que hasta ella se ha dado cuenta. ¿Por qué?

—¿Y a ella le importa que sea sudista y luche por los estados esclavistas?

—No tengo la menor idea —repuso Hester—. ¿Por qué lo preguntas? ¿Te cae bien? A mí también.

—Pero tú aborreces la esclavitud...

La mirada de Hester se ensombreció. Sabía que Monk aún no había dicho lo que necesitaba decir pero no adivinaba qué podía ser. ¿Acaso al enterarse se marchitaría la flor? ¿Serían aquéllos los últimos segundos en que él la miraría viendo aquella ternura manifiesta y sincera? ¿Podía prolongar ese instante, hacer que durase tanto como para no olvidarlo jamás?

—Sí —convino Hester.

—Descubrí algo sobre mí mismo cuando estuve en el río buscando a Shearer.

Ya no había vuelta atrás.

Hester comprendió por fin. Vio el miedo que lo atenazaba. Anticipó la inminente oscuridad. Nunca olvidaría aquel primer miedo, terrible y asfixiante, que había presenciado en Mecklenburg Square, el horror que por poco lo destruye. Fue el coraje de Hester el que lo empujó a luchar.

Ahora se le acercó y se puso frente a él, tan cerca que olía el perfume de su piel y sus cabellos.

—¿Qué averiguaste? —preguntó, sólo con un levísimo temblor en la voz.

—Encontré a un consignatario que me conocía. El tipo esperaba que me hubiese hecho rico...

Aquello le estaba resultando aún más difícil de lo previsto. Los ojos claros de Hester no dejaban lugar a evasivas ni eufemismos. Si ahora mentía nunca más podría recuperar lo perdido.

—¿Siendo policía?

Monk palideció; sintió un nudo en la garganta. Sin duda ella pensaba en corrupción, pero meneaba la cabeza, negando semejante posibilidad.

—¡No! —exclamó Monk—. Antes de eso. Como banquero.

Hester no le entendió. Había llegado el momento de dejarse de rodeos y hablar claro, con palabras que no cupiera malinterpretar.

—Haciendo negocios con hombres que habían hecho fortuna con la trata de esclavos... y al parecer yo lo sabía. —Tenía que decirlo todo. Sería más fácil ahora que volver a sacar el tema más adelante—. Llevaba negociaciones para Arrol Dundas, mi mentor. No sé si le conté de dónde procedía el dinero... Tal vez le engañé.

Hester permaneció callada por un momento. El tiempo pareció hacerse eterno.

—Vaya... —dijo por fin—. ¿Por eso has estado tan... ausente... estos últimos días?

—Sí...

Quería que supiera cuán avergonzado estaba; necesitaba hacérselo saber, pero las palabras estaban demasiado trilladas. Ninguna de ellas significaba lo bastante para describir el amargo yugo del remordimiento ahora que se había permitido perder el honor. Había degradado su valía.

Hester sonrió, aunque con los ojos llenos de tristeza. Levantó una mano y le tocó la mejilla. Fue un gesto tierno. No desechaba lo que había hecho, ni lo excusaba, pero lo devolvía al pasado.

—Ya has mirado bastante hacia atrás —dijo en voz baja—. Aunque te aprovecharas, eso ya es agua pasada.

Monk deseaba besarla, estar tan juntos como dos personas puedan estarlo, estrecharla en sus brazos y sentir la fuerza de su respuesta; pero él había abierto la brecha y le correspondía a Hester salvarla, de lo contrario nunca estaría seguro de que ella lo hubiese deseado, de no haber precipitado las cosas.

Hester le miró un rato más, sopesando lo que él pensaba, hasta darse por satisfecha. Sus ojos rebosaron ternura y, sonriendo, lo abrazó y le dio un beso en la boca.

El alivio invadió a Monk como una cálida y dulce marea. Jamás había estado tan agradecido de nada en la vida. Respondió de todo corazón.

Rathbone comenzó su defensa cuando el juicio se reanudó por la mañana. Hacía gala de una confianza que distaba mucho de sentir. Seguía sin haber rastro del paradero de Shearer. Naturalmente, con sus contactos en el mundillo del transporte podía encontrarse en cualquier lugar de Europa, o, ya puestos, del mundo.

Pero el jurado quería a un persona que pudiera ver y cuya culpabilidad le fuese demostrada, no una alternativa razonable que no era más que un nombre.

Debía reparar el daño que había hecho Deverill, la impresión emocional que había creado en las mentes de sus miembros. Empezó llamando al estrado a Merrit. La observó cruzar la sala. Todos los presentes debieron de percatarse de lo nerviosa que estaba. Se notaba en la palidez de su rostro, en el leve tropiezo al subir al estrado y en el temblor de su voz al prestar juramento.

Hester volvía a estar sentada al lado de Judith. Monk había prestado declaración y era libre para seguir buscando más información acerca de Shearer, cualquier cosa, por pequeña que fuera, mientras demostrara la teoría de que había planeado el robo y el asesinato a solas, sabiendo que iba a vender las armas a Breeland pero sin que éste tuviera conocimiento previo.

Rathbone fue conduciendo amablemente a Merrit a lo largo de su historia, remontándose en los acontecimientos hasta el día de los asesinatos. No quería mencionar el tema de su trato anterior a fin de que Deverill no aprovechara para dar a entender que si Breeland le había hecho la corte había sido puramente como medio para corromperla y conseguir que le ayudara a hacerse con las armas. No le costaría gran cosa, dada su lealtad para con él, su pasión contra la esclavitud, lo mucho que ya se había comprometido con la causa aunque ahora lo quisiera retirar.

Judith, que estaba sentada al lado de Hester, echaba el cuerpo un poco hacia delante con las manos, enfundadas en guantes de encaje negro, cruzadas en el regazo. Escuchaba sin perder palabra, observando cada gesto, cada expresión del rostro. Hester sabía que buscaba significados, esperanza, forcejeando con el miedo, intentando desentrañar el futuro. Había pasado por lo mismo un sinfín de veces.

Al otro lado de Judith, Robert Casbolt, que ya había declarado, le brindaba su silencioso apoyo. Era demasiado prudente para pronunciar palabras carentes de significado. Todo estaba en el aire. Todo dependía de Rathbone y de Merrit.

—A última hora de la tarde discutió con su padre —iba diciendo Rathbone, mirando a Merrit en lo alto del estrado—. ¿Por qué fue, exactamente?

Merrit carraspeó.

—Porque iba a vender armas a los confederados en lugar de a la Unión —contestó—. Yo creía que él había de tener manera de librarse de la obligación de venderlas al señor Trace aunque hubiese prometido hacerlo; que debía devolver al señor Trace el dinero que éste había pagado como anticipo.

—¿Aún tenía ese dinero? —preguntó Rathbone con curiosidad.

—¿Eh? —Resultó evidente que a Merrit nunca se le había ocurrido aquella posibilidad—. No lo sé. Supuse que...

—¿Que no había pagado las armas con él? —preguntó Rathbone—. Pero él no fabricaba armas, ¿verdad?

—No...

—Entonces quizá pudo ser.

—Bueno... Supongo... Pensaba que primero las compraba. —Merrit miró involuntariamente hacia Casbolt al decirlo, y luego a Rathbone—. Pero si aún debía algo, estoy segura de que habría hallado el modo... Quiero decir que cuando Lyman..., el señor Breeland, pagara la totalidad del precio acordado, como iba a hacer, mi padre podría abonar todo lo que debiera.

Lo dijo confiada, segura de tener la solución.

—Siempre y cuando Breeland dispusiera de ese dinero —apuntó Rathbone.

Hester sabía muy bien lo que estaba haciendo Rathbone: exhibir ente el jurado la confianza de Merrit, su ingenuidad y su clara creencia en que los tratos eran legítimos. Lo que aún no veía era cómo iba a librar a Breeland de la sospecha de engaño.

—¡Pero si lo tenía! —exclamó Merrit—. Pagó al contado al señor Shearer, en Euston, a la entrega de las armas.

—¿Lo vio usted? —inquirió Rathbone.

—Pues... no. Yo estaba en el vagón. Pero el señor Shearer no entregaría las armas sin recibir a cambio del dinero, ¿no cree?

Aquello no fue una pregunta sino un desafío.

—Lo veo muy improbable —repuso Rathbone con una sonrisa—. Pero volvamos a las discrepancias con su padre, por favor. Usted le acusó de estar a favor de la esclavitud, ¿no es así?

Merrit puso cara de avergonzada.

—Sí. Ahora desearía no haber dicho esas cosas, pero entonces las creía. Estaba terriblemente enojada.

—¿Creía también que Lyman Breeland quería adquirir las armas para una muy noble causa mucho más honorable que la del señor Trace?

—Lo creía y lo creo —respondió Merrit, adelantando el mentón—. He estado en América. Presencié una batalla terrible. Vi... —Tragó saliva—. Vi muchos hombres muertos. Hasta entonces no sabía que fuese tan espantoso. Hasta que no ves una batalla, la oyes, la hueles..., no tienes ni idea de cómo son realmente. No sabemos ni por asomo lo que nuestros soldados aguantan por nosotros.

Un rumor de reconocimiento, de sobrecogimiento incluso, recorrió la sala.

Rathbone permitió que el jurado contemplara las muestras de remordimiento de la muchacha el tiempo justo para que no pareciera que lo hacía adrede y continuó.

—Después de la disputa, ¿adónde se dirigió, miss Alberton?

—Subí a mi dormitorio, recogí cuatro efectos personales, artículos de tocador, un traje para cambiarme, y me fui de casa —contestó.

—¿Un traje? —Rathbone sonrió—. ¿Es que llevaba puesto un vestido de noche?

—Me había vestido para la cena —corrigió Merrit—; pero no era ropa adecuada para viajar, claro.

Deverill se mostró exageradamente cansado.

—Señoría...

—Pues sí tiene importancia —dijo Rathbone sonriendo. Se volvió hacia Merrit—. ¿Y entonces fue al domicilio del señor Breeland?

Merrit se ruborizó un poco.

—Sí.

—Tuvo que ser un momento muy emotivo para usted; debió de exigirle coraje y determinación.

—¡Señoría! —protestó otra vez Deverill—. No dudamos de que miss Alberton posee un coraje extraordinario. Cualquier intento por despertar nuestra compasión...

—Esto no tiene nada que ver con el coraje ni con la compasión, señoría —lo interrumpió Rathbone—. Es puramente práctico.

—Me alegra oírselo decir —dijo el juez ásperamente—. Proceda.

—Gracias. Miss Alberton, ¿qué hizo nada más llegar al domicilio del señor Breeland?

Merrit se mostró confusa.

—¿Conversaron? ¿Comieron algo, quizá? ¿Se cambió de ropa poniéndose la que llevaba consigo?

—Bueno..., hablamos un poco, claro, luego él salió un momento para que yo me cambiara de ropa.

Deverill murmuró algo entre dientes.

—¿Y el reloj? —preguntó Rathbone.

De pronto se hizo un silencio absoluto en la sala.

—Yo... —Se puso muy pálida.

Deverill estaba a punto de interrumpir otra vez.

Rathbone se preguntó si debía recordar a Merrit que había jurado decir la verdad, pero temía que ésta considerara la verdad un precio muy razonable para no traicionar a Breeland.

—¿Miss Alberton? —apremió el juez.

—No me acuerdo —repuso Merrit, mirando a Rathbone.

Supo que mentía. Justo en ese momento lo había recordado con toda claridad, pero no iba a decirlo. Cambió de tema.

—¿Esperaba el señor Breeland su llegada, miss Alberton?

—No. No... Se sorprendió mucho al verme. —Volvió a sonrojarse. Era plenamente consciente del hecho de haberse presentado sin ser invitada.

Al advertir lo incómoda que estaba, Hester supuso que Breeland no la había recibido como cabía esperar de un amante, sino más bien como un muchacho desprevenido que se ve obligado a cambiar de planes a toda prisa. Confió en que eso no pasara inadvertido al jurado.

Rathbone estaba muy elegante, con la cabeza un poco ladeada y la brillante cabellera rubia.

Hester levantó la vista hacia Breeland. También él se mostraba cohibido e incómodo, aunque no resultaba tan fácil saber por qué razón.

—Entiendo. Y una vez se hubieron saludado, le hubo explicado el motivo de su presencia allí y él le permitiera cambiarse de ropa, ¿qué hicieron? —preguntó Rathbone.

—Hablamos de lo que íbamos a hacer —respondió Merrit—. ¿Es preciso que repita lo que dijimos? No estoy muy segura de recordarlo.

—No será necesario. ¿Permanecieron juntos todo el rato?

—Sí. No fue mucho tiempo. Poco antes de medianoche llegó un recadero con una nota que decía que mi padre había cambiado de parecer y finalmente estaba dispuesto a vender las armas a Lyman, y que debíamos ir enseguida a la estación de Euston Square con el dinero.

—¿Quién escribió esa nota?

—El señor Shearer, el agente de mi padre.

—Me figuro que se debió de sorprenderle. Al fin y al cabo, pocas horas antes su padre se había negado en redondo, insistiendo en que le era imposible cambiar de parecer. Se trataba de una cuestión de honor —señaló Rathbone.

—Sí, claro que me sorprendí —convino Merrit—. Pero me alegré tanto que no puse nada en duda. Significaba que por fin había entendido la justicia de la causa de la Unión; había optado por el bando acertado. Pensé que igual... que igual la disputa le había hecho pensar...

Rathbone sonrió, contrito.

—Así pues, ¿fue a la estación con el señor Breeland?

—Sí.

—¿Tendría la bondad de describirnos ese viaje, miss Alberton?

Paso a paso, sin omitir detalle, ella le complació. El tribunal levantó la sesión para ir a comer y la reanudó. A media tarde, cuando hubo finalizado su relato, todos los que todavía escuchaban podían muy bien sentirse como si ellos mismos hubiesen efectuado el viaje en tren hasta Liverpool, luego alojarse en una pensión antes de embarcarse en un vapor y cruzar el Atlántico.

—Gracias, miss Alberton. Permítame insistir, sólo para cerciorarme de que no la hemos malinterpretado: ¿dejó de estar en compañía del señor Breeland en algún momento durante la noche en que murió su padre?

—No, rotundamente no.

—¿Y vio usted a su padre después de marcharse de casa, o fue a algún lugar cercano al almacén de Tooley Street?

—¡No!

—Una cosa más, miss Alberton...

—¿Sí?

—¿Vio en persona a Shearer en la estación de Euston Square? Me figuro que le conoce de vista.

—Sí, le conozco. Le vi sólo un momento, hablando con un vigilante.

—Entendido. Gracias. —Rathbone se volvió hacia Deverill, invitándole a iniciar su turno.

Deverill lo meditó cuidadosamente, quizá más para poner a prueba a Rathbone que por auténtica indecisión. Merrit había dejado más que claro que defendería a Breeland a toda costa y, cuanto más lo hacía, más se granjeaba el respeto del jurado, tanto si sus miembros la creían como si no. No pensaban que mintiera, salvo quizás a propósito de lo de dejar el reloj en el domicilio de Breeland, aunque no sería de extrañar que la vieran embaucada y utilizada por un hombre indigno de ella. Perdería su apoyo si insistía en hacerlo aún más evidente.

Fue una noche difícil. La tensión impedía dormir a pesar del agotamiento. Monk había pasado todo el día pateándose el río, y pensaba seguir al día siguiente, decidido a encontrar algo. Hester no pidió que le resumiera sus progresos; debía mantener viva la esperanza, por el bien de Judith.

El viernes, Rathbone llamó a Lyman Breeland al estrado. Se trataba de la apuesta más peligrosa de toda la defensa, pero no tenía alternativa. No llamar a Breeland habría puesto de manifiesto sus temores, no sólo ante

Deverill sino, peor aún, ante el jurado. Deverill le habría sacado todo el jugo en su recapitulación final.

A Rathbone le habría gustado, por encima de todo, separar a Merrit de Breeland en las mentes del jurado, incluso en cuanto a cargos legales, pero aquello era moralmente imposible. Ya había ido demasiado lejos con el asunto del reloj. Se había comprometido a defender a Breeland y eso era lo que haría dando lo mejor de sí mismo.

Muy erguido en el estrado de los testigos, Breeland juró decir la verdad y dio su nombre y rango en el ejército de la Unión.

Rathbone le hizo exponer sucintamente los hechos y el motivo de su viaje a Inglaterra. No le preguntó por qué estaba dispuesto a llegar tan lejos en nombre de su causa; le constaba que de todos modos Breeland lo diría de forma espontánea y con una pasión que nadie dejaría de advertir, tanto si le querían creer como si no.

—¿Y se presentó ante Daniel Alberton con la esperanza de adquirir las armas que necesitaba? —preguntó Rathbone, mirando a Breeland a los ojos, instándole a dar respuestas breves. Que además fuesen respetuosas ya no le cabía esperarlo, pese a sus esfuerzos por convencer a Breeland de que suscitar la antipatía de todos en ese momento podía costarle la vida, tan precario era el equilibrio. Breeland había respondido simplemente que era inocente y que eso debería bastar.

Rathbone ya había tratado con mártires antes. Resultaban agotadores y rara vez atendían a razones. Tenían una única visión del mundo y no escuchaban lo que no querían oír. En algunos aspectos su dedicación era admirable. Tal vez fuese el único modo de conseguir ciertos objetivos, nobles sin duda, aunque dejando un rastro de restos detrás. Rathbone no estaba dispuesto a que Merrit Alberton pasara a formar parte de lo destruido por Breeland.

Breeland convino con inesperada parquedad que en efecto había ido a ver a Alberton con la esperanza de comprar armas y que al topar con su resistencia y enterarse de que el motivo era su compromiso previo con Philo Trace, había hecho lo posible para que Alberton cambiara de parecer, convenciéndole de la superioridad moral de la causa de la Unión.

—¿Y durante ese tiempo conoció a miss Alberton?

—Sí —respondió Breeland, y una chispa de afecto iluminó por fin su rostro—. Es una persona muy piadosa y honorable. Comprendió la causa de la Unión y la abrazó de inmediato.

Rathbone hubiese preferido que lo expusiera con un poco más de romanticismo, aunque aquello era bastante mejor de lo que había previsto. Si no quería que sus emociones parecieran postizas, debía tener mucho cuidado en no insinuar las respuestas a Breeland.

—¿Descubrió que compartían valores y creencias importantes para ambos?

—Sí. Mi admiración hacia ella fue mayor de lo que nunca hubiese esperado sentir por una mujer tan joven y poco familiarizada con la realidad de la esclavitud y sus males. Posee un extraordinario don para la compasión.

Su expresión se suavizó al decirlo y por primera vez apareció algo semejante a una sonrisa en sus labios.

Rathbone suspiró aliviado. Los rostros de los miembros del jurado se relajaron. Por fin veían al ser humano, al hombre enamorado con quien se podían identificar, no al fanático.

No miró a Merrit, aunque imaginó su mirada, su expresión.

—Pero pese a todo cuanto usted y miss Alberton hicieron para que diera su brazo a torcer —prosiguió—, el señor Alberton no se avino a faltar a la palabra dada al señor Trace y venderle las armas a usted. ¿Por qué no se limitó a acudir a otro proveedor?

—Porque él tenía las mejores armas modernas disponibles de inmediato, y en cantidad. No podía permitirme esperar.

—Entiendo. ¿Y qué planes hizo como resultado de esa situación, señor Breeland?

Breeland se mostró levemente sorprendido.

—Ninguno. Confieso que estaba muy enojado por su ceguera. Parecía incapaz de ver que había en juego algo mucho más importante que la reputación del negocio de un hombre. —Su voz recobró la acostumbrada seriedad, y dirigió toda su atención a Rathbone. Fue como si Merrit hubiese desaparecido de su mente. Se inclinó un poco hacia delante, por encima de la barandilla del estrado—. Era muy estrecho de miras, sólo veía que había dado su palabra y lo que Philo Trace pensaría de él. Carecía por completo de imaginación. No importaba lo que le contara sobre los males de la esclavitud. —Hizo un gesto de desdén con la mano—. Y ninguno de los caballeros aquí presentes tiene la menor idea del cáncer que supone para el alma humana el ver a seres humanos tratados con menos dignidad que el ganado de un buen granjero.

Su voz vibró con el fuego de la ira; el rostro se le encendió. Rathbone vio claramente por qué Merrit se había enamorado de él. Lo que resultaba menos fácil de ver era qué ternura o paciencia era capaz de darle a cambio, qué risas o tolerancia o simple alegría de vivir, qué gratitud por las cosas pequeñas; por encima de todo, quizá, qué perdón por sus fracasos y qué comprensión de sus necesidades. La debilidad no le inspiraba compasión.

Ahora bien, Breeland tenía cuarenta y tantos años; Merrit dieciséis. Tal vez aún le quedasen muchos años por delante antes de caer en la cuenta del valor de esas cosas. Ahora Breeland era un héroe, y héroes era lo que ella quería. Conocía sus puntos vulnerables y lo amaba tanto más a causa de ellos. No veía sus limitaciones.

—Hemos oído que discutió con el señor Alberton la noche de su muerte y que al salir de su casa le dijo que usted al final vencería, hiciera él lo que hiciese. ¿Qué quiso decir con eso, señor Breeland?

—Pues que la causa de la Unión era justa y que al final prevalecería contra cualquier ignorancia o interés egoísta —respondió Breeland claramente, como si la respuesta hubiese tenido que resultar obvia—. No fue una amenaza, sino una simple afirmación de la verdad. ¡No hice ningún daño al señor Alberton y pongo a Dios por testigo!

Rathbone mantuvo la voz calmada, casi con total naturalidad, como si apenas hubiese oído la negación de Breeland ni la pasión que le embargaba.

—¿Adónde fue al salir de casa del señor Breeland?

—Volví a la mía.

—¿Solo?

—Por supuesto.

—¿Llegó a algún acuerdo con miss Alberton para que se reuniera con usted?

Breeland abrió la boca para responder instintivamente pero cambió de parecer. Tal vez recordó la advertencia de Rathbone en cuanto a las simpatías del jurado.

—No —dijo con gravedad—. No abrigaba el menor deseo de interponerme entre miss Alberton y su familia. Mis intenciones para con ella fueron siempre honestas.

Rathbone sabía que pisaba un terreno peligroso, lleno de escollos. Deseó haber podido evitar preguntar al respecto, pero la omisión habría resultado tan flagrante que de no hacerlo habría provocado un daño todavía mayor.

—Así pues, fue a su domicilio. Señor Breeland, por la razón que fuera, ¿le devolvió miss Alberton el reloj que usted le regaló como recuerdo?

Breeland no titubeó.

—No —respondió Breeland sin inmutarse ni titubear.

Rathbone no tenía intención de mirar al jurado pero aun así lo hizo y vio la frialdad de sus rostros. Creían a Breeland, mas no por ello lo apreciaban. De un modo muy sutil había agrandado el abismo que le separaba de Merrit. La lealtad de la muchacha era para con él; la de Breeland para con su causa. Lo enervante no era lo que había dicho sino la manera de decirlo, y quizá también lo que dejaba sin decir.

—¿Tiene alguna idea acerca de cómo llegó el reloj hasta Tooley Street? —preguntó Rathbone.

—En absoluto —respondió Breeland—. Salvo que no se le cayó a miss Alberton, y tampoco a mí. Ella llegó a mi apartamento hacia las nueve y media y permaneció allí conmigo hasta que nos marchamos poco antes de medianoche, cuando recibimos la nota de Shearer diciendo que el señor Alberton había cambiado de parecer y finalmente estaba dispuesto a vender las armas a la Unión. Entonces salimos juntos y nos dirigimos a la estación de Euston Square, y de allí a Liverpool.

Resumió la historia en unas pocas frases, de modo que Rathbone se encontró sin poder hacerle decir todo lo que quería, pero fue una declaración espontánea, pronunciada con tanta intensidad que quizá fuese mejor que una serie de respuestas cuidadosamente guiadas.

—¿Le sorprendió recibir esa nota de Shearer? —comenzó Rathbone, dándose cuenta de que Deverill se ponía de pie—. Mis disculpas, señoría —agregó enseguida—. ¿La nota que supuestamente le envió Shearer?

—Me quedé atónito —reconoció Breeland.

—¿Y no la puso en duda?

—No. Sabía que mi causa era justa. Creí que Alberton por fin lo había comprendido y también que el asunto de la abolición de la esclavitud era mucho más importante que un acuerdo comercial o que la reputación y el honor de un solo hombre. Lo cierto es que me admiró.

Reinaba un silencio absoluto en la sala. Rathbone

sintió como si una especie de oscuridad le cayera encima. Inspiró con dificultad. En un abrir y cerrar de ojos Breeland había expuesto escuetamente su filosofía, demostrando una indiferencia por el individuo que fue como un jarro de agua fría, un camino cuyo final se desconocía.

Rathbone miró al jurado y constató que sus miembros no percibían plenamente lo que Breeland acababa de decir, pero Deverill sí. El triunfo brillaba en sus ojos.

Rathbone oyó su propia voz en la sala de altos techos como si fuera la de otra persona, con un eco extraño. Tenía que seguir adelante, acabar hasta la última palabra.

—¿Mostró la nota a miss Alberton?

—No. No había razón para ello. Lo importante era hacer el equipaje con mis pocas pertenencias y marcharse cuanto antes. Nos concedía muy poco tiempo para llegar a la estación de Euston Square. —Breeland no se dio cuenta de que hubiera ningún cambio. No alteró su expresión, como tampoco el porte, las manos agarradas a la barandilla, la confianza de la voz—. Le dije lo que ponía y se sintió rebosante de alegría..., naturalmente.

—Sí, naturalmente —repitió Rathbone.

Detalle tras detalle fue llevando a Breeland a través del viaje a la estación, la descripción del lugar, de los vigilantes, del propio Shearer, del tren y de los pasajeros con los que compartió vagón. Coincidió con la descripción de Merrit de forma tan franca que por un momento Rathbone vio renovadas sus esperanzas. Todos los acontecimientos y personas eran reconocibles como los que había visto ella y, sin embargo, con una percepción bastante distinta, un distinto uso de palabras que dejaba claro que no era algo que hubiesen copiado o ensayado.

Incluso advirtió que un par de miembros del jurado asentían con la cabeza, como aceptando su sinceridad. Tal vez ellos también habían efectuado el viaje de Euston a Liverpool y sabían que lo que Breeland contaba era verdad.

Por la tarde le hizo referir más sucintamente el viaje a través del Atlántico y la breve estancia en América.

Deverill lo interrumpió para preguntar si algo de aquello era relevante.

—Señoría, no dudo de que el señor Breeland compró las armas para el ejército de la Unión, como tampoco que cree con fervor en su causa. No es difícil comprender que un hombre desee abolir la esclavitud en su propia tierra o en cualquier otra. Tampoco dudamos de que combatiera en Manassas, probablemente con valentía, como hicieron tantos otros. —Bajó la voz y añadió—: Que estaba dispuesto a pagar cualquier precio por la victoria de la Unión resulta trágicamente claro. Que sacrificara a terceros para ello es el fundamento de los cargos imputados.

—No me propongo demostrar eso —rebatió Rathbone, sabiendo que no decía toda la verdad y que Deverill también lo sabía—. Mi deseo era demostrar que el trato brindado a miss Alberton siempre fue honorable y sin reservas, incluso cuando Monk y Trace estaban en Washington, porque sabía que era inocente de todo crimen y no tenía motivos para temerlos.

Deverill sonrió.

—Mis disculpas —dijo—. Se había apartado tanto del asunto que ya no sabía cuál era su propósito. Continúe, por favor.

Rathbone estaba zozobrando y ambos lo sabían. Pero ahora no podía batirse en retirada. Condujo a Breeland por su enfrentamiento con Monk y Trace en el campo de batalla y su aceptación de regresar a Inglaterra.

—¿No opuso resistencia?

—No. Hay muchos hombres capaces de luchar en el frente en América —contestó Breeland—. Sólo yo puedo responder aquí de mis actos y luchar por la causa moral convenciendo a los ciudadanos de Inglaterra de que nuestra causa es justa y nuestra conducta honorable. Compré armas abiertamente y pagué un precio justo por ellas. La única persona a quien engañé fue Philo Trace, pero eso forma parte de las vicisitudes de la guerra. Él esperaría eso de mí, como yo de él. Somos enemigos, aunque nos tratemos con educación si coincidimos por casualidad en Londres. No somos bárbaros. —Carraspeó para aclararse la voz—. No tengo miedo de responder de mis actos ante un tribunal y deseo que piensen en mi pueblo como en los hombres valientes que son. —Adelantó un poco el mentón, mirando fijamente al frente—. Llegará un momento en que tendrán que elegir entre la Unión y la Confederación. Esta guerra no terminará hasta que un bando haya destruido al otro. Daré todo lo que poseo, mi vida, mi libertad si es preciso, para asegurarme de que es la Unión la que sale victoriosa.

Rathbone levantó la vista hacia Merrit y vio una expresión de orgullo en su rostro, aunque le costaba un esfuerzo. Pensó que también veía una sombra cada vez más oscura de soledad.

Se oyó un levísimo murmullo de elogios en el fondo de la sala, acallado de inmediato.

La sonrisa de Deverill se ensanchó, aunque no sin una chispa de incertidumbre. Quería que el jurado pensara que estaba confiado, quizá que percibía algo que a ellos se les escapaba. Era un juego de farol y doble farol.

Rathbone también sabía cómo jugarlo. De momento era cuanto tenía.

—Me cuesta imaginar que algún hombre no comparta sus sentimientos —dijo—. No es nuestra guerra, aunque nos entristece la situación de su país y abrigamos profundas esperanzas de que se alcance una solución mejor que la masacre de los ejércitos y la devastación de la tierra. No es nuestro deseo privar de libertad a un hombre inocente que sirve a su pueblo en una causa como ésta. —Hizo una breve reverencia, como si la lucha contra la esclavitud fuese el asunto en tela de juicio.

Su logro fue efímero. Deverill se levantó para verificar la declaración de Breeland, caminando con cierta arrogancia hasta el centro de la sala. Empezó con amplio y dramático gesto.

—Señor Breeland, habla con una gran pasión sobre la causa de la Unión. Ninguno de los presentes duda lo más mínimo de su dedicación a ella. ¿Sería cierto decir que para usted es más importante que cualquier otra cosa?

Breeland le miró a los ojos.

—Sí, lo sería —respondió en tono de orgullo.

Deverill meditó por un momento.

—Le creo, señor. No estoy seguro de poder ser tan incondicional, yo mismo...

Rathbone sabía lo que venía a continuación. Incluso consideró la posibilidad de interrumpir, distraer al jurado unos instantes señalando que lo que Deverill había dicho no era una pregunta y además no hacía al caso. Pero sólo conseguiría retrasar lo inevitable. Pondría de relieve que no quería que Breeland contestara. Permaneció sentado.

—Pienso... —prosiguió Deverill, volviéndose un poco para levantar la vista hacia Merrit—. Pienso que en lugar de defender la justicia de mi causa, y mi propia inocencia, habría intentado declarar mi amor por una muchacha que lo había abandonado todo, hogar, familia, seguridad, incluso su propio país, para seguirme a una tierra extraña, sumida en una guerra civil... y dedicar mis energías a hacer todo lo posible para evitar que la ahorcaran por mis crímenes, a los dieciséis años de edad..., apenas puede decirse que sea una mujer; está empezando a vivir...

El efecto fue devastador. Breeland se puso rojo como un tomate. La ira y la vergüenza lo consumían.

Merrit estaba pálida de tanto sufrir. Quizá nunca más en su vida volvería a enfrentarse a tan terrible constatación de hechos, a semejante humillación.

Judith inclinó despacio la cabeza, como dándose por vencida.

Philo Trace torcía los labios reconcomido por una piedad que no podía permitirse manifestar.

Casbolt también miraba a Judith.

Los miembros del jurado se dividían entre quienes observaban a Merrit y quienes no lo hacían. Algunos deseaban concederle intimidad desviando la mirada, como si hubiesen importunado involuntariamente a alguien sorprendido desnudo en un acto íntimo. Otros lanzaban miradas iracundas a Breeland sin disimular su desdén. Dos miraron a Merrit con profunda compasión. Tal vez tenían hijas de su misma edad. No había condena en sus rostros.

Rathbone se obligó a recordar que tenía a su cargo tanto la defensa de Breeland como la de Merrit. No podía aprovecharse de aquello y dejar que ahorcaran a Breeland para conseguir la absolución de Merrit, aunque en ese momento deseó poder hacerlo.

Deverill no tuvo que agregar nada más. Fueran cuales fuesen los hechos, incluso los que no podía rebatir, había aniquilado cualquier acto de clemencia. El jurado querría condenar a Breeland, no ya por los asesinatos, sino por ser incapaz de amar.

Mientras Rathbone batallaba en la sala del tribunal, Monk intentaba seguir el rastro de los actos de Shearer la noche de la muerte de Alberton y los días inmediatamente anteriores. El único modo de absolver a Breeland de los cargos sería demostrar que no había conspirado con Shearer. La hora de la discusión en la casa de Alberton, de la entrega de la nota en el domicilio de Breeland y la de su llegada a la estación de Euston Square hacían imposible que hubiese estado en Tooley Street, pero no demostraban que no hubiese sobornado deliberadamente a Shearer para que cometiera los asesinatos o que al menos hubiese conspirado con él para aprovecharse de la situación.

Empezó nuevamente sus pesquisas en Tooley Street, interrogando a los empleados del almacén. Hacía un día caluroso y polvoriento, con un viento racheado que se arremolinaba sobre los adoquines.

—¿Cuándo vio a Shearer por última vez? —preguntó Monk al hombre de pelo rubio rojizo con quien ya había hablado la vez anterior.

El hombre arrugó el rostro al concentrarse.

—No estoy seguro del todo. Estuvo aquí un par de días antes de eso. Intento recordar si estuvo aquí el mismo día. Creo que no. De hecho, estoy seguro porque nos llegó un buen cargamento de teca y no había razón para que él anduviera por aquí. No sé dónde estaría pero Joe igual lo sabe. Voy a preguntarle. —Dejó a Monk esperando al sol mientras iba a hacerlo—. Estaba en Seven Sisters —dijo al regresar—. Fue a ver a un tratante de roble. No veo que tenga nada que ver con las armas.

Monk tampoco lo veía, pero aun así se había propuesto seguir todos los movimientos de Shearer.

—¿Sabe el nombre de la empresa que fue a ver en Seven Sisters?

—Bratby y algo más, me parece —respondió Bert—. Una firma importante, según dijo. Está en High Street o muy cerca. ¿Qué tiene esto que ver con la muerte del pobre señor Alberton? En Bratby se dedican a la madera, el mármol y cosas así, no a las armas.

—Me gustaría saber dónde estuvo Shearer desde entonces en adelante —dijo Monk con franqueza. No había motivo para andarse con evasivas—. Estuvo en la estación de Euston Square para entregar las armas a

Breeland poco después de las doce y media de la noche, y está claro que nadie le ha visto desde entonces.

—¿Dónde está, pues?

—Me encantaría saberlo. ¿Qué aspecto tiene?

—¿Shearer? Es un tipo muy normal, la verdad. Alto como usted, o igual un poquito menos. Flaco. No mucho pelo, más bien oscuro. Tiene los ojos verdes, eso sí es diferente, y una peca en la mejilla, por aquí. —Indicó dónde, tocándose el pómulo con el dedo—. Y muchos dientes.

Monk le dio las gracias y tras unas pocas preguntas más que no añadieron nada valioso, se marchó y pasó la siguiente hora y media en un coche de punto que le llevó hasta Seven Sisters. Encontró las oficinas de Bratby & Allan en una bocacalle de la calle principal.

—¿El señor Shearer? —dijo el dependiente, pasándose una mano por el pelo—. Sí, claro que le conocemos, y bastante. ¿De qué se trata, señor, si me permite preguntarlo?

Monk ya tenía preparada una respuesta.

—Me temo que hace varias semanas que nadie sabe de él y nos preocupa que haya podido ocurrirle algo malo —contestó con gravedad.

El dependiente no dio muestras de inquietarse demasiado.

—Lástima —dijo con laconismo—. Ya se sabe, la gente que trabaja en el río sufre accidentes. No estoy seguro de qué día fue pero puedo consultar mis libros si así lo desea.

—Sí, por favor.

El empleado se puso el lápiz en la oreja y fue a hacer lo dicho. Regresó al cabo de poco rato llevando un libro de contabilidad.

—Aquí lo tiene —dijo, poniéndolo encima de la mesa. Señaló con un dedo manchado de tinta y Monk leyó. Era evidente que Shearer había estado en Bratby &

Allan el día anterior a la muerte de Alberton, hasta bien entrada la tarde, negociando las condiciones de una venta de madera y la posibilidad de transportarla al sur de la ciudad de Bath.

—¿A qué hora se marchó de aquí? —preguntó Monk.

El empleado lo pensó un momento.

—A eso de las cinco y media, según recuerdo. Sospecho que ahora querrá saber adónde fue luego.

—¿Lo sabe usted?

—No, pero creo que podría darle una pista.

—Se lo agradecería.

—Bueno, iría a una casa de transporte por carro que no estuviera lejos de aquí. Es lo más lógico, ¿no cree?

El empleado estaba satisfecho con su condición de experto; era algo que alentaba su autoestima de forma más que evidente.

Monk apretó los dientes.

—Desde luego.

—Y no hay muchas que vayan tan lejos como a Bath —continuó el empleado—. Así que si yo fuese usted, probaría en Cummins Brothers, un poco más abajo en esta misma calle. —Señaló a su izquierda—. Aunque también está B. & J. Horner hacia el otro lado. Y, por supuesto, la más importante, Patterson, aunque eso no significa que sea la mejor, y al señor Shearer le gusta lo mejor. No está para tonterías. Es un tipo duro pero justo..., más o menos.

—Entonces, ¿cuál es la mejor? —preguntó Monk con paciencia.

—Cummins Brothers —respondió el empleado sin titubear—. Son caros pero de fiar. Pregunte por el señor George, es el jefe, y el señor Shearer siempre va a lo más alto. Como le he dicho, es un tipo duro pero muy bueno en los negocios.

Monk le dio las gracias y le pidió indicaciones exactas para llegar al local de Cummins Brothers. Una vez allí solicitó ver al señor George Cummins. Le hicieron esperar casi media hora antes de acompañarle a un pequeño despacho muy bien amueblado. George Cummins estaba sentado a su escritorio, con la luz brillando en su ralo pelo blanco y el rostro surcado de arrugas que le conferían un aire elegante.

Monk se presentó sin evasivas y le contó con franqueza el motivo de su visita.

—Shearer —dijo Cummins sorprendido—. ¿Desaparecido, dice? Eso sí que no me lo esperaba. Parecía de muy buen humor la última vez que le vi. Confiaba obtener grandes beneficios de un trato importante. Algo relacionado con América, me parece.

Monk notó que se le despertaba el interés. Se controló para no alimentar falsas esperanzas ni forzar las cosas para que encajaran con sus deseos.

—¿Le dio más detalles sobre esa operación?

Cummins entrecerró los ojos.

—¿Por qué? ¿A qué se dedica usted, señor Monk? ¿Por qué quiere saber dónde está Shearer? Le considero un amigo desde hace años. No voy a hablar de él con un desconocido si no sé por qué.

Monk no podía decirle la verdad si no quería condicionar las pruebas que Cummins pudiera darle. Tenía que ser sincero y al mismo tiempo evasivo, algo que había aprendido a hacer bastante bien.

—El trato con el americano acabó muy mal, como tal vez sepa usted —respondió muy serio—. Al parecer nadie ha visto a Shearer desde entonces. Soy detective privado y trabajo para la señora Alberton, a quien preocupa que también le haya ocurrido algo malo al señor Shearer. Fue un empleado leal de su difunto marido durante años. Se siente responsable de asegurar que está sano y salvo y que no necesita ayuda. Y, por supuesto, se le echa mucho en falta, sobre todo en estos momentos.

—Entiendo. —Cummins asintió con la cabeza—. Sí, por supuesto. —Frunció el entrecejo—. Francamente, no entiendo que no se haya personado. Debo confesarle, señor Monk, que ahora me ha preocupado usted. Al no saber de él últimamente, supuse que estaba de viaje por negocios. De vez en cuando va al Continente.

—¿Cuándo le vio usted por última vez? —insistió Monk—. Exactamente.

Cummins meditó por unos instantes.

—La víspera del día que mataron a Alberton. Aunque supongo que ya lo sabe y que por eso está aquí. Hablamos sobre un transporte de madera a Bath. Tal como le he dicho, estaba de muy buen humor. Cenamos juntos en la Hanley Arms, junto a la estación de omnibuses de Hornsey Road.

—¿A qué hora se marcharon?

Cummins se mostró inquieto.

—¿Qué anda pensando, señor Monk?

—No lo sé. ¿A qué hora?

—Tarde. A eso de las once. Fue... Cenamos la mar de bien. Me dijo que volvía a la ciudad.

—¿Cómo? ¿En coche de punto?

—En tren, desde la estación de Seven Sisters Road. Queda un poco más allá del final de la calle donde está la Hanley Arms.

—¿Cuánto dura ese viaje?

—¿A esa hora de la noche? No hay muchas paradas: la estación de Holloway, el túnel de Copenhague y luego ya King's Cross. Algo menos de una hora. ¿Por qué? ¡Le agradecería que me dijera lo que está pensando!

—¿Alguien les vio juntos, alguien que corrobore la hora en que se marcharon?

—Si usted quiere... Pregunte al dueño de la Hanley Arms. ¿Por qué? —inquirió Cummins, alarmado.

—Porque creo que estuvo en la estación de Euston

Square a la una y media —contestó Monk, poniéndose de pie.

—¿Qué quiere decir con eso? —preguntó Cummins, levantándose a su vez.

—Pues que no pudo estar en Tooley Street —respondió Monk.

Cummins se quedó pasmado.

—¿Pensaba que estaba allí? ¡Por Dios! ¿Acaso...? No creerá que él hizo eso, ¿verdad? Walter Shearer, no. Es un hombre duro, siempre quiere lo mejor pero es leal. No, no... —se interrumpió. El rostro de Monk le indicó que no había más que decir—. ¡Fue el americano! —concluyó.

—No, no fue él —repuso Monk—. No sé quién demonios fue. ¿Prestaría declaración?

—¡Claro que sí! Se lo aseguro.

Monk interrogó al dueño de la Hanley Arms y recibió la respuesta que esperaba, corroborada por su esposa. Siguió los pasos de Shearer hasta la estación de Euston Square y sólo le quedaron treinta y dos minutos sin explicar. Nadie pudo ir hasta Tooley Street, asesinar a tres hombres y cargar seis mil armas en ese tiempo. En cambio, pudo apearse en King's Cross y caminar desde allí hasta la estación de Euston Square para reclamar un cargamento de armas previamente almacenado allí.

Refirió todos estos hallazgos a Rathbone esa misma noche.

Por la mañana Rathbone solicitó un aplazamiento de la vista que permitiera llamar a declarar al dueño de la Hanley Arms, cosa que le fue concedida.

A primera hora de la tarde se habían presentado todas las pruebas y tanto Deverill como Rathbone concluyeron sus alegatos. Nadie sabía quién había asesinado a

Daniel Alberton y a los dos vigilantes en Tooley Street, pero estaba bastante claro que no podían haberlo hecho ni Breeland ni Shearer, actuando éste para Breeland o con su conocimiento. Rathbone no pudo explicar cómo había llegado hasta el patio del almacén el reloj de Breeland, como tampoco el traslado de las armas desde Tooley Street hasta Euston Square, pero un jurado perplejo y descontento emitió un veredicto de inocencia.

Judith se desmoronó de puro alivio. Para ella, el hecho inmediato de que Merrit ya no estuviera amenazada de muerte era más que suficiente. Se permitió unos momento de respiro, olvidando su aflicción.

Hester aguardaba fuera de la sala, en el atestado vestíbulo, observando que Merrit se aproximaba a su madre, titubeando al principio. Philo Trace se mantenía a unos quince metros a la izquierda de ellas. No deseaba quedar incluido en el círculo, aunque su expresión hacía patente lo importante que para él era ver contenta a Judith Alberton. La miraba con ternura, totalmente ajeno al gentío que iba y venía.

Robert Casbolt estaba más cerca, muy pálido, agotado por la agitación emocional del juicio, aunque también se mostraba, si no relajado, al menos liberado de la lucha por rescatar a Merrit.

Lyman Breeland permaneció apartado. La palidez de su rostro hacía imposible descifrar lo que sentía. Era libre, pero ni su carácter ni su causa habían sido comprendidos como él hubiese deseado. Al menos fue lo bastante sensible al dolor experimentado para no acercarse enseguida. No pintaba nada en aquella primera reunión íntima. Estaban sumidos en el pesar, y el enojo, todas las cosas que habían tenido que callar, incluso evitar pensar, hasta el final de la batalla.

A Merrit se le llenaron los ojos de lágrimas. Tal vez fuese por ver a su madre vestida de negro, sin color ni vitalidad por la pérdida y el miedo.

Judith abrió los brazos.

En silencio, Merrit dio un paso al frente y se abrazaron estrechamente. Merrit sollozaba, dejando ir todo el terror y la pena que había mantenido desesperadamente a raya durante el último mes, desde que Hester le diera la noticia de la muerte de su padre.

Philo Trace pestañeó con fuerza varias veces; luego se volvió y se marchó.

Robert Casbolt se quedó.

Rathbone salió de la sala sonriendo. Horatio Deverill seguía un par de pasos atrás, todavía sorprendido pero sin mostrar ningún resentimiento. Pasaron junto a Breeland sin hacerle el menor caso.

—¿Ha hecho eso a propósito? —preguntó Deverill, sacudiendo la cabeza—. Realmente creía que ya le tenía, por intención cuando no de obra. Aún no estoy seguro de que no me haya atrapado por arte de magia.

Rathbone se limitó a sonreír.

Merrit y Judith se separaron y Judith dio las gracias a Rathbone formalmente, apartándose un poco con él. Merrit se volvió hacia Hester.

—Gracias —dijo en voz muy baja—. Usted y Monk han hecho tanto por mí que me faltan palabras para expresarlo. —Su rostro seguía reflejando confusión y desdicha.

Hester conocía el motivo. La victoria de la absolución estaba ensombrecida por la desilusión del distanciamiento de Breeland. El peligro más inmediato ya no existía, pero tenía que hacer frente a una decisión. Ya no compartían unas circunstancias que les obligaran a permanecer juntos. De pronto se trataba de una cuestión de elección. Y tener que tomarla le resultaba muy doloroso; su sufrimiento saltaba a la vista.

—Todo tiene sus pros y sus contras, ¿verdad? —contestó Hester en voz baja también. No deseaba que nadie oyera de qué hablaban, y con tantas conversaciones a su alrededor no les resultó difícil sumergirse en el mar de voces.

Merrit no contestó. Todavía no quería comprometerse a decir en voz alta que la certidumbre se había esfumado. La cruzada era gloriosa pero en realidad no era amor, no lo bastante para casarse.

—Lo lamento —dijo Hester, y en verdad lo sentía profundamente. Ella también había llorado sueños perdidos y sabía lo mucho que dolía.

Merrit bajó la vista.

—No le entiendo —dijo entre dientes—. En realidad nunca me ha querido, ¿verdad? Al menos no como yo le amaba.

—Probablemente le ama tanto como es capaz.

Hester se devanaba los sesos en busca de la verdad.

Merrit la miró.

—¿Qué debo hacer? Es un hombre honorable. ¡Siempre he sabido que no era culpable! Estaba segura de que no lo había hecho, y también de que no había convencido a Shearer.

—¿Está segura de que no habría aceptado las armas si hubiese sabido que estaban manchadas por un asesinato? —preguntó Hester.

Merrit tragó saliva con dificultad.

—No... —susurró—. Cree que la grandeza de la causa justifica cualquier medio. Yo... Yo no me veo capaz de compartir esa creencia. Me consta que no lo haría con sentimiento. Puede que mi idealismo no sea lo bastante fuerte. No tengo esa gran visión. Quizá no sea tan buena como él...

Lo formuló casi como una pregunta; sus ojos suplicaban una respuesta. Incluso ahora estaba medio convencida de que la culpa era suya, de que era ella quien carecía de una cierta nobleza que le habría permitido ver las cosas como él.

—No —dijo Hester con determinación—. Ver a la

masa y olvidar al individuo no es nobleza. Está confundiendo la cobardía emocional con el honor. —A medida que hablaba iba ganando seguridad—. Hacer lo que uno cree es correcto, incluso cuando hace daño, cumplir con el deber a costa de la amistad o incluso del amor supone una visión mayor, por supuesto. Pero retirarse de la implicación personal, de la gentileza y la entrega, eligiendo en cambio la heroicidad de una causa general, por buena que sea, es una clase de cobardía.

Merrit seguía mostrándose dubitativa. Una parte de ella lo entendía, pero le faltaban palabras para explicárselo. Frunció el entrecejo, esforzándose por aceptar definitivamente lo que llevaba días intentando no ver.

—No podría amar a alguien que me antepusiera a lo que creyera correcto. Quiero decir... Podría amarle, pero no de todo corazón, no del mismo modo.

—Yo tampoco podría —convino Hester, que advirtió un momentáneo alivio en los ojos de Merrit antes de que se sumieran de nuevo en la confusión—. Querría que hiciera lo correcto, por más que me doliera. Ésa es la diferencia. Querría que lo que a mí me costara le partiera el alma..., no que incrementara su sensación de gloria.

Merrit temblaba al borde de las lágrimas.

—Yo... Yo realmente creía... Una no puede olvidar tan fácilmente, ¿verdad?

—No. —Hester le tocó el brazo suavemente—. Claro que no. Pero pienso que ir con él, fingiendo sin cesar, viendo crecer esa realidad, sería incluso más difícil.

Breeland se estaba aproximando a ellas. Se veía un poco torpe, inseguro sobre qué decir ahora que la tensión había pasado. Tenía las armas; se había demostrado su inocencia y lo habían absuelto. Quizá no acertara a comprender la frialdad que reinaba en el ambiente.

Judith se volvió a observar, pero permaneció donde estaba.

—Gracias por los esfuerzos que ha hecho por nosotros, señora Monk —dijo Breeland con formalidad—. Estoy convencido de que lo ha hecho porque lo consideraba correcto; aun así, le estamos muy agradecidos.

—Se equivoca —dijo Hester, mirándole a los ojos—. No tenía ni idea de si era correcto o no. Lo he hecho por Merrit. Esperaba que fuese inocente y así lo he creído mientras he podido, porque deseaba creerlo. Afortunadamente, aún puedo hacerlo.

—Ésa es una clase de razonamiento que una mujer es muy libre de hacer, supongo —dijo en un tono de ligera desaprobación—. Aunque es demasiado emocional. —Esbozó una sonrisa—. No quisiera parecer descortés. —Se volvió hacia Merrit—. Quizá prefieras quedarte un tiempo con tu madre antes de regresar conmigo a Washington. Lo comprendo. Puedo esperar al menos una semana, luego tendré que reincorporarme a mi regimiento. Cuento con muy pocas noticias fiables sobre lo que está ocurriendo allí. Al menos ahora he reivindicado mi honor e Inglaterra sabrá que los oficiales de la Unión son rectos en sus tratos. Es posible que me hagan volver para adquirir más armas.

Se produjo un momento de silencio antes de que Merrit contestara con voz firme, aunque era evidente que tras hacer acopio de toda la fuerza de voluntad que poseía.

—Estoy segura de que tu honor ha sido salvado, Lyman, y que para ti es lo más importante que podría haber sucedido. Me alegra que sea así. Estoy igualmente segura de que lo mereces. Sin embargo, no deseo volver a Washington contigo. Te agradezco el ofrecimiento. Entiendo que me haces un gran honor pero no creo que nos hiciéramos felices el uno al otro y, por consiguiente, no puedo aceptar.

Breeland puso cara de no captar lo que acababa de oír. Le resultaba incomprensible que Merrit hubiese cambiado de la muchacha que lo adoraba tan ciegamente a la mujer que de pronto emitía un juicio tan sensato y que, increíblemente, equivalía a un rechazo.

—Tú me harías muy feliz —dijo frunciendo el entrecejo—. Posees todas las cualidades que cualquier hombre desearía y, lo que es más, las has demostrado bajo una presión extrema. No me imagino que pueda encontrar a otra mujer a quien admire tanto como a ti.

Merrit inspiró profundamente con un escalofrío. Hester vio un destello de resolución en su rostro.

—El amor es algo más que admiración, Lyman —dijo Merrit conteniendo las lágrimas—. El amor es preocuparse por alguien cuando se equivoca, no sólo cuando lleva razón; protegerle en la debilidad, atenderle hasta que recobra las fuerzas. El amor es compartir las pequeñas cosas, no sólo las grandes.

Breeland quedó aturdido, como si le hubiese abofeteado y no supiera por qué.

Entonces, lentamente, hizo una reverencia, se volvió y se marchó.

Merrit respiró hondo, abrió la boca para llamarle y finalmente guardó silencio.

Judith se aproximó y la abrazó, dejando que llorase por el final de un sueño y el principio de su liberación.

12

Monk y Hester cenaron fuera disfrutando de un excelente pescado hervido con verduras frescas y tarta de ciruelas con crema de leche. Regresaron a casa dando un paseo cogidos del brazo recorriendo las calles tranquilas iluminadas por las farolas. Un arco de luz cruzaba el cielo entre los tejados y unas cuantas ventanas resplandecían en amarillo.

—Todavía no sabemos quién mató a Daniel Alberton —dijo Hester por fin. Ambos se habían abstenido de mencionarlo durante toda la velada pero ya no podían seguir haciendo como que no lo pensaban.

—No —convino Monk con gravedad, apretándole un poco el brazo—. Sólo que no fue Breeland, ni siquiera indirectamente, y que tampoco pudo ser Shearer. ¿Quién más nos queda?

—No lo sé —admitió Hester—. ¿Qué pasó con las otras quinientas armas?

Él no contestó; durante unos minutos caminó en silencio con la cabeza gacha.

—¿Piensas que Breeland también se las llevó y mintió? —preguntó Hester al fin.

—¿Por qué iba a hacer eso?

—¿Por el dinero? Quizá lo que pagó no fuera suficiente...

—Puesto que no hay ningún rastro del dinero, no parece que haya motivo alguno —señaló Monk.

No había más que decir. Siguieron andando un trecho sin pronunciar palabra. Se cruzaron con otra pareja y saludaron educadamente con una inclinación de cabeza. La mujer era joven y bonita, el hombre la admiraba abiertamente. Hester se sintió a gusto y muy a salvo, no ya del dolor o la pérdida, pero sí al menos de la agonía de la desilusión. Agarró a Monk con más fuerza.

—¿Qué sucede? —preguntó Monk.

—Nada —dijo Hester con una sonrisa—. Nada que tenga que ver con Daniel Alberton, pobre hombre. Me gustaría mucho saber lo que ocurrió..., y demostrarlo.

Monk soltó una risilla y la estrechó contra sí.

—No se me va de la cabeza el chantaje —prosiguió Hester—. Me cuesta creer que sucediera al mismo tiempo por pura coincidencia. Fue por eso por lo que te llamaron. ¡Y el chantajista no ha vuelto a dar señales de vida! Los piratas no suelen darse por vencidos, ¿verdad?

—¡Alberton está muerto!

—¡Ya lo sé, pero Casbolt no! ¿Por qué no insistieron con él? También dio dinero y ayudó a Gilmer.

Cruzaron la calle hasta la acera del otro lado. Aún estaban a casi un kilómetro de casa.

—La respuesta más inquietante a eso es que no se dieron por vencidos —respondió Monk—. Seguimos sin saber qué fue de la barcaza que fue río abajo, quién la llevaba ni con qué carga. Sabemos seguro que algo salió de Tooley Street; hay quinientas armas de las que nadie da razón... la cantidad exacta que pedían los piratas.

—¿Crees que Alberton las vendió pese a todo? —preguntó Hester en voz muy baja. Llevaba varios días procurando no pensar en ello. La tensión del juicio se lo había puesto fácil; ahora no podía seguir pasándolo por alto—. ¿Por qué iba a hacer eso? Resultaría aborrecible para Judith.

—Supongo que su intención fue que nunca llegara a enterarse... y Casbolt tampoco.

—Pero ¿por qué? —insistió ella—. Quinientas armas... ¿Cuánto pueden costar?

—Mil ochocientas setenta y cinco libras —contestó Monk. No fue necesario que agregara que era una pequeña fortuna.

—Revisaste los libros de la empresa —recordó Hester—. ¿Es posible que necesitara ese dinero?

—No. El negocio iba bien. Con altibajos, por supuesto, pero en general era próspero.

—¿Altibajos? ¿Te refieres a épocas en las que nadie quiere comprar armas? —preguntó escéptica.

—También comerciaban con otras cosas, sobre todo madera y maquinaria. Pero no estaba pensando en eso. Las armas son la mercancía que produce más beneficios, aunque también las únicas pérdidas. —Llegaron al bordillo. Monk titubeó, miró a un lado y a otro y cruzaron. Ya estaban llegando a Fitzroy Street—. ¿Recuerdas la Tercera Guerra china de la que Judith te habló la primera noche que fuimos a casa de los Alberton?

—¿La del barco y el misionero francés?

—No, ésa no, la siguiente..., la del año pasado.

—¿A qué viene eso? —preguntó.

—Al parecer vendieron armas a los chinos poco antes de esa guerra y debido a las hostilidades nunca llegaron a cobrar. No era una suma muy elevada, y se recuperaron en cuestión de meses. Pero ése fue el único mal negocio. No necesitaba vender a los piratas. Trace le había pagado trece mil libras a cuenta de las armas que Breeland se llevó, cantidad que, naturalmente, habrá que devolver. Breeland afirma haber pagado el precio entero, unas veintidós mil quinientas libras. Y luego también está la munición, que sin duda ascendía a más de mil cuatrocientas libras. El beneficio de todo eso supondría una fortuna. —Negó ligeramente con la cabeza—. No acabo de ver por qué iba a sentirse obligado a vender armas por valor de otras mil ochocientas setenta y cinco libras a los piratas.

—Yo tampoco —reconoció Hester—. Así pues, ¿dónde están? ¿Quién mató a Alberton? ¿Quién fue río abajo? Y ya puestos, ¿dónde está Walter Shearer?

—No lo sé —respondió Monk—. Pero tengo intención de averiguarlo.

—Bien —dijo Hester con ternura, doblando la esquina de Fitzroy Street—. Tenemos que saberlo.

Por la mañana Monk se levantó temprano y salió de casa sin molestar a Hester. Cuanto antes empezara antes encontraría algún cabo que le condujese a la verdad. Mientras caminaba hacia Tottenham Court Road cruzándose con carros de verdura camino del mercado, se preguntó si no sería que ya tenía ese cabo, sólo que no lo había reconocido. Revisó cuanto sabía, examinándolo detalladamente, mientras cruzaba el río en coche de punto dispuesto a iniciar una vez más la excursión hasta Bugsby's Marshes.

En esta ocasión hizo el viaje deprisa, concentrándose más en la descripción de la barcaza, en cualquier señal distintiva u otras características que pudiera tener. Si había regresado, aunque sólo parte del camino, alguien había tenido que verla.

Le llevó toda la mañana llegar hasta Greenwich, pero averiguó alguna cosa sobre la barcaza. Era grande y aun así iba peligrosamente cargada. Uno o dos hombres acostumbrados a trabajar en el río repararon en ella precisamente por eso. Dieron una descripción muy aproximada de las dimensiones, pero, dada la oscuridad, aunque hubiese tenido alguna señal distintiva nadie la habría visto.

Desde Modern Wharf, pasado Greenwich, cruzó otra vez el río en barca remontándolo un poco hasta e muelle de Cubitt Tower Pier, para luego seguir a pie otra vez hasta más allá de la entrada de Blackwall de la dársena de West India South Dock, preguntando por la barcaza a diestro y siniestro. Hizo un alto en la Taberna de la Alcachofa, donde tomó un vaso de sidra, aunque nadie se acordaba ya de la noche de los asesinatos en Tooley Street. Había pasado demasiado tiempo.

Con creciente desánimo, fue hasta la escalinata de Blackwall Stairs, donde mantuvo una larga conversación con un barquero atareado en ayustar un cabo, manejando la aguja de hierro con sus dedos nudosos con una habilidad pasmosa y la misma gracia que una dama haciendo puntilla. Monk disfrutó observándole, pues le sobrevino el recuerdo de un pasado remoto, la época de la infancia en las playas del norte, el olor a sal y la música de las voces de Northumberland, un tiempo que no recordaba plenamente, sólo brillantes manchas de sol en un paisaje oscuro.

—Una gabarra muy grande —dijo el barquero, meditabundo—. Sí, me acuerdo de los asesinatos de Tooley Street. Mal asunto ése. Lástima que no cogieran al que lo hizo. Aunque tampoco me gustan las armas. Las armas son para los soldados y los ejércitos y gente así. En otras manos sólo traen problemas.

—Las destinadas a la Unión al parecer viajaron en tren hasta Liverpool —repuso Monk. No es que tuviera mucha importancia y, desde luego, menos aún para el barquero.

—Ya. —El hombre anudó el chicote al resto del cabo y sacó una navaja para cortar las últimas hebras—. Puede.

—Fue así —aseguró Monk.

—¿Usted las vio? —El barquero enarcó las cejas.

—No..., pero llegaron a destino... A Washington, quiero decir.

El barquero no hizo comentario alguno.

—Pero había otras —prosiguió Monk, entrecerrando los ojos para protegerse de los reflejos del sol en el río. Estaban justo enfrente del tramo gris marronoso de Bugsby's Marshes y del meandro de Blackwall Point, que limitaba el campo visual—. Algo bajó en esa barcaza. Lo que no sé es adónde fueron esas cajas, como tampoco adónde fue la barcaza una vez descargada.

—Pasa un montón de mercancía ilegal por aquí —dijo el barquero—. Cargamentos pequeños, la mayoría, y bajan más hacia el estuario, sobre todo pasado el arsenal de Woolwich y los muelles de esa orilla. Hasta Gallion's Reach, Barking Way o más allá.

—No tuvieron tiempo de llegar tan lejos esa vez —apuntó Monk.

—¿Es probable que los esperaran en algún sitio? —El barquero concluyó su tarea y la inspeccionó detenidamente. Al parecer se dio por satisfecho, puesto que se desentendió del cabo y guardó la navaja y la aguja—. ¿En Margaret Ness o en Cross Ness quizá?

—¿Sabe cómo averiguarlo?

—No se me ocurre nada. Puede probar a preguntar, si es que hay alguien por allí. ¿Quiere que le lleve?

Monk no tenía otra cosa que probar. Aceptó el ofrecimiento, subió a la barca y se sentó con seguridad en la popa.

En medio del río hacía más frío, y una leve brisa que entraba con la marea traía olores a sal y pescado y a lodo de la orilla.

—Bajemos hacia Blackwall Point —dijo Monk—. ¿Cree que allí haya refugio suficiente para esconder un buque de altura lo bastante grande como para cruzar el Atlántico?

—Vaya, hombre, ésa sí que es una buena pregunta —repuso el barquero, pensativo—. Depende de dónde, claro.

—¿Por qué? ¿Qué diferencia hay? —quiso saber Monk.

—Hombre, en algunos sitios un barco llamaría mucho la atención. Los mástiles se verían a más de una milla. En otros hay restos de naufragios, por ejemplo, y ¿quién se va fijar en un palo o dos de más? Al menos durante un tiempo.

Monk se adelantó en el banco con avidez.

—Pues pasemos por todos esos sitios. Veamos qué calado hay y dónde pudo ocultarse un barco —pidió.

El barquero obedeció, apoyando su peso contra los remos y hundiéndolos en el agua.

—Eso no demostrará nada —advirtió—. A no ser, claro está, que alguien lo haya visto. Empieza a hacer mucho, de eso. Por lo menos dos meses.

—Lo probaré —insistió Monk.

—De acuerdo.

El barquero remó con brío y ganaron velocidad pese a ir contra la corriente.

Circundaron el amplio meandro de Blackwall Reach hasta llegar al Point, Monk escudriñando la orilla fangosa con sus carrizos bajos, y aquí y allí un trozo de madera flotando a la deriva, viejos postes de atracaderos que surgían de las aguas como dientes podridos. El sol bajo hacía brillar las marismas, con sus algas y hierbajos, y de vez en cuando los restos de un naufragio que se hundían poco a poco en el lodo.

Más allá de Blackwall Point vio los restos de dos o tres barcazas viejas. Costaba decir cómo habían sido originalmente; apenas quedaba nada reconocible. Podía ser una única barcaza, rota por las corrientes y las mareas, como podían ser dos. Había otras tablas y maderos clavados en distintos ángulos en el fango. Era una visión deprimente, la caída y deterioro de algo que en su día fue hermoso y útil.

El barquero se apoyó en los remos, con el entrecejo fruncido.

—¿Qué sucede? —preguntó Monk—. ¿No es demasiado poco profunda esta ruta para un buque de altura? Tendría que haberse mantenido más alejado si no quería arriesgarse a embarrancar. No pudo ser aquí. ¿Qué le parece un poco más abajo?

El barquero siguió contemplando la orilla sin contestar.

—¿Qué le parece un poco más abajo? —Monk se impacientaba por momentos—. Aquí no hay bastante profundidad.

—Sí —convino el barquero—. Es que estaba intentando recordar algo. Creo que vi algo aquí, por esas fechas; pero no recuerdo el qué.

—¿Un barco? —preguntó Monk sin convicción. Fue más una negativa que una pregunta.

Un tablón de un metro de largo pasó junto a ellos hacia la orilla, sumergido unos centímetros bajo la superficie del agua, con un extremo irregular.

—¿Qué clase de cosa? —insistió Monk.

Otro resto flotante dio un golpe a la barca.

—Había más restos ahí —contestó el barquero, señalando hacia la orilla—. Lo veo distinto. Pero ¿por qué iba nadie a llevarse un pecio de ahí? No sirve para nada. La madera está tan podrida que no vale ni para quemar. Sólo sirve para cruzarse en tu camino.

—Otro... —musitó Monk; entonces, cuando alcanzó a ver el resto a la deriva, se le ocurrió una idea extraordinaria; osada, temeraria, a todas luces improbable, pero que lo explicaría todo.

—¿Hay alguien más que pueda corroborarlo?

Su voz sonó sorprendentemente ronca a causa de asombro y de la urgencia.

El barquero lo miró perplejo, captando la emoción de su tono de voz, pero sin comprenderlo.

—Puedo preguntar. Tal vez el viejo Jeremiah Spatts haya visto algo. Siempre está a la que salta. Vive en el otro lado, pero no para de recorrer el río. Aunque más vale que vaya con cuidado al preguntar. No le gustan los agentes de la ley.

—Pregúntele usted. —Monk metió la mano en el bolsillo y sacó dos medias coronas que le ofreció con la palma abierta—. Consígame una respuesta detallada y sincera.

—De acuerdo —repuso el barquero—. Guarde ese dinero, sólo quiero saber lo que se le ha ocurrido. Cuénteme la historia.

Monk así lo hizo y de todos modos le dio las medias coronas.

A última hora de la tarde Monk fue a ver a Philo Trace y, afortunadamente, lo encontró en su alojamiento. No le preguntó por qué seguía aún en Londres, si se debía a la esperanza de adquirir armas para la Confederación o si simplemente se resistía a marcharse debido a sus sentimientos para con Judith Alberton. El juicio había terminado; ningún deber legal o moral le obligaba a quedarse.

Recordó que Trace había mencionado que había buceado en la Marina de la Confederación y ahora necesitaba hablar de ello con urgencia.

—¡Bucear! —exclamó Trace con incredulidad—. ¿Dónde? ¿Para qué?

Monk le dijo por qué, exponiendo sus motivos y resumiendo lo que había visto.

—No puede ir solo —convino Trace en cuanto Monk terminó—. Es peligroso. Iré con usted. Hay que conseguir trajes. ¿Ha buceado alguna vez?

—No, así que tendré que aprender haciéndolo —contestó Monk, que se daba cuenta de su excesivo desparpajo. Pero no tenía alternativa. No podía enviar a ninguna otra persona, y la mirada de Trace daba a entender que opinaba lo mismo. No discutió.

—En ese caso más vale que le explique algunos de los peligros que entraña y las sensaciones que va a experimentar, por su propia seguridad —advirtió—. Seguro que hay buzos en algún lugar del río, por lo menos para operaciones de rescate, y para efectuar arreglos en embarcaderos y demás instalaciones sumergidas.

—Los hay —convino Monk—. El barquero me lo dijo. Ya he hecho averiguaciones. Podemos alquilar equipo y hombres que nos ayuden en la casa Heinke. Son ingenieros submarinos. Su oficina está en Great Portland Street.

—Bien. —Trace asintió con la cabeza—. Pues estoy listo para cuando usted disponga.

—¿Mañana?

—Por supuesto.

Monk había contado a Hester la idea que se le había ocurrido en el río, así como su plan de ir con Philo Trace a bucear en el Támesis a la altura de Blackwall Point. Naturalmente, ella lo había acribillado a preguntas y él sólo le contestó garantizándole su seguridad y con otras generalidades sobre los medios que utilizarían y lo que esperaba encontrar.

Poco antes de las dos de la tarde siguiente se marchó, diciendo que se encontraría con Trace y los hombres de la casa Heinke en el río y que regresaría bien cuando hubiese descubierto algo, bien cuando la marea entrante imposibilitara seguir trabajando. Hester no tuvo más remedio que contentarse con eso. No había posibilidad alguna de acompañarle. Viendo la expresión de Monk supo que de nada le serviría insistir.

Monk encontró extraordinaria, y también aterradora, la experiencia de bucear. Se reunió con Trace en el muelle, donde iban a pertrecharlos con todo lo necesario para la empresa que se proponían. Hasta ese momento Monk se había concentrado en lo que esperaba hallar en el fondo del río y en lo que eso le revelaría, suponiendo que tuvieran éxito. Ahora, de pronto, se vio abrumado por la realidad de lo que se disponía a hacer.

—¿Se encuentra bien? —preguntó Trace, con expresión de inquietud.

Estaban uno al lado del otro sobre los enormes tablones del muelle, el agua gris opaca, a unos seis metros por debajo de ellos, succionando y deslizándose lentamente, oliendo a sal, lodo y ese peculiar hedor agrio de la marea saliente que dejaba tras de sí los residuos de la vida que bullía en las riberas. Iba tan cargada de limo en suspensión que tanto podía tener un palmo como un kilómetro de profundidad. A más de un palmo de la superficie no se veía nada. Era justo el momento del reflujo entre la bajada y la subida de la marea, el mejor para bucear, cuando las corrientes eran menos fuertes y la visibilidad del agua salada entrante proporcionaba una visibilidad de algo más de un palmo.

Monk notó que estaba temblando.

—¡Muy bien, señor! —exclamó alegremente un hombre flaco con el pelo entrecano—. Vamos a por usted. —Miró a Monk de arriba abajo con moderada aprobación—. Tampoco es que esté muy gordo. Los prefiero más flacos, aunque le irá bien.

Monk le miró fijamente sin comprender.

—Los gordos no sirven para bucear —dijo el hombre, silbando entre dientes—. No soportan la presión del fondo. El cuerpo reacciona mal y la palman. Venga, fuera esa ropa. ¡No perdamos más tiempo!

—¿Cómo?

—Que se quite la ropa —repitió el hombre pacientemente—. No pensará bajar vestido de esa manera,

¿verdad? A quién cree que va a ver ahí abajo, ¿eh? ¿A la condenada reina?

Había llegado otro hombre listo para ayudar. Monk miró hacia un lado y observó que a Trace también lo desnudaba y lo volvía a vestir un hombre que llevaba un jersey grueso a pesar del calor de aquella mañana de agosto.

Obedientemente, se desvistió hasta quedar en ropa interior. Le dieron un par de medias largas de lana blanca, luego una camiseta gruesa del mismo género y luego unos bombachos de franela que sujetaban lo demás. Aquellas prendas resultaban sofocantes. Apenas tuvo tiempo de imaginar la ridícula pinta que debía de tener, aunque al ver a Trace supuso que sería muy semejante a la suya.

El hombre que le vestía sacó una gorra roja de lana y se la puso en la cabeza, ajustándola con tanto esmero como si fuese un complemento de alta costura.

Una fila de barcazas pasó por delante de ellos; los hombres que iban a bordo miraban con interés, preguntándose qué sucedería, qué andarían buscando o si sólo se trataba de apuntalar un muro que se desmoronaba o una estaca rota de un muelle.

—¡Vaya con cuidado! —advirtió el hombre que vestía a Monk—. ¡Mantenga esto en su sitio, tal como se lo he puesto! ¡Si se obtura la manguera del aire vamos a subirlo muerto! Ahora lo mejor es que vaya bajando la escalera hasta la barcaza. Todavía no hace falta que se ponga el resto del traje. Pesa como un muerto, sobre todo cuando uno no está acostumbrado a él. ¡Cuidado!

Esta última advertencia se debió a que Monk por poco pisó sin calzado un clavo que sobresalía peligrosamente del suelo.

Trace bajó tras él por la larga escalera de mano hasta la embarcación que iba dando golpes contra el muelle. A bordo ya había un increíble despliegue de bombas, tornos, rollos de manguera de caucho y cabos.

En condiciones normales, Monk habría mantenido el equilibrio sin dificultad dado lo poco que se balanceaba la barca, pero estaba tenso y se movía con una torpeza nada característica en él. Se le ocurrió preguntarse qué pensarían de él si no encontraban nada. Y también quién pagaría el coste de la expedición.

Trace estaba muy serio, pero conservaba la compostura. Al menos en apariencia no sentía recelo alguno. ¿Había creído la extraordinaria historia de Monk?

Los tres hombres que los habían vestido y ayudado hasta entonces apoyaron las espaldas contra los remos y soltaron amarras, para acto seguido comenzar a remar río abajo con la marea saliente en dirección a Bugsby's Marshes. Nadie hablaba. Los únicos sonidos eran el crujir de los remos en los escálamos y el chapoteo de las palas en el agua.

El cielo estaba medio cubierto por el humo de los miles de chimeneas que se erguían en las dársenas de la orilla norte. Los mástiles y las grúas se recortaban en negro entre la calima. Delante de ellos quedaban los peligrosos bajíos de las marismas. Monk ya les había dicho con tanta exactitud como pudo dónde deseaban iniciar la búsqueda. Era una indicación aproximada y se fue dando cuenta de lo inmensa que era la zona a medida que se acercaban al Point y al pecio que había visto en la excursión anterior.

Los hombres descansaron apoyados en los remos. La marea había menguado.

—Muy bien, señor —dijo uno de ellos—. ¿Por dónde quiere empezar?

Había llegado el momento de pedir consejo a los expertos.

—Si un hombre quisiera hundir una barcaza de modo que nadie la encontrara, ¿dónde creen que lo haría? —preguntó. Se sintió ridículo al decirlo.

En lo alto, las gaviotas volaban en círculos. El viento se estaba levantando y el agua sorbía contra las bordas de la embarcación, meciéndola gentilmente.

Fue el hombre que había ayudado primero a Monk a vestirse quien contestó.

—A sotavento de uno de los bancos de arena —dijo sin titubeos—. El agua es lo bastante profunda para esconder una barcaza hasta con la marea más baja.

—¿Qué podría hundir una barcaza? —preguntó Monk.

El hombre hizo una mueca.

—Poca cosa, la verdad. Sobre todo la edad, o un exceso de carga, cosa que algunos idiotas hacen.

—Pero ¿si la quisiera hundir adrede? —inquirió Monk.

El hombre abrió los ojos como platos.

—En ese caso, basta con hacerle un agujero. Por debajo de la línea de flotación, por supuesto. Y no en el fondo. Suele estar hecho de olmo. Demasiado duro. Las bordas en cambio son de roble.

—Entendido. Gracias.

Era cuanto precisaba saber. Ya no había excusa para no ponerse el resto del traje y saltar por la borda para sumergirse en el agua turbia.

Tras unos cuantos golpes de remo más, al cabo de unos cinco minutos se encontró poniéndose el traje de buzo con la ayuda de dos de los hombres. Era como un pantalón y una chaqueta formando una única prenda muy holgada, hecha con dos capas de tela impermeable con otra de caucho en medio. Tuvo la impresión de estar metiéndose en un saco, sólo que provisto de perneras y mangas.

No había imaginado ni por un instante lo difícil que resultaría pasar las manos por los apretados puños de caucho. Se vio obligado a untarlas con jabón y a estrechar las palmas al máximo mientras el asistente abría el puño y él metía la mano con tanta fuerza que temió que se le desgarrara la piel.

El hombre que le vestía asintió con aprobación. Si reparó en que Monk tenía el rostro bañado en sudor, no hizo ningún comentario al respecto.

—¡Siéntese! —ordenó, señalando el banco que había detrás de Monk—. Tiene que ponerse las botas y la escafandra. —Se agachó y comenzó la operación de calzarle las enormes botas lastradas—. Si no se las pongo bien, las perderá en el fango. El fondo chupa que da miedo. Y estese quieto mientras le pongo el peto. Si se suelta, está usted perdido.

Monk notó que se le hacía un nudo en el estómago al imaginarse la oscuridad y el lodo angurriento y sin fondo. Tuvo que hacer acopio de todo el dominio de sí mismo para permanecer inmóvil mientras le colocaban la escafandra y la atornillaban hasta que quedó bien sujeta. Por el momento no le pusieron el cristal delantero. Monk se sorprendió ante el peso aplastante de la escafandra. Le pasaron la manguera del aire por debajo del brazo derecho y conectaron el extremo a la válvula de admisión; luego pasaron el cabo del pecho por debajo del brazo izquierdo y lo aseguraron. A continuación vinieron el cinturón y el pesado cuchillo afilado como navaja barbera en su funda de piel. El hombre hizo una lazada con un cabo rodeando la cintura de Monk.

—Veamos, sujete esto con la mano y si tiene problemas tire con fuerza seis o siete veces y le subiremos. Esto se llama cabo de salvamento. —Sonrió burlonamente—. Este otro cabo de aquí va atado a usted, el otro chicote lo ataremos al final de la escala, pues no queremos perderle, al menos hasta que nos haya pagado.

Rió de buena gana y comprobó la escafandra de Monk.

—¿Todo bien, chaval? —preguntó el hombre.

Monk asintió; sentía la boca reseca.

Miró el agua marrón que rodeaba la embarcación, moviéndose aún con desgana en la mansa marea, y tuvo la sensación de que iban a enterrarlo vivo. Los tres hombres se ocupaban de sus tareas con esmero y profesionalidad.

Trace ocupaba el otro banco, vestido exactamente como él. Sonrió y Monk le devolvió la sonrisa, deseando que estuviera tan confiado como ese gesto implicaba.

Uno de los hombres se puso derecho.

—¡Muy bien, muchachos, pongamos esa bomba en marcha!

Se oyó un sonoro chasquido y al instante Monk notó el aire entrando en su casco. El hombre sonrió.

—Sí señor, funciona bien. Ahora no se preocupe, muchacho. Sólo acuérdese de ir bien pegado al otro tío y de cómo se hincha el traje con esta válvula y todo irá bien.

De pronto no parecía tan confiado, como si llegado el momento de la verdad se hubiese dado cuenta de lo novato que era Monk y del riesgo que corría.

Colocaron el cristal frontal de la escafandra en su sitio y a Monk le sobrevino un instante de pánico. Respiró entrecortadamente para llenar los pulmones de aire. Poco a poco el pulso fue recobrando un ritmo normal.

—Vale —dijo el hombre con una sonrisa un tanto forzada—. ¡Es hora de bajar!

Monk avanzó pesadamente hacia la escala, pensando a cada paso que el peso del casco iba a doblarle las rodillas. Fue bajando con torpeza y cuando el agua le llegó a la cintura, le ataron dos plomos de veinte kilos al pecho y la espalda. Jadeó ante el repentino incremento de peso.

Le dieron un farol sumergible dentro del cual había una vela.

El traje empezó a inflarse a medida que el aire lo expandía. Ahora entendió por qué tenía que ser tan holgado.

Trace ya estaba debajo de él en el agua, casi sumergido.

El río se cerró sobre su cabeza y en un instante quedó sumido en la penumbra. El único contacto con Trace y con la superficie era mediante cabos, y procuró poner en orden lo que el hombre le había dicho: «Conserve la calma. No se deje llevar por el pánico. Recuerde que no está solo. Tire del cabo si tiene problemas. Le subiremos».

La presión le apretaba los tímpanos. Tragó saliva para aliviarla.

Sus ojos se acostumbraron poco a poco a la penumbra. Distinguió la silueta de Trace, que avanzó hacia él y le tomó de la mano.

Con los pies lastrados tocando apenas el fondo fangoso, Monk le siguió.

Perdió la noción del tiempo. Le asombraba lo difícil que resultaba mantener el equilibrio. La marea era mucho más fuerte de lo que había previsto, tiraba de él hacia un lado y otro, ya que la corriente se arremolinaba y, en ocasiones, iba en una dirección a la altura del pecho y en la contraria a la de los muslos y las rodillas. Más de una vez se encontró cayendo y recobrando el equilibrio con dificultad. Todo el rato era muy consciente de que sólo una delgada manguera de aire bombeado le mantenía con vida, que un precario conjunto de cabos era lo único que podía devolverlo a la superficie.

El suelo se empinó bajo las gigantescas botas. Estaban en el bajío de fango. Costaba lo suyo trepar por el talud. Monk sudaba copiosamente por el esfuerzo, pero tenía las manos y los pies helados. El agua turbia hacía remolinos alrededor de su cabeza, impidiéndole la visión.

La borrosa silueta de Trace estaba justo delante de él, lo bastante cerca como para ir de la mano, pero sólo era una mancha más oscura de penumbra.

El tiempo parecía hacerse eterno. Monk ansiaba ver la luz. Todo aquello era una idea absurda. ¿Qué le había llevado a pensar que habían hundido la barcaza, sencillamente porque no había hallado rastro de su regreso río arriba? Y, suponiendo que la encontrara ahí abajo, ¿qué demostraría? Sólo que desde el principio la intención había sido el fraude. ¿Demostraría quién era el autor o quién había matado a Alberton?

Delante la oscuridad era impenetrable. ¿Cuánto tiempo llevaban ahí abajo?

Trace seguía guiándole, y se volvió lentamente en el agua, levantando el brazo libre.

Monk volvió a perder el equilibrio. Debería haber dejado aquello en manos de profesionales, se dijo. Pero no podía; tenía que hallar lo que fuera por sí mismo, palpar las pruebas, ver todo lo que hubiera, sin perder detalle, sin destruir nada.

Sin soltar la mano de Monk, Trace extendió el brazo y señaló algo. Delante de ellos la oscuridad era casi total, no se veían siquiera los remolinos marrones del agua.

Trace comenzó a avanzar de nuevo y Monk le siguió con una lentitud exasperante.

De repente dejó de hacer pie y notó un fuerte tirón de los cabos. Torpemente trató de mirar hacia abajo para ver qué lo había atrapado. Eran los maderos de un pecio sumergido.

Trace estaba trepando por una borda de la barca.

Monk fue tras él. Los músculos le dolían por el esfuerzo que suponía moverse. Al parecer se encontraban en una cubierta, deslizándose lentamente, ya que la proa se asentaba hundiéndose más en el lodo. Avanzando con las manos llegaron a la cabina.

Les costó una larga y lenta inspección, palmo a palmo, sosteniéndose mutuamente, averiguar lo que había en el interior.

Fue Trace quien dio con los cajones. Resultaba imposible decir cuántos había, pero moviéndose con infinita lentitud contaron cincuenta como mínimo. Eran muchos más de los que Monk esperaba. Parecía que fuese el cargamento original de Breeland.

Pero ¿por qué estaba allí en el fondo del río y no de camino de América o el Mediterráneo?

Monk notó la mano de Trace en el hombro. Apenas veía nada. Había tan poca luz que costaba saber hacia dónde se encontraba la superficie.

Alcanzó a Trace y le cogió con la mano entumecida de frío. No era momento para andarse con tonterías.

Una mano vino hacia él. Luego notó el resto del cuerpo, un hombro, quizás una cabeza. Chocó contra su casco y algo cubrió el cristal ante sus ojos.

¡Pelo! ¡Pelo humano flotando en el agua! ¡Trace se estaba ahogando!

Monk agarró con fuerza el brazo y al mismo tiempo intentaba tirar desesperadamente del cabo de salvamento. ¡Tenía que conseguir ayuda! ¿Qué había sucedido?

¡El brazo no ofrecía resistencia, no pesaba! ¡Dios todopoderoso! ¡Estaba suelto..., no era más que un brazo, hinchado y casi desnudo! Entrevió a duras penas sus dedos hundidos en la carne, blanda como manteca caliente.

Sintió náuseas y poco faltó para que vomitara. El resto del cuerpo estaba allí, casi entero, enorme, desintegrándose al tocarlo.

Vio la luz de Trace en la penumbra, haciéndole señas. Otro cuerpo pasó flotando por su campo visual y desapareció.

Aquello no tenía sentido. ¿Quiénes eran esos hombres? ¿Por qué estaban muertos? Se obligó a controlar el asco y avanzó lentamente tras uno de ellos. Le fue dando la vuelta a tientas hasta dar con la cabeza. Acercó el farol para iluminarla, procurando no mirar los rasgos informes. El agujero de la bala estaba allí, costaba de ver en la carne blanca y medio comida de la frente, pero resultaba evidente en el cráneo astillado.

Tardaron una eternidad en avanzar contra la corriente hasta entrar en la angosta cabina, chocando entre sí y contra los horrendos cadáveres, antes de determinar sin asomo de duda que había tres hombres y que todos ellos habían muerto de un tiro.

Trace se acercó a Monk, lo asió de un brazo y apoyó la escafandra contra la suya. Cuando habló, increíblemente, Monk pudo oírle casi con normalidad.

—¡Shearer! —dijo Trace claramente, agitando el brazo en que sostenía el farol en dirección a uno de los cadáveres.

Shearer. ¡Pues claro! Aquella abominación era el motivo por el que nadie había visto a Walter Shearer desde la noche en que Alberton había muerto. Había sido leal a Alberton después de todo. Había seguido la barcaza hasta allí y le habían pegado un tiro como a los otros dos. ¿Serían ellos quienes habían cometido los asesinatos? ¿Por qué? ¿Obedeciendo órdenes de quién?

Hizo un gesto de asentimiento, luego se volvió y salió a trancas y barrancas de la espantosa cabina, deteniéndose de golpe al notar un tirón en la manguera del aire, que a punto estuvo de romperse. El terror le impedía respirar. Se empapó de un sudor frío. ¡Trace! ¡Por supuesto! Iba a morir allí abajo, en aquella agua mugrienta, a solas con su asesino. Nunca volvería a ver la luz, a respirar, a estrechar a Hester entre sus brazos ni a mirarla a los ojos.

Cuando Monk salió de casa aquella tarde, Hester procuró mantenerse ocupada con tareas domésticas. La señora Patrick llegó exactamente a las dos en punto, la hora convenida. Era una mujer menuda y delgada con el pelo blanco y crespo, y unos ojos muy azules. Los rasgos marcados daban carácter a su rostro más bien adusto y sus maneras eran enérgicas y eficientes. Su modo de pronunciar las erres al hablar delataba su origen escocés, que Hester no acaba de ubicar aunque tenía claro que no procedía de Edimburgo. Guardaba demasiados recuerdos de esa ciudad como para confundir el acento de sus gentes.

La señora Patrick, muy pulcra con su delantal blanco perfectamente almidonado, comenzó por poner orden en la cocina mientras planeaba las demás tareas: limpiar la pequeña cocina, hacer la colada, fregar el suelo de la cocina, limpiar la despensa y anotar lo que fuese preciso comprar, sacar las alfombras, barrer los suelos, sacudir las alfombras y volver a colocarlas, tender la ropa y planchar la colada del día anterior. Y, por supuesto, preparar la cena.

—¿A qué hora volverá a casa el señor Monk? —preguntó a Hester, que estaba sentada en el despacho para no molestar, cosiendo un botón de una camisa.

—No lo sé —contestó Hester—. Ha ido a bucear.

La señora Patrick enarcó las cejas.

—¿Cómo ha dicho?

—Ha ido a bucear —repitió Hester—. En el río. No sé muy bien qué espera encontrar.

—Agua y lodo —dijo la señora Patrick en tono áspero—. Por el amor de Dios, ¿cómo se le ha ocurrido hacer eso? —Miró a Hester con suspicacia, como si sospechara que le habían mentido a propósito acerca de la naturaleza del trabajo de Monk.

Hester deseaba conservar a toda costa a la señora Patrick. La vida le resultaba mucho más llevadera desde que contaba con ella.

—Todavía está intentando averiguar quién es el responsable de la muerte del señor Alberton y de los crímenes de Tooley Street —dijo con vacilación.

La señora Patrick torció la boca en una mueca de escepticismo.

—Hay otras armas —continuó Hester, sin saber si el

comentario empeoraba o mejoraba las cosas. Algo fue transportado río abajo en esa barcaza desde el muelle de Hayes Dock. Puede que fuera para pagar a los chantajistas.

La señora Patrick no tenía intención de reconocer que estaba al corriente del caso. Desaprobaba la lectura de esa clase de noticias, pero las palabras salieron de su boca antes de que se diera cuenta de lo que implicaban.

—Ése fue el motivo por el que contrataron al señor Monk al principio, ¿verdad?

—Sí, así es —admitió Hester.

—Pues a mí me da que no existe ningún chantajista. —La señora Patrick alisó el delantal sobre sus estrechas caderas—. Diría que fue el propio señor Alberton quien hizo eso... ¡Probablemente vendió las armas a los piratas de todos modos!

—Eso no tendría ningún sentido —replicó Hester—. Si no hubiese habido chantajista, podría haberlas vendido a quien quisiera.

—Al mejor postor —apuntó la señora Patrick con cierto aire de misterio—. Dinero, eso es lo que habrá detrás de todo, ya lo verá. El amor al dinero es la raíz de todos los males. —Se volvió y regresó a la cocina para seguir con sus quehaceres.

Hester pasó un cuarto de hora dándole vueltas en la cabeza. Luego fue a la cocina e informó a la señora Patrick de que iba a salir y que no sabía con exactitud a qué hora regresaría.

—Supongo que no va a ir al río, ¿verdad? —preguntó la señora Patrick, alarmada.

—No, no se preocupe —respondió Hester para tranquilizarla—. Voy a considerar la cuestión del chantaje otra vez, con mayor detenimiento.

La señora Patrick soltó un gruñido y volvió a centrar su atención en el fregadero, aunque la rigidez de sus hombros mostraba con elocuencia la mezcla de satisfacción y desaprobación que sentía. Obviamente no estaba del todo segura de que el trabajo que había aceptado fuese el más sensato, pero sin duda resultaba interesante y de momento no lo iba a dejar, a menos que amenazara seriamente su seguridad personal o su reputación.

Hester fue de nuevo a ver a Robert Casbolt. Esperó encontrarlo en casa. De lo contrario tendría que pedir una cita con él en su oficina, o aguardar a que regresara de donde fuese que lo hubiesen llevado sus negocios.

Por suerte se hallaba en casa, al parecer leyendo. Un sirviente anciano le hizo saber que el señor Casbolt estaría encantado de verla y la condujo, no a la sala dorada en la que habían conversado con anterioridad, sino a otra del primer piso, que era, si cabía, aún más hermosa. Las cristaleras se abrían a un balcón que dominaba el jardín, en esa época lleno de flores, silencioso y rebosante de sol. En la decoración de la sala predominaban los tonos tostados y crema, consiguiendo un ambiente muy apacible en el que Hester se sintió a gusto de inmediato.

Casbolt le dio la bienvenida y la invitó a sentarse en uno de los sillones que miraban al jardín, un poco a la izquierda de un magnífico león de bronce italiano.

—¡Qué preciosidad! —exclamó Hester con algo más que mera admiración. Aquella estancia transmitía ternura, como si fuese un sitio ajeno a la vida cotidiana.

Casbolt se mostró complacido.

—¿Le gusta?

—Más que eso —repuso ella—. Es... excepcional.

—Sí, es cierto —convino él—. Paso muchos ratos a solas aquí. Cuando estoy fuera se cierra. Me complace que aprecie su calidez.

Hester esperó con más anhelo que las cosas no fueran como la señora Patrick insinuaba, pero debía hacer frente a la verdad. Si Alberton tuvo la intención de tratar con los piratas de un modo u otro, o si les había hecho creer que lo haría, entonces quizá su muerte no tuviera nada que ver con la guerra civil americana sino que se debería a un asunto de dinero, o tal vez tras todos los años transcurridos, una vieja venganza por la muerte del hermano de Judith. Puesto que Casbolt era su primo, y resultaba obvio que se preocupaba profundamente por ella, quizás incluso estuviera al corriente o lo hubiese llegado a adivinar. Si se trataba de una de esas dos cosas, deseaba ardientemente que fuese la segunda. Un acto de venganza resultaba comprensible. Cualquier hombre podría haber ansiado alguna clase de justicia en esas circunstancias, y llegar a donde la ley no podía.

—¿Qué puedo hacer por usted, señora Monk? —preguntó Casbolt gentilmente—. Me siento tan en deuda con usted, créame, que sólo tiene que nombrar el favor que desee.

—Todavía no sabemos quién fue responsable de los crímenes.

Eligió palabras evasivas y habló en voz baja. De algún modo, en aquella hermosa estancia habría resultado grosero emplear palabras como «asesinato» habiendo eufemismos igualmente comprensibles.

Casbolt bajó por un instante la vista hacia sus manos. Tenía unas manos bonitas, fuertes y delicadas a la vez. Luego volvió a mirarla.

—No, y me temo que nunca lo sabremos —admitió—. Creía que había sido obra del propio Breeland, o de Shearer instigado por éste. Me alegra mucho que Rathbone demostrara que no fue Merrit, y no descubrir quién lo hizo me parece un precio muy barato por su libertad.

—No tiene que ser forzosamente un intercambio, señor Casbolt —opinó Hester—. Ahora Merrit está perfectamente a salvo. He considerado el asunto con bastante detenimiento y me pregunto si no tendrá su origen en la carta de chantaje que les llevó a consultar con mi marido. Al fin y al cabo, pedían armas como pago por su silencio. Y han permanecido callados.

Casbolt frunció el entrecejo con expresión de incertidumbre. Titubeó unos instantes antes de contestar.

—No estoy seguro de qué es lo que cree usted, señora Monk. ¿Piensa que mataron a Daniel y robaron las armas porque no iba a ceder a sus exigencias? ¿Quiere decir que Breeland se vio atrapado en ello sencillamente por una desafortunada coincidencia en el tiempo? ¿Es eso lo que insinúa?

No era tan sencillo como eso, pero Hester se resistía a expresarle sus temores. Daniel Alberton había sido su mejor amigo y cualquier injuria contra su persona salpicaría a Judith y a Merrit. ¿Tanto importaba ahora la verdad, los detalles sobre el porqué, mientras supieran quién?

—¿Lo cree posible? —dijo Hester evadiéndose.

Casbolt volvió a guardar silencio unos instantes, meditabundo.

Mientras aguardaba, Hester se dio cuenta de lo poco probable que era. Si robar las armas era tan sencillo, ¿por qué se habrían molestado con la sofisticación del chantaje?

Casbolt la observaba.

—Usted no lo cree, ¿verdad? —susurró él al fin—. Tiene miedo de que Daniel cediera ante ellos, ¿me equivoco? Sabe que estaba en el almacén esa noche... Sin duda fue para encontrarse con alguien.

—Sí —contestó Hester con pesar. Detestaba tener que hacer aquello pero la verdad estaba allí, delante de ellos, enorme e inevitable. Ya no había posibilidad de evitarla.

—Daniel no hubiese vendido armas a unos piratas —dijo Casbolt, negando con la cabeza, negándoselo a sí mismo.

—Las armas que faltaban del cargamento de Breeland eran la cantidad exacta que exigía la carta de chantaje —señaló Hester.

—Aun así, no lo habría hecho. ¡A piratas no! —exclamó; pero su voz iba perdiendo convicción. Hablaba para persuadirse a sí mismo, y la tristeza que expresaban sus ojos daba a entender que sabía que ella lo notaba.

—Quizá no tenía elección —aventuró Hester.

—¿Por el chantaje? ¡Habríamos luchado y vencido! Seguro que su marido habría descubierto al autor. Tenía que ser alguien que viviera en Londres. ¿Cómo iba a saber nada sobre Gilmer un pirata del Mediterráneo?

—¿Cómo iba a saberlo nadie? —Hester lo dijo tan bajo que Casbolt se inclinó hacia delante para oírla. Notaba que tenía el rostro encendido, pero las manos frías.

Casbolt la miraba fijamente.

—¿Está insinuando... lo que pienso...? —Se atrancó con las palabras—. ¡No! ¡Él no hubiese hecho eso!

Así como Breeland no podía ser culpable debido a las horas de los acontecimientos, Casbolt tampoco podía. Aborrecía hacerle daño pero era la única persona en quien podía confiar, la única que estaba en posición de hallar la verdad, aunque fuera para silenciarla.

—¿Tal vez necesitaba el dinero?

Casbolt puso ojos como platos.

—¿El dinero? No lo entiendo. Conozco bastante bien los libros de la empresa, señora Monk. Nuestras finanzas están saneadas.

Por fin Hester pronunció en voz alta la espantosa idea que había intentado suprimir o negar todo el día.

—¿Y si hizo inversiones a título personal y perdió dinero?

Casbolt se sobresaltó, como si la idea le pusiera nervioso. Le llevó unos instantes recobrar la compostura.

—¿En bolsa, quiere decir? —preguntó—. ¿O algo por el estilo? No me parece probable. Era cualquier cosa menos jugador. Y, créame, le conocí el tiempo suficiente como para saberlo. —Habló muy serio, aún inclinado hacia ella, con las manos entrelazadas con fuerza, los nudillos blancos.

Hester debía seguir adelante, explicarle lo que quería decir.

—No en bolsa ni en valores, y en ningún momento he pensado en el juego, señor Casbolt. Más bien pensaba en algo que en un momento dado pareciera un buen negocio, sin riesgos aparentes.

La miró a los ojos, con la mirada turbia, esperando que prosiguiera.

—Como vender armas a los chinos —dijo Hester.

La expresión de Casbolt era indescifrable, sus emociones demasiado profundas para medirlas.

En ese preciso instante Hester tuvo claro que él lo sabía. Lo había ocultado para proteger a Alberton y puede que aún más para proteger a Judith. Se dio cuenta con un cierto sobresalto de lo mucho que aquella sala decía acerca de su amor por ella, y por qué era tan especial. Quizá no fuera necesario contárselo a nadie. No tenían por qué saber más de lo que sabían ahora. El misterio, las preguntas sin respuesta, sería mejor que la verdad.

—La Tercera Guerra china —concluyó Hester—. Si invirtió dinero en armas para venderlas a los chinos, las envió y luego se negaron a pagar porque había estallado una guerra entre nosotros y ellos que nadie había podido prever, pues debió de sufrir unas pérdidas considerables..., ¿no es cierto?

Casbolt apretó los labios, pero no apartó los ojos de los de Hester.

—Sí...

—¿No es eso posible? —insistió ella.

—Claro que lo es. Pero ¿que insinúa que ocurrió la noche en que lo mataron? Sigo sin comprender que unas pérdidas en la venta de armas a los chinos condujeran a ese final.

—Sí que lo comprende —lo contradijo ella en voz

baja—. ¿Y si resultara que Breeland está diciendo no sólo lo que cree que es la verdad sino la verdad en sí misma? Alberton pudo muy bien quedarse con el dinero de Philo Trace, entregado de buena fe, luego vender las armas a Breeland, valiéndose de Shearer para entregarlas en la estación de Euston Square. Así habría dispuesto de dos sumas de dinero que supondrían un pingüe beneficio..., más que suficiente para compensar las pérdidas con los chinos.

Casbolt no la contravino. Su rostro presentaba una mirada herida, abatida.

—Y entonces, ¿quién le mató? Y ¿por qué?

—El representante de los piratas —contestó Hester.

—Ya...; supongo que lleva razón.

—A no ser que se produjera un enfrentamiento —agregó ella, levantando la voz con esperanza sin proponérselo—. Quizá sabía quiénes eran y les dijo que haría tratos con ellos porque planeaba conseguir alguna clase de justicia por la familia de Judith.

Eligió la palabra «justicia» deliberadamente, en lugar de «venganza».

Casbolt meditó acerca de aquello. Su rostro hacía patente que estaba sopesando todas las posibilidades. Finalmente, pareció tomar una decisión.

—Si lo que insinúa acerca de que Daniel perdió dinero propio con la guerra china es correcto, y si en efecto vendió las armas a Breeland tal como éste sostiene y se quedó con el dinero de Trace... Cuando luego Trace lo descubriera, ¿no sería él quién buscaría venganza, o, desde su punto de vista, justicia? Y el método de... ejecución... fue típicamente americano, recuerde. ¿No le parece más probable que Trace fuera a Tooley Street para enfrentarse con Daniel, que discutieran acaloradamente y que Trace los matara? Quizá nunca sepamos si se personó solo o acompañado. Tal vez le ayudaron. Tendría aliados preparados para trasladar las armas cuando las comprara, igual que los tenía Breeland. Posiblemente habría bastado un hombre para hacer que los vigilantes se ataran el uno al otro, a punta de pistola, y él mismo ataría al último..., me figuro. —Estaba pálido, crispado—. Trace parece un hombre amable, lleno de encanto, pero es un comprador de armas del ejército confederado, que lucha para preservar el estilo de vida del Sur y el derecho a tener esclavos. Bajo esos finos modales hay un hombre desesperado y resuelto cuyo pueblo está en guerra por su propia supervivencia. —Titubeó y se mordió el labio inferior—. Y aún hay otra cosa, señora Monk: el reloj. Merrit declaró en el juicio que no sabía dónde lo había dejado, pero mintió. Todos lo sabemos. Se lo quitó en el domicilio de Breeland cuando se cambió de ropa, y lo olvidó allí. Según el portero alguien subió al apartamento antes que nosotros. —Estaba temblando—. Si ese hombre fue Trace, pudo muy bien llevárselo consigo y arrojarlo en el patio del almacén para incriminar a Breeland. ¿No parece lo más lógico?

Hester notó que el pánico le aceleraba el pulso y que todo el cuerpo le picaba por el sudor. Monk estaba a solas con Trace en el fondo del Támesis, confiando en él, con su vida en manos de la destreza y el honor de Trace.

Se puso de pie de un salto, respirando con dificultad.

—¡William está buceando! —Casi se atragantó—. ¡Está a solas con Trace! Buscan la barcaza que llevó las armas río abajo. —Se volvió y fue dando traspiés hacia la puerta—. ¡Tengo que ir allí! Tengo que advertirle..., ayudarle...

Casbolt estuvo a su lado en abrir y cerrar de ojos.

—Iré yo —dijo—. Llegaré hasta ellos lo más deprisa posible. Puedo salir al río. Usted se queda aquí, a salvo. No podría hacer nada aunque fuera allí. Avisaré a la policía fluvial. —Se adelantó a ella, tomándola con delicadeza de los brazos, como para retenerla—. Quédese aquí —repitió—. Estará a salvo. Llevaré a la policía y me enfrentaré a Trace. A Monk no le pasará nada.

Y antes de que tuviera tiempo de responder salió por la puerta, cerrándola tras de sí, y Hester oyó sus pasos alejarse.

Hester regresó al centro de la sala. Realmente era hermosa. Había un retrato en miniatura en un extremo de la repisa de pálido mármol de la chimenea. Al principio no había reparado en quiénes eran. Ahora vio que se trataba de Judith a los veinte años, poco más o menos. Sería de la época en que había conocido a Daniel Alberton.

Había otra pintura, apenas un bosquejo, de tres jóvenes trepando por las rocas de una playa, Judith risueña, cerca de Casbolt, Alberton a una cierta distancia, mirando hacia ellos. Saltaba a la vista que Judith y Casbolt eran la pareja y Alberton el recién llegado.

Trace, que tan enamorado estaba de Judith Alberton, también era un recién llegado. ¿Acaso su amor por Judith tendría algo que ver con la razón que lo había empujado a matar a Alberton en lugar de limitarse a dejarlo inconsciente? ¿Lo había hecho por Judith, además de por las armas?

Monk estaba a solas con él, a esa hora posiblemente bajo el agua, dependiendo de él para sobrevivir.

Pero Casbolt había ido en busca de Lanyon para rescatarle. Estaría allí mucho antes de... ¡Allí! ¿Dónde?

De repente se quedó helada. ¡Casbolt no había preguntado dónde estaba buceando Monk buscando la barcaza! ¡Él lo sabía!

Todo lo que era cierto sobre Alberton y la inversión a título personal en la guerra de China era igualmente cierto sobre el propio Casbolt. Había perdido dinero, y con él todo el glamour y la generosidad que éste permite. Aquella hermosa casa y cuanto contenía, la admiración y el respeto que trae aparejados el éxito. Y Casbolt estaba acostumbrado al éxito. Cuanto le rodeaba hacía patente que había gozado de él toda la vida..., excepto con Judith. Ella sólo le había dado el amor de una prima y amiga, nunca pasión. Estaban demasiado unidos.

Fue hasta la puerta e hizo girar el picaporte, pero estaba cerrada. ¡Maldición! El viejo sirviente habría visto que Casbolt salía y había echado el cerrojo.

Sacudió el picaporte, llamándole.

Silencio.

Probó a gritar.

O estaba sordo o le traían sin cuidado sus gritos. ¿Le habría dado Casbolt instrucciones de mantenerla encerrada?

¡El reloj! Casbolt lo habría visto cuando había ido con Monk al domicilio de Breeland en busca de Merrit. Quizá lo había cogido entonces, ocultándolo a Monk, para luego dejarlo caer cuando llegaron al recinto del almacén en Tooley Street. No era de extrañar que se mostrase tan asombrado al enterarse de que Breeland se lo había regalado a Merrit.

Aporreó la puerta con tanta violencia como pudo, pidiendo ayuda a gritos. No consiguió nada.

Giró en redondo, fue hasta las cristaleras y las abrió. Una glicina trepaba hasta el balcón. ¿Sería lo bastante fuerte para sostenerla? ¡Tendría que serlo! La vida de Monk dependía de ello. Con cautela, haciendo caso omiso del destrozo de las faldas, se encaramó a la baranda, evitando mirar hacia abajo, y comenzó el descenso, cogiéndose a las ramas, hasta una altura que le permitió saltar los últimos metros, cayendo sobre la hierba como un fardo.

Se levantó, puso en orden sus ropas y echó a correr hacia la calle.

Todo había sido por dinero, no por las armas, y también por Judith. La guerra americana no tenía nada que ver. Las armas se habían vendido dos veces y se habían pagado una vez y media por lo menos. Casbolt había contratado a Shearer, y algún otro que cometió los asesinatos, asegurándose cuidadosamente una buena coartada para la noche de autos. Luego, tal como Monk había supuesto, a la noche siguiente se reunieron todos río abajo, en Bugsby's Marshes, para pagar y cobrar.

Salió corriendo hasta la mitad de la calle, agitando los brazos y chillando, al borde de la histeria.

Un carruaje aminoró la marcha hasta detenerse para no arrollarla. Un coche de punto frenó con un chirrido y el conductor soltó una maldición.

Hester se dirigió a él.

—Tengo que ir a la comisaría de Bermondsey. La vida de mi marido está en peligro... ¡Por favor!

Dentro había un anciano caballero. Se mostró alarmado por un instante y acto seguido, al ver la angustia pintada en el rostro de Hester, se avino a llevarla ofreciéndole su mano para ayudarla a montar.

—Suba, querida señora. ¡Cochero, vayamos donde indica esta dama, a toda velocidad!

El conductor se demoró sólo lo justo para asegurarse de que Hester subía a bordo y luego hizo restallar el látigo, poniendo en marcha a los caballos.

Monk jadeaba y de pronto la manguera quedó suelta. El aire volvió a envolver su rostro. Notó un golpe en el hombro e intentó girarse pero se movía muy despacio con una torpeza insufrible.

Trace estaba a su lado, sacudiendo la cabeza y sosteniendo la manguera del aire, sonriente.

Monk se avergonzó de sus pensamientos, de su pánico, pero ante todo sintió un inmenso alivio. Sonreí como un idiota a Trace a través del agua inmunda y e grueso cristal.

Levantó las manos en señal de agradecimiento.

Trace le contestó con un gesto, aún negando con la cabeza, para luego señalar el montón de cajones más cercano.

Monk sacó el cuchillo y entre los dos arrancaron la tapa haciendo palanca. Había armas dentro. Adivinaba su silueta.

Trace levantó su farol, acercándolo a pocos centímetros. Entonces vieron que se trataba de modelos antiguos, mayormente trabucos de chispa, muchos de ellos inservibles, sin percutor, muy distintos de los últimos Enfield que Breeland había adquirido. Eran poco más que una farsa.

Laboriosamente, fueron sacando la primera capa. Debajo sólo había ladrillos y lastre.

Probaron con una segunda caja y luego con una tercera. Todas contenían lo mismo: unas cuantas armas a la vista y debajo sólo lastre.

Monk por fin lo comprendió casi todo. Las armas auténticas nunca habían estado en Tooley Street. Las habían almacenado en algún otro lugar, para luego llevarlas a Euston y cargarlas en vagones de mercancías incluso antes de que Shearer llegara allí la noche de los asesinatos. Éste se había limitado a aceptar el dinero de Breeland. Probablemente nunca sabrían dónde estuvo el resto de aquella aciaga noche.

Aquellas viejas armas dispuestas encima de los ladrillos y el lastre habían sido robados por los desgraciados cuyos cuerpos flotaban en la horrenda cabina hundida en el Támesis. Habían escondido la barcaza, disimulada entre los restos del naufragio de la orilla de Bugsby's Marshes, hasta la noche siguiente, luego la sacaron a flote otra vez para acudir a la cita en la que pensaban entregar la mercancía y recibir el pago por los asesinatos. En cambio, junto con Shearer, habían encontrado su propia muerte. Si lo volvía a repasar seguro que todas las horas encajarían.

Tocó el brazo de Trace con la mano para indicarle que debían marcharse. Ya habían visto todo lo que había que ver. Avanzaron lentamente alejándose del pecio. ¿Había sido por mera codicia, sólo cuestión de vender las armas dos veces para conseguir más dinero? Había que reconocer que era una suculenta suma.

Avanzaba tambaleándose, buscando el camino a tientas, sumido en nubes de lodo, con los cabos tirantes a medida que la corriente iba en aumento y tenían que luchar contra ella. El trayecto se hacía interminable. Las piernas le dolían debido al peso de las botas. Estaba aprisionado tras la placa de cristal, respirando aire bombeado. Se esforzó por recordar las instrucciones que le habían dado. Debía usar la válvula de vaciado. Ganar flotabilidad. Así iba mejor. La vida y la luz del sol quedaban a unas pocas brazas, pero se dirían en otro mundo.

Trace iba a su lado, moviéndose con mayor seguridad. Agitaba su farol, guiando y metiendo prisa a Monk. De pronto dejó caer el farol. Monk vio que se llevaba las manos desesperadamente al cuello, golpeando la parte baja de la escafandra; su rostro apareció crispado tras el cristal, como si le faltara el aire.

Entonces sus cabos se tensaron, tirando de él hacia arriba y hacia atrás, y desapareció en la oscuridad, dejando a Monk completamente solo.

¿Dónde estaba la barca? Intentó subir, buscando su sombra a través de la nube de arena que se arremolinaba a su alrededor, mas no vio nada.

Por fin vio la escala. Se agarró a los peldaños, impulsándose con desesperación para alcanzar la superficie, la luz, por salir del traje frío, húmedo y apretado. Creyó que no lo lograría. Llevaba un montón de lastre encima. Nadie le ayudaba con los cabos. Habían dejado de tirar de él. Tenía que trepar por sus propios medios. Era un esfuerzo sobrehumano.

Por fin la cabeza emergió a la superficie e instintivamente inspiró con fuerza, llenando sus pulmones sólo de aire bombeado. Unas manos le alcanzaron para ayudarle a subir a bordo y, mientras el agua se escurría y un ayudante quitaba el cristal delantero de la escafandra, reconoció a Robert Casbolt. Entonces sonó un disparo, luego otro y otro más. El ayudante se desplomó hacia delante, con el pecho teñido de escarlata, y resbaló cayendo al agua.

Los otros dos hombres yacían tumbados junto a la bomba, uno de ellos de espaldas al lado de Trace, con un agujero oscuro en la cabeza, el tercero doblado sobre el banco de popa con el pelo manchado de sangre. Philo Trace estaba desplomado en el fondo de la barca, con los ojos cerrados, apenas consciente, con la escafandra a un lado.

Casbolt empuñaba una pistola con la que apuntaba a Monk.

—Ha encontrado algo ahí abajo que le ha demostrado que fue Trace —dijo negando un poco con la cabeza—, pero no ha sido lo bastante rápido para él. Le ha disparado. Casi se sale con la suya, además. Si su mujer no hubiese ido a verme con la verdad y yo no me hubiese apresurado en venir para intentar rescatarle, ¡lo habría conseguido! Trágicamente, llegué demasiado tarde... —Tragó saliva—. De verdad que lo siento. Yo sólo quería a Judith..., recuperarla, como en los viejos tiempos. Y suficiente dinero para cuidar de ella. Eso es lo único que siempre he deseado. —Levantó un poco el arma.

Sonó un disparo, luego otro. Casbolt se tambaleó un momento, perdió el equilibrio y cayó al agua marrón.

Otra barca surcaba las aguas hacia ellos, con Lanyon en la proa empuñando una pistola. A su lado, Hester tenía el rostro ceniciento, el viento le revolvía el pelo y hacía revolotear sus faldas rotas y mojadas.

La barca alcanzó la barcaza y Lanyon saltó a bordo.

Una mirada de horror llenó sus ojos al ver los cuerpos. Pasó un momento antes de que recobrara el aplomo y se acercara a Monk. Trace tosió y se sentó un poco más erguido, ayudado por un tripulante de la otra barca.

Hester pasó como buenamente pudo de una barca a otra y corrió a arrodillarse junto a Monk, repitiendo su nombre una y otra vez, escrutando su rostro, desesperada por saber si se encontraba bien. La voz se le atoró en la garganta; respiraba entrecortadamente.

Monk le sonrió y vio lágrimas de alivio correr por sus mejillas. Comprendió perfectamente que se podía amar tanto a una mujer como para no pensar siquiera en la otra. Por un instante casi compadeció a Casbolt. Había deseado a Judith toda su vida. El amor podía hacer daño. Podía exigir sacrificios más grandes que los que la imaginación podía prever, y no siempre era correspondido, o siquiera entendido. Pero eso no excusaba lo que había hecho. El fin no justifica los medios, se recordó.

Lanyon abrió la escafandra de Monk y se la quitó.

Hester le rodeó el cuello con los brazos y hundió la cabeza en su hombro, aferrándose a él con todas sus fuerzas, hasta que el abrazo les dolió a ambos; pero no podía soltarle.